D0107714

DRÔLE D'AMIE

DU MÊME AUTEUR
CHEZ LE MÊME ÉDITEUR

Inséparables

Isla Dewar

DRÔLE D'AMIE

Traduction de Zoé Delcourt

Roman

Titre original : *It Could Happen To You*

ISBN 2-258-05430-3

À Rosa O'Keefe

1

Rowan avait aimé Eileen dès le premier instant. Elle le savait. Cet amour-là n'avait rien d'une passion physique; il se satisfaisait de contacts anodins. Mais c'était bel et bien de l'amour. Et lorsque l'amour était mort, la fascination, elle, était demeurée. Des années après leur séparation, il arrivait encore qu'Eileen s'impose soudain à ses pensées, dans les moments les plus inattendus. « Mon Dieu, songeait Rowan, Eileen... Je me demande ce qu'elle est devenue. » Quoi qu'il lui arrivât, quels que dussent être les changements dans le cours de sa vie, elle ne parviendrait jamais à oublier Eileen, elle le savait.

Lorsqu'elle l'avait rencontrée pour la première fois, elle avait aussitôt été envahie par un désir irrésistible de la fréquenter. Elle était dévorée par cette passion simple que nourrissent les gens tendres et innocents vis-à-vis de ceux qui, selon eux, possèdent tous les attributs qui leur manquent. Elle était éblouie.

De l'avis de tous, Rowan était une jeune femme réservée. Souvent, elle se fermait et était incapable d'exprimer une émotion alors même qu'elle le souhaitait. Tant qu'elle se trouvait face à quelqu'un, elle pouvait lui pardonner n'importe quoi. Mais plus tard, elle se remémorait une insulte, une agression caractérisée, et tremblait de rage. Elle n'avait jamais été très douée pour l'amitié. Des passions brèves, violentes, oui, elle en avait connu; mais la camaraderie lui était étrangère. Elle n'arrivait pas à projeter la personne qu'elle savait être au fond d'elle-même. La rêveuse, la voyageuse, l'esprit vif, sardonique et têtu.

En pensée, Rowan parvenait toujours à gérer les situations difficiles. Mais le moment venu, quand celles-ci se présentaient — dans toute l'horreur de la réalite —, elle disparaissait dans sa coquille et se taisait. Plus tard, une fois seule, en y repensant, elle reprenait les choses en main et déclamait à sa chambre vide des tirades bien senties. Oh, combien de réprimandes et de leçons destinées à des vendeuses mal embouchées, à des médecins grincheux, à des voix insistantes au téléphone la harcelant pour lui vendre des doubles vitrages avaient entendues son canapé et ses coussins! Les vengeances spirituelles, les reparties humiliantes lui venaient toujours trop tard. Eileen l'avait compris et ne pouvait s'empêcher d'en profiter. Pas par méchanceté, seulement par opportunisme. Eileen était une opportuniste née, extravertie, extravagante et, au physique, trop maquillée.

La première fois qu'elles s'étaient rencontrées, Rowan était en train d'emménager dans sa chambre de la maison d'Islington. Elle montait les deux volées d'escalier recouvertes d'une moquette si usée qu'on apercevait le bois des marches à travers la trame. Le mur sur lequel elle s'appuyait de temps en temps pour se reposer, épuisée par son labeur, était habillé d'un papier à motifs marron et or. Une odeur écœurante d'humidité et de nourriture moisie — plats indiens plusieurs fois réchauffés abandonnés dans le réfrigérateur — assaillait ses narines. Cette ancienne demeure bourgeoise de Londres prenait lentement mais sûrement un aspect sordide.

Elle avait mal aux jambes tant elle était chargée. Elle

avait glissé des livres, des cartes sous ses bras, en avait fourré dans les poches de son long manteau de cuir et portait deux valises, voulant monter un maximum de choses à la fois pour effectuer le moins d'allers-retours possible dans l'escalier. Tous les trois ou quatre pas, elle faisait tomber un objet et se retournait maladroitement, pour le voir rouler de marche en marche jusqu'au pied de l'escalier.

Eileen occupait la chambre située de l'autre côté du palier. Dans un premier temps, elle entrebâilla la porte pour glisser un coup d'œil. Puis elle l'ouvrit toute grande.

— Qui est-ce?

Elle portait un gilet noir, un porte-jarretelles, des bas, de très, très hauts talons et un bonnet de père Noël rouge. Un pompon blanc oscillait devant son nez.

— Ce n'est que moi, répondit Rowan, tâchant de paraître à l'aise devant cette fille si visiblement sûre d'elle.

Une poufiasse éhontée, aurait dit sa mère. Rowan s'efforça de regarder Eileen en face sans ciller.

— Désolée, je ne voulais pas vous déranger. J'emménage.

Elle songea qu'elle souriait trop, que son visage devait luire de timidité.

— Ma nouvelle voisine!

Théâtrale, Eileen fit un pas en avant et lui tendit une main molle.

— Je m'appelle Eileen. Et toi?

— Rowan.

Eileen la regarda avec attention.

— Tu n'as pas une tête de Rowan. Tu as l'air un peu perdue. Abasourdie. Seule dans le vaste monde... Je t'appellerai Joe.

Rowan toléra ce prénom durant deux mois avant de protester.

— Je m'appelle Rowan. S'il te plaît, appelle-moi Rowan.

Eileen haussa les épaules.

— Comme tu voudras, dit-elle d'une voix déçue.

Rowan eut l'impression de l'avoir trahie. Elle aurait dû être reconnaissante à Eileen pour le temps et l'attention que celle-ci s'imaginait avoir consacrés à lui trouver un prénom approprié...

Rowan avait emménagé le 14 décembre 1989, en pleine frénésie de Noël. Tout trahissait l'approche des fêtes : les magasins, les rues, les lumières dans les maisons, les vieux tubes de John Lennon qui passaient à la radio. Dans les journaux et à longueur de débats télévisés, des experts semblaient sincèrement émerveillés par la décennie pleine de frénésie, clinquante, qu'ils venaient de vivre — et que Rowan avait l'impression d'avoir ratée.

Au moyen d'une série de dépêches et de tubes du Top 50, la radio que Rowan avait installée dans sa nouvelle chambre résumait cette décennie. La guerre du Liban et Wham! La montée de Thatcher et Boy George. Live Aid et U2. Les Communards et Billy Ocean. Les Filofax, les épaulettes, l'ecstasy, les réseaux, la montée en flèche de l'immobilier, la chute de l'immobilier, et Kylie Minogue. Tout en allant et venant, apportant de nouveaux paquets dans sa chambre, Rowan écoutait. « Rien de tout ça, se disait-elle, je n'ai rien eu de tout ça. » Pas une épaulette, pas un Filofax. Rien. Elle avait le sentiment que les bilans de la décennie laissaient percer un léger embarras. Un tel culte de l'argent... Mais elle, au contraire, avait honte de n'avoir rien à regretter. Qu'avait-elle fait au cours des dix dernières années? Elle avait grandi, quitté la maison. Avait eu quelques amants, rien de durable, rien de sérieux, rien qui lui eût brisé le cœur. D'ailleurs, chaque fois qu'une relation menaçait de devenir ou sérieuse, ou durable, ou de lui briser le cœur, elle y mettait un terme. L'amour n'était pas inclus dans ses plans d'avenir. Dans les années quatre-vingt elle ne s'était pas créé un réseau de relations, n'avait pas cherché à grimper les échelons de sa profession. Elle s'était fait peu d'amis. Elle n'était rien, songeait-elle. Mais elle avait ses rêves.

Jive Bunny et les Mastermixers chantaient *Let's Party*, et la constante gaieté sans âme de tout cela transformait la solitude de Rowan en une souffrance si intense qu'elle s'en délectait presque. Elle avait l'intention de passer le jour de Noël seule, assise dans cette cuisine sordide qu'elle venait d'entrevoir en passant, à manger un blanc de poulet pour une personne de chez Marks & Spencer accompagné de choux de Bruxelles décongelés, tout en vidant méthodiquement une bouteille de vin blanc australien. Point d'orgue de sa soirée, elle ferait l'impasse sur le pudding de Noël — qu'elle avait en horreur. La soirée qu'elle projetait promettait d'être si atroce qu'elle en mourait d'impatience.

Elle avait résisté aux supplications de sa mère, qui voulait qu'elle rentre passer Noël à la maison, arguant que cela faisait un trop long trajet pour les trois jours dont elle disposait : elle devait travailler le 27 décembre, avait-elle affirmé. Un mensonge — elle avait deux semaines de congé, pour Noël. Mais retourner chez elle ne faisait pas partie de ses projets. Rowan avait deux ambitions : la première était de voyager de par le monde ; la seconde, de ne jamais retourner dans la sinistre petite ville où elle avait grandi.

Rowan voulait par-dessus tout être « cool ». Elle ne savait pas vraiment s'il était cool de se pavaner devant des inconnus à moitié nue avec un bonnet de père Noël flasque sur la tête. Mais elle savait qu'elle ne devait pas faire de commentaires à ce sujet, ni même paraître s'en apercevoir. Elle était *cool*, donc elle ne disait rien. D'ailleurs, elle côtoyait sans cesse des femmes avec des bonnets bizarres. Tous les jours. Elle ne le remarquait même plus. Du moment qu'on ne lui demandait pas de sortir dans un tel accoutrement...

— Je te donnerais bien un coup de main, dit Eileen, mais je dois me sauver.

Elle réintégra sa chambre, se retourna et adressa à Rowan un clin d'œil entendu.

— J'ai du monde, si tu vois ce que je veux dire.

De l'intérieur s'échappaient les effluves sensuels d'une cigarette aromatique et la fumée presque étouffante émanant de bâtonnets d'encens au musc.

— Eileen ? Qu'est-ce que tu fous à te balader comme ça dehors ? Rentre ici. Ferme cette putain de porte.

Une voix d'homme. Eileen ferma la porte.

Rowan alla dans sa chambre et regarda autour d'elle. Ce serait son chez-soi jusqu'à ce qu'elle ait amassé assez d'argent pour sa grande aventure, son voyage autour du monde. Elle avait vingt-quatre ans. Elle rêvait de voyager depuis l'âge de douze ans.

C'était M. Kinear, son professeur de géographie, qui, le premier, l'avait fait rêver. Hiver comme été, il venait à l'école à vélo, vêtu d'un poncho. Il n'était pas du genre à coller au programme officiel. En fait, essayer de bourrer le crâne d'élèves indifférents avec des faits — les importations, exportations, ressources naturelles et variations de population d'un pays — l'ennuyait. Il regardait les rangées de visages juvéniles levés vers lui, conscient de la lassitude qu'éprouvaient les élèves à devoir emmagasiner ainsi des informations dont ils se fichaient. Il voyait qui suçait un bonbon, qui regardait par la fenêtre et qui passait des petits mots à son voisin, et cela le rendait malade d'être à l'origine de toutes ces tentatives maladroites pour échapper à l'ennui. Alors, il se lançait dans des digressions. Il parlait à ses élèves de ses voyages. De l'époque où, sac au dos, il avait traversé le Pérou avant de s'embarquer pour l'Australie, où il était parti de sa petite ville natale pour descendre à Londres, visiter toute l'Europe puis partir en Inde. Perplexes, les enfants continuaient à sucer, rêvasser et griffonner.

Seule Rowan, dans son uniforme d'écolière tout neuf, encore amidonné, l'écoutait. Elle était captivée. Voilà ce qu'elle voulait faire : découvrir des endroits où nul ne la connaissait. Voyager de par le monde, avec seulement un baluchon sur l'épaule et une paire de chaussures de rechange. Elle voulait quitter cette ville, quitter ses parents et la vie routinière qu'ils menaient. Les horaires stricts des repas — petit déjeuner à sept heures trente, déjeuner à midi quarante-cinq, thé à cinq heures trente — et les deux semaines de vacances annuelles à Southport. Elle voulait passer des années à voyager, jusqu'au jour où elle découvrirait un endroit où elle se sentirait chez elle. Elle était convaincue qu'il existait un lieu, quelque part, où elle serait parfaitement heureuse. Elle le trouverait. Un jour, elle pénétrerait dans une petite ville inconnue, s'assiérait à une table dans un café, regarderait autour d'elle et se dirait : « Voilà. Ma place est ici. »

Pour trouver cet endroit, elle voulait suivre les traces de ses héros : M. Kinear, Mungo Park (qui, parti de Dunfermline, avait remonté tout le Niger jusqu'à Bussa, où il était mort en 1806 ; Rowan était déterminée à faire ça un jour, à entreprendre ce voyage), Burton, Speke et, dernièrement, Martha Gellhorn, dont Rowan avait tant lu les *Voyages avec moi-même et un autre* que le livre était en pièces.

Elle posa son exemplaire abîmé, scotché de partout, sur le petit coffre à côté de son lit. Elle avait l'intention de le relire une fois encore ce soir-là. Cela apaiserait ses nerfs malmenés par ce déménagement et la perspective de commencer, lundi, un nouveau travail.

Les cartes de Rowan étaient vieilles, cirées, craquelées par le temps, bosselées ou percées par les coups de règle des professeurs. Elle les avait récupérées dans une benne devant son ancienne école, dix ans plus tôt. Elles étaient en couleurs — rose, vert, jaune, les mers et les océans d'un étrange turquoise pâle crasseux. Ces cartes n'étaient plus d'actualité. Le monde avait changé depuis qu'elles avaient été éditées. Des caractères d'imprimerie de forme élaborée recensaient les noms d'endroits qui avaient depuis longtemps été rebaptisés — l'Abyssinie, la Côte-de-l'Or, la Mésopotamie.

Eileen, Rowan devait le découvrir, utilisait quant à elle ses murs pour rendre hommage aux héros de l'écran et à la drogue. Mais la chambre de Rowan, elle, était un sanctuaire consacré à son rêve secret. Les chemins qu'elle comptait emprunter, suivant les traces d'autres voyageurs, plus admirables qu'elle ne pensait jamais pouvoir l'être, étaient soigneusement tracés. Un jour, se disait-elle, elle visiterait les endroits marqués sur ses cartes. Elle attendrait sur des quais de gare déserts des trains qui arriveraient en lâchant des nuages de vapeur, elle rejoindrait la foule bruyante des voyageurs, irait où les rails la conduiraient. Elle marcherait de village en village, le long du Niger, mangeant, quand la nourriture se ferait rare, des bourgeons de maïs bouillis dans du lait ou de l'eau, comme Mungo. Elle soupçonnait que la plupart des villages visités par ce dernier n'existaient plus — ou bien, s'ils existaient encore, qu'ils étaient peuplés de gens qui buvaient du Coca-Cola et mangeaient des Big Mac —, mais elle s'efforçait de chasser cette pensée. Chaque fois que celle-ci s'immisçait dans son cerveau, elle la rejetait violemment. La culture moderne n'avait pas sa place dans ses fantasmes. Elle voulait jeter un coup d'œil dans le puits au fond duquel était tombé le cheval de Mungo à Wonda, regarder de grands lacs gris disparaître sous des nuées de flamants roses, faire du trekking dans l'*outback* australien, guidée seulement par des chansons ancestrales, sous le ciel de l'hémisphère sud. Elle suivrait des caravanes de chameaux, errerait avec des tribus nomades qui n'auraient jamais vu de femmes blanches solitaires avant elle, et seuls son émerveillement et son désir sincère de voyager avec eux lui éviteraient de subir les derniers outrages. Elle visiterait la Patagonie et le Pérou. Elle parcourrait la Grande Muraille de Chine. Elle dormirait sous la tente tandis qu'autour d'elle vibrerait une jungle mouvante. Ses pieds blessés arpenteraient les déserts du Soudan. Elle ferait tout cela, et plus. Elle le ferait. *Elle le ferait.*

Elle imaginait tout un monde, vaste et fantastique, qui attendait qu'elle vînt le parcourir. Déterminée à faire de son rêve une réalité, elle ne remarquait pas ce qui se passait autour d'elle et se refusait toutes sortes de plaisirs simples — alcool, musique, sorties. Enfin, cela, c'était avant qu'Eileen ne lui tourne la tête.

Quatre petits mots résumaient l'existence d'Eileen — *ça ne suffit pas.* « Ça ne suffit pas ! » s'exclamait-elle en regardant autour d'elle d'un air désespéré. Il fallait qu'elle soit satisfaite, rassasiée ; quoi qu'elle fût en train de manger, de boire ou de fumer, elle en voulait à satiété. Une barre de chocolat ? « Ça ne suffit pas. Cours m'en chercher d'autres, ma chérie », disait-elle à Rowan, qui s'empressait généralement d'obéir. Une cigarette ? « Ça ne suffit pas. » Et elle fumait le paquet sans s'arrêter. Avant d'en ouvrir un second. Un verre ? Impensable. Elle buvait, encore et encore. Elle faisait les cent pas dans la pièce, un verre dans une main, un mégot dans l'autre, dansant un peu, chantant un peu, éclatant souvent d'un rire aigu, pour rien, à la poursuite du bonheur, de l'ivresse, cherchant perpétuellement à fuir à tout prix la sobriété. Personne ne pouvait tenir le rythme. Mais tout le monde l'adorait. Du moins était-ce l'impression qu'avait Rowan.

Deux jours après leur rencontre, Rowan était la meilleure amie d'Eileen. C'était en tout cas ce qu'affirmait cette dernière, qui se faisait et perdait des amis (surtout des « meilleurs » amis) très facilement.

— Voici Rowan, annonçait-elle. Il faut que vous fassiez sa connaissance. N'est-elle pas *superbe*? Si menue. Et regardez ses cheveux! Si courts et si volumineux. Elle est adorable, n'est-ce pas? C'est ma meilleure amie.

— Absolument pas, rétorquait Rowan d'un air excédé. Je te connais à peine. De plus, c'est Claudia Rossi, ma meilleure amie. Nous étions à l'école ensemble.

Cela faisait bien longtemps qu'elle n'avait vu Claudia, depuis des années, en vérité, mais elle la considérait toujours comme sa meilleure amie.

Tout le monde éclatait de rire.

— Qu'est-ce que je vous disais? insistait Eileen. N'est-elle pas craquante?

Mais Rowan n'avait pas envie d'être « craquante ». Elle voulait être une voyageuse intrépide et téméraire. Pourtant, sans qu'elle sût pourquoi, son irritation ne manquait jamais d'amuser les gens.

Elle était venue à Londres pour devenir la secrétaire de James Frobisher, responsable éditorial chez Tingwell & Mason, éditeurs de livres éducatifs.

Tout comme Rowan, James Frobisher était complètement passé à côté du style et du mouvement des années quatre-vingt. C'était l'homme le plus grincheux qu'elle eût jamais rencontré. Au moins une fois par semaine, il apparaissait devant le bureau de Rowan, dans un nuage de fumée de pipe, et lui demandait de nettoyer le café qu'il avait renversé. Elle se levait, allait dans la pièce adjacente et demeurait un moment debout derrière l'immense bureau en acajou de son patron, évaluant dans un désespoir silencieux l'ampleur des dégâts — les feuilles dactylographiées trempées, les débris de tabac flottant dans de petites flaques de caféine, la marée de Nescafé arrosant la moquette. Elle soupirait devant le cendrier inondé débordant de café, de cendres, d'allumettes brûlées et de tabac. Puis elle s'attelait à la tâche avec une boîte de Kleenex. Derrière elle, M. Frobisher tamponnait inutilement sa culotte d'équitation maculée. Le dépassant, elle allait jeter les feuilles trempées dans la poubelle.

— Ce n'est pas grave, monsieur Frobisher, je vais refaire un tirage.

Puis elle nettoyait la moquette avec un chiffon humide. Lui, pendant ce temps, s'agitait, pressé de retourner au travail. C'était presque chorégraphié, à présent. Ils ne se regardaient pas. Ils se serraient dans le petit espace derrière le bureau. Ils se touchaient rarement, mais lorsque cela se produisait, ils frissonnaient tous les deux avec une certaine inquiétude.

Huit heures par jour, Rowan partageait un bureau aux murs vert pâle avec quatre autres secrétaires, tapant sur son clavier, regardant les longues lettres alambiquées de M. Frobisher à ses auteurs ainsi que ses mémos destinés aux autres départements — ventes, droits d'auteur, publicité — apparaître sur son écran. A dix heures trente et à quinze heures trente, elle apportait un café à son patron, se demandant chaque fois si cette tasse serait celle de la catastrophe.

Tous les matins en arrivant, Rowan commençait par classer les lettres de la veille — M. Frobisher insistait pour garder une copie papier de ses épanchements. Puis, comme il refusait d'avoir un ordinateur lui-même, Rowan prenait en sténo ce qu'il lui dictait, tout en regardant par la fenêtre. Chaque fois qu'il s'envolait dans un de ses délires, élaborant et équilibrant longuement ses phrases, elle se prenait à rêver. De onze heures trente à seize heures, elle tapait les lettres de M. Frobisher. Et, à seize heures, elle mettait toutes les lettres et tous les mémos qu'elle avait tapés dans un élégant classeur recouvert de cuir, qu'elle lui apportait pour qu'il puisse les signer.

M. Frobisher ne manquait jamais de lui en faire retaper un certain nombre.

— Reprenez celles-ci, mademoiselle Campbell, ordonnait-il en lui renvoyant le classeur en cuir, mécontent parce qu'elle avait mis une virgule là où il n'en avait pas demandé, ou parce qu'elle n'avait *pas* mis de virgule à un endroit où il avait explicitement exigé qu'il y en eût une.

Toutes les quatre semaines, Rowan était de corvée de biscuits. Elle prenait de l'argent dans la « cagnotte-biscuits » du secrétariat, allait chez Marks & Spencer et achetait les provisions de la semaine. Elle prenait toujours des gâteaux fourrés à la figue ou des cookies à la noix de coco, parce qu'elle savait que M. Frobisher les avait en horreur. Une fois toutes les quatre semaines, donc, M. Frobisher faisait irruption dans le secrétariat, un gâteau sec à la main, et exigeait de savoir qui était de corvée de biscuits.

— Je déteste ces trucs-là, disait-il. Vous savez parfaitement que je les déteste. Qui les a achetés ?

Rowan secouait la tête.

— Aucune idée.

C'était la guerre — une guerre des biscuits —, même si M. Frobisher ignorait qu'elle avait été déclarée contre lui. Ses protestations et sa frustration croissante donnaient à Rowan le sentiment qu'elle était en train de gagner, peu à peu.

Tous les deux ou trois mois, M. Frobisher arrivait au bureau métamorphosé. Il était élégamment habillé

— chemise coûteuse, cravate à pois — et sentait bon l'après-rasage de Givenchy.

— Des réunions, expliquait-il. Je dois voir des agents étrangers.

Les autres secrétaires se demandaient s'il avait une maîtresse, mais Rowan n'y croyait pas.

— A qui voulez-vous qu'il plaise?

Ses seuls contacts avec le passé étaient ses coups de fil à sa mère. Elles avaient des habitudes téléphoniques très strictes. Sans jamais en avoir discuté avec elle, Norma, la mère de Rowan, avait décidé que Rowan devait l'appeler une semaine et qu'elle l'appelait la suivante. C'était un rituel, qui avait lieu vers quatorze heures le dimanche. Si Rowan appelait en retard, sa mère s'inquiétait. Si elle oubliait d'appeler, sa mère paniquait et s'imaginait qu'elle avait été assassinée ou enlevée. Cependant, elle ne téléphonait jamais pour avoir l'assurance du contraire. Quand Rowan rompait avec leur rituel, sa mère attendait que ce fût son tour d'appeler pour lui faire savoir combien elle était déçue.

Dès que Rowan entendait la sonnerie à l'autre bout du fil, elle voyait en esprit la petite table de l'entrée sur laquelle le téléphone était posé, à côté d'un cactus miniature et d'une violette d'Afrique. Elle imaginait sa mère marchant d'un pas décidé sur la moquette et disant : « Allons bon, qui est-ce? » Elle portait sa robe verte, des chaussures noires à talons plats; elle soulevait le combiné.

— Allô! 55-996.

En parlant, elle jetait un coup d'œil au miroir accroché au mur dans son cadre doré et jouait avec le double rang de perles à son cou. Elle récitait toujours le numéro de téléphone en décrochant, comme cela était suggéré dans le livret qu'on leur avait remis lorsqu'ils avaient fait installer le téléphone, vingt ans plus tôt. Ce livret, en parfait état, était toujours là, bien rangé dans l'annuaire. Norma s'énervait lorsque quelqu'un de la famille ne suivait pas la procédure d'usage en décrochant le téléphone.

— Allô, disait Rowan. C'est moi.

— Qui ça, moi? demandait sa mère.

Rowan sentait toujours ses épaules s'affaisser en entendant ces mots.

— Rowan. Tu le sais très bien.

— Il faut toujours s'annoncer, au téléphone. Cela pourrait te faire gagner un temps précieux en cas d'urgence.

Rowan avait à chaque fois envie d'ergoter avec sa mère, qui savait parfaitement qui était au bout du fil lorsqu'elle entendait : « C'est moi. » Pourquoi ne pouvait-elle pas se détendre et dire bonjour, tout simplement? Mais la jeune femme savait que si elle se lançait dans ce débat, Norma et elle seraient encore en train de se quereller au moment de raccrocher, et qu'elles ne se réconcilieraient qu'au prochain coup de fil, une semaine plus tard. Aussi changeait-elle toujours de sujet.

— Quoi de neuf?

— Ton père est parti faire sa sieste après le déjeuner. Nous n'avons pas eu de lait ce matin. Je ne pense pas que le forsythia fleurisse cette année.

Un court silence tandis que sa mère se creusait la tête pour essayer de trouver d'autres nouvelles :

— Oh, et le County Arms Hotel a brûlé, mercredi dernier. George O'Connell a dû sauter d'une fenêtre du deuxième étage. Il s'est cassé la jambe. Remarque, soûl comme il l'était, il n'a pas dû le sentir. C'est ça, le problème, quand on possède un hôtel : la boisson est trop accessible. Tu devrais voir le prix du poisson chez Payne, cette semaine. Jamais tu ne devineras combien ils m'ont fait payer deux haddocks.

— Non, j'imagine que non.

A ce stade de la conversation, Rowan commençait à glisser doucement le long du mur.

— Oui, j'ai dit au laitier que s'il nous oubliait une fois de plus j'annulerais la commande, point final.

— Tu as bien fait.

Les fesses de Rowan atteignaient le plancher.

— Ce pauvre George O'Connell va passer au moins deux semaines à l'hôpital, avec cette jambe cassée.

— C'est probable.

Rowan posait sa tête sur ses genoux.

— J'ai dit à ton père : « Désormais, nous achèterons du jambon. Pas question que je paye un prix pareil pour du poisson. »

— Tu as parfaitement raison.

Rowan passait sa main libre par-dessus sa tête.

— Tu te souviens de Duncan Willis ?

— Vaguement, grommelait-elle depuis les profondeurs de sa position fœtale.

Comment aurait-elle pu oublier Duncan Willis ? Il l'avait soulagée de sa virginité sur le siège arrière de la Toyota de son père.

— Eh bien, il s'est enfui avec Kathy Ross, la femme du plombier. Elle a vingt ans de plus que lui. Je ne sais pas ce qu'elle trouve à ce gamin.

Rowan aurait pu lui donner deux ou trois détails sur le sujet... Mais ce n'était peut-être pas une très bonne idée.

— En fait, je pense que nous aurions quand même dû prendre le haddock. Le jambon était trop salé. Et toi ? Ça va ? finissait par demander sa mère chaque semaine.

Rowan refaisait surface, émergeait de son accroupissement défensif, se relevait et lui disait que tout allait bien. Qu'elle s'était fait des amis. S'était bien installée dans son travail et adorait ce qu'elle faisait. Puis elles se disaient au revoir, à la semaine prochaine. Rowan reposait le combiné, avec une furieuse envie de hurler. Une fois encore, elle avait écouté les petites histoires de la ville où elle avait été élevée. Une fois encore, elle n'avait rien trouvé dans sa propre vie qui pût rivaliser avec elles. Une fois encore, elle les avait jugées tout à la fois ennuyeuses, frustrantes et absolument fascinantes. Pourquoi cela l'intéressait-il de savoir que le haddock était hors de prix chez Payne? Arrgh! Elle avait envie de crier, de sortir de la maison en courant, de se précipiter au milieu de la rue sans cesser de hurler, les bras écartés.

Ce qui était vraiment intéressant dans les conversations de Rowan avec sa mère n'était pas ce qui se disait, mais ce qui ne se disait *pas*. Leurs dialogues sans intérêt avaient implicitement pour cadre une désapprobation mutuelle latente. Norma ne comprenait pas — ne voulait pas comprendre — que Rowan pût avoir envie de voyager seule de par le monde, un sac au dos; elle avait peur pour sa fille. Rowan haïssait la façon complaisante dont sa mère acceptait une vie entièrement faite de petites routines. Nettoyer quotidiennement les mêmes surfaces, voir les mêmes visages dans les mêmes magasins, où elle achetait la même nourriture d'une semaine à l'autre... C'était pour elle le comble de la médiocrité. Alors, elles se mentaient. Norma prétendait se délecter de ces petits rituels qui, si elle s'était laissée aller et avait admis combien elle les trouvait ennuyeux, l'auraient fait hurler. Et Rowan répétait chaque semaine le même mensonge à sa mère — qu'elle aimait son travail et avait une vie très amusante —, alors qu'en vérité elle ne fréquentait guère qu'Eileen et détestait son job.

Cela n'avait pas d'importance, cependant, n'est-ce pas? Cette histoire de secrétariat n'était pas sérieuse. Ce n'était qu'une brève halte sur le chemin qui la rapprochait du jour où sa vie commencerait vraiment.

— Alors, toute ton existence est planifiée, hein? lui dit Eileen un soir.

— Bien sûr. Il faut simplement décider de ce que l'on veut et se donner ensuite les moyens de l'obtenir. Que fais-tu, toi, au fait ?

— Faire ? Je ne « fais » rien. Je *suis*.

— Comment gagnes-tu de l'argent ? Avec quoi payes-tu ton loyer, tes repas ? Tous ces trucs ennuyeux ?

— Je vis au jour le jour, je trouve ce dont j'ai besoin en étant moi-même. Je ne m'inquiète pas. Je refuse de m'inquiéter, affirma-t-elle en allumant une cigarette. L'inquiétude, c'est pour les idiots et les besogneux, ces horribles petites gens sinistres qui travaillent de neuf heures à cinq heures.

Elle jeta un coup d'œil à sa collection de CD.

— Il y a une chanson de Bob Dylan à ses débuts qui dit tout ça mieux que moi. Qui je suis, etc. *She's Got Everything She Needs*[1]... Attends, je vais te la mettre.

Elle passa ses albums en revue. Elle avait une chanson pour chaque émotion, chaque situation. Quand les mots lui manquaient, et cela lui arrivait souvent, elle trouvait une chanson appropriée et la passait, exigeant que toutes les personnes présentes se taisent et l'écoutent. Cela lui épargnait de faire l'effort d'une conversation.

— Je ne la trouve pas, gémit-elle. Mais regarde ça.

Elle sortit un numéro vieux de quatre ans et tout écorné du *Sun*.

— Regarde, c'est moi. J'ai fait ça. Ça m'a rapporté assez d'argent pour vivre à peu près une semaine.

En page centrale s'étalait une photo d'une demi-douzaine de femmes à moitié nues sur des VTT.

— C'est moi ! insista Eileen en tapotant la photo.

Rowan regarda. Elle n'avait pas vu exactement laquelle des femmes Eileen avait indiquée et, franchement, elle ne

1. « Elle a tout ce dont elle a besoin. » *(N.d.T.)*

trouvait pas que quiconque ressemblât à sa colocataire, sur la photo. Mais elle n'avait pas envie de le lui dire.

— Waouh ! s'exclama-t-elle plutôt, jugeant que c'était là la réaction qu'on attendait d'elle.

Quand elle était avec Eileen, Rowan disait souvent « waouh ».

— Puis, continua Eileen, j'ai fait cette pub... Tu sais, pour Levi's ? J'étais l'une des filles dans la laverie automatique, celle à l'air coquin, dit-elle en souriant. Et puis, j'ai décroché un rôle dans un film avec Michael Caine.

— Michael Caine ! répéta Rowan, les yeux écarquillés. Vraiment ? Waouh !

— Oui. Il passait à côté de moi dans la rue ; j'étais une Passante indifférente. C'est ce qu'il y avait dans le script. Je devais regarder une vitrine et ignorer Caine. Puis j'ai joué un rôle dans une pièce pour la télé. Un rôle parlant. Il fallait que je dise : « Monsieur Barker, le docteur va vous recevoir, à présent. »

— « Monsieur Barker, le docteur va vous recevoir, à présent », répéta lentement Rowan.

— Non ! la reprit Eileen. Pas comme ça. « *Monsieur Barker,* le docteur va vous recevoir, à présent. »

Elle se leva et *flotta* (c'était le mot qu'elle-même utilisait pour se décrire ; elle n'allait jamais nulle part — elle *flottait*) jusqu'à l'autre bout de la pièce, les pans de son long caftan en velours rouge volant dans son sillage.

— Il faut le *vivre*. Il faut que ce soit terrifiant. M. Barker doit être rempli d'appréhension. Que lui arrivera-t-il dans le cabinet du médecin ? Que va lui dire le docteur ?

Elle revint vers Rowan, la prit par le bras.

— Et d'abord, qui est ce médecin ? Il faut mettre tout ça dans cette phrase. Ce n'est pas aussi facile que ça en a l'air...

Après une courte interruption, elle reprit :

— Et puis, pour vivre, j'ai les hommes.

— Les hommes? Tu ne...

— Non.

Eileen commençait à en avoir assez de cette conversation.

— Je ne le fais pas pour de l'argent. Bien sûr que non! Seigneur.

Elle serrait ses bras autour d'elle, choquée par cette idée.

— Mais les hommes vous donnent des trucs. Des petits cadeaux. Ils vous emmènent dîner... Où irait-on sans eux?

— Je ne sais pas, répondit Rowan.

Les hommes ne faisaient pas partie de son grand projet.

Eileen désespérait d'elle.

— Franchement, il faut que nous nous occupions de toi. Tu n'as pas d'homme dans ta vie. Tu ne bois pas. Tu ne fumes pas. Qu'est-ce que tu fais, bon sang?

Rowan haussa les épaules.

— Rien.

— Oh, mon Dieu! Il faut vraiment que nous fassions quelque chose pour toi.

Eileen passa la main sous son lit, en tira une vieille boîte à chaussures, écarta les lettres et les cartes postales qui s'y trouvaient et en sortit deux feuilles de papier à cigarettes et une boîte de pellicule Kodak.

— Ça va te faire du bien.

Elle roula un joint, l'alluma. Tira dessus plusieurs fois en posant sur Rowan un regard abstraitement satisfait puis, avec un sourire béat, tendit le joint à Rowan.

— Non. Non! répondit la jeune femme avec un geste de refus de la main. Ces trucs-là ne m'intéressent pas.

— N'importe quoi! Bien sûr que si, ils t'intéressent. Il faut tout essayer.

— Tout? répéta Rowan.

— Tout. Sinon, tu risques de passer à côté de ta vie. Un moment comme celui-ci ne se reproduira peut-être pas. Je t'offre l'occasion de voir les choses d'une manière différente, inédite. Je t'offre une occasion de planer.

Eileen hocha la tête.

Rowan réfléchit. C'était vrai. Quelle aventurière refuserait un peu de marijuana? *Une occasion de planer.* Elle prit le joint. Au début, elle ne sentit que le tabac. Une vague de nausée monta dans sa gorge, s'étendit derrière ses yeux, dans toute sa tête. Encore deux bouffées et elle se sentit prise de vertige. Elle n'aimait pas ça. Elle rendit le joint à Eileen. La pièce avait une odeur sucrée, elle sentait la paille. Rowan s'allongea en arrière. Eileen mit un disque et chanta en même temps la chanson, que Rowan ne connaissait pas. Le joint lui revint, et Rowan se laissa glisser dans un coin de silence, dans sa tête. Elle regardait le sol, la moquette triste et élimée. Puis elle fixa le mur. Et elle eut l'impression de poser sur lui un regard neuf. Les motifs des bouts de papier peint visibles entre les posters — une ligne dorée, des petits dessins et une ligne verte — semblaient d'une certaine manière plus nets, plus clairs, plus intéressants qu'auparavant. « Waouh, songeait-elle. Le mur. »

Les murs d'Eileen étaient complètement recouverts de posters — une reproduction de la *Dame à la cape noire* d'Aubrey Beardsley, des groupes, des chanteurs, des guitaristes célèbres.

— Lui, je me le suis fait, dit Eileen en montrant du doigt quelqu'un que Rowan n'avait jamais vu avant. Et lui aussi, ajouta-t-elle en désignant quelqu'un d'autre.

Elle fit faire le tour de ses murs à Rowan.

— Lui, je l'ai rencontré. Et lui aussi. C'est un salaud. Je le déteste. Mais il est craquant.

Et Rowan dit :

— Waouh!

2

Eileen possédait un chat, une boule de fourrure noire appelée Elvis. Bien qu'il lui appartînt, il allait partout dans la maison, quêtant les caresses de quiconque avait ses faveurs ce jour-là. Eileen laissait des petits mots dans la cuisine : *Je sors. Reviendrai Dieu sait quand. Que quelqu'un nourrisse Elvis !* « Quelqu'un », c'était toujours Rowan. Sur le chemin du retour, après son travail, elle passait acheter à manger pour le chat, et s'attardait au rayon des aliments pour animaux domestiques, se demandant si Elvis préférerait une boîte « goût poulet et canard », « goût thon et saumon » ou tout simplement « goût bœuf » pour son dîner. Cela ne la dérangeait pas. S'occuper du chat lui évitait de penser à sa propre solitude... Même si elle savait qu'il lui faudrait s'habituer à la solitude, si elle voulait mener la vie dont elle rêvait.

Il ne fallut pas longtemps à Elvis pour adopter Rowan. Il emménagea avec elle. Le petit chat noir voûtait le dos lorsqu'elle le caressait et, quand elle lui parlait, il répondait par un minuscule miaulement aigu, révélant l'intérieur de sa bouche, doux et rose. Rowan était sous le charme.

Les soirs où elle avait la maison pour elle toute seule, Elvis se roulait en boule sur ses genoux en ronronnant.

Elle fumait — une manie qu'Eileen l'avait encouragée à adopter —, regardait ses cartes du monde, écoutait des CD empruntés à Eileen et se perdait dans son grand fantasme. De temps en temps, elle baissait les yeux vers le chat et lui grattait doucement la tête en murmurant à son oreille. Elle aimait sentir son poids chaud sur ses genoux.

Parfois, Eileen insistait pour que Rowan l'accompagne à des soirées. Elles montaient avec excitation dans la Coccinelle d'Eileen ; cette dernière ne regardait jamais autour d'elle avant de démarrer.

— Je suis une artiste. Je ne regarde pas en arrière, disait-elle, paraphrasant Dylan.

— Je ne suis pas certaine qu'il parlait du Code de la route ! protestait Rowan.

— Pff, se contentait de répondre Eileen.

Elle ne mettait jamais son clignotant. Elle s'insérait de force dans la circulation en envoyant des baisers du bout des doigts aux conducteurs irrités.

— Tut, tut ! Otez-vous de mon chemin. Nous allons faire la fête !

Hiver comme été, elle portait son manteau en lapin, qu'elle adorait, trouvé chez Oxfam[1]. Lorsqu'elles arrivaient à la soirée, avant de faire son entrée — et elle faisait invariablement une entrée fracassante —, Eileen lançait ses clés de voiture à Rowan. Rowan rentrait toujours seule.

Eileen avait des règles très strictes en ce qui concernait les soirées. Il ne fallait jamais arriver avant dix heures trente. Il ne fallait jamais arriver sobre. Et, si possible, il ne fallait jamais rentrer chez soi ensuite. Si, cependant, on dérogeait à cette règle, il ne fallait surtout pas partir avant quatre heures du matin. Plus tôt, c'était *tôt*. Et seuls les gens ennuyeux rentraient tôt.

1. Chaîne de magasins de vêtements et d'objets d'occasion dont les bénéfices financent une œuvre de charité. *(N.d.T.)*

Pour Rowan, le pire, dans ces soirées, c'était l'arrivée. Eileen, elle, était douée pour ça. Elle faisait irruption dans les pièces, lançait à la cantonade « Salut, tout le monde ! » et disparaissait, avec des petits cris d'excitation, dans les bras de ses amis et de leurs comparses. Soirée après soirée, c'étaient toujours les mêmes amis et comparses, et ils se saluaient et s'embrassaient toujours comme s'ils ne s'étaient pas vus depuis des années.

Rowan, elle, entrait d'un air penaud et regardait autour d'elle en espérant que personne ne la remarque. Tôt ou tard, elle finissait par se retrouver dans la cuisine à parler au suicidaire du jour. Car il y avait toujours quelqu'un, dans ces soirées, qui pensait au suicide.

— Pourquoi ? demandait-elle.

— Parce que, lui répondait-on le plus souvent, je n'ai aucune raison de vivre. J'ai vingt-trois ans et je n'ai rien fait de ma vie. A quoi bon continuer ? Si on n'a pas réussi à vingt-quatre ans, on ne réussit jamais. Pour moi, il est trop tard.

Cette conversation — et elle l'avait souvent — faisait toujours froid dans le dos à Rowan. Elle n'avait jamais eu le moindre désir de « réussir ». Sa seule ambition était d'échapper à la vie étriquée qu'elle menait. Cependant, le fait de bavarder avec le suicidaire lui permettait d'éviter à coup sûr le drame de la soirée.

Il y en avait toujours un, et Eileen était toujours impliquée. Des femmes éclataient en sanglots, gémissaient et disparaissaient dans les toilettes pour pleurer sur la vie, l'amour, l'incompréhension générale. Rowan assistait à la scène depuis sa position en retrait, préparant sa sortie. Généralement, après avoir parlé au suicidaire, Rowan laissait son esprit vagabonder. Et regardait de loin.

Tout autour d'elle, des gens se pelotaient, fumaient de l'herbe, dansaient, buvaient, riaient. Les pièces vibraient du rythme de la musique. Rowan observait, en s'efforçant d'avoir l'air intéressée. Ou intéressante. Les drogues qui circulaient n'arrivaient jamais jusqu'à elle ; elle ne savait pas si elle devait se sentir insultée ou non. D'un côté, il aurait été agréable d'être intégrée, d'être considérée comme quelqu'un de cool, dans le coup. De l'autre, si c'était pour faire des crises de nerfs absurdes, elle préférait s'abstenir.

Lorsque la soirée battait son plein, des couples s'éclipsaient de temps en temps vers les chambres, ou vers n'importe quel coin un peu sombre, pour revenir plus tard, froissés, rouges et visiblement satisfaits. Eileen, bien sûr, participait au maximum à tout cela.

Au bout de six semaines de soirées, Rowan décida que les appartements surchauffés et pleins d'agitation n'étaient pas pour elle. Elle n'y avait pas sa place. Après cela, elle refusa de retourner dans une seule de ces fêtes.

La seule chose qu'elle appréciait dans les soirées d'Eileen, c'était le trajet du retour, lorsqu'elle se retrouvait seule dans la voiture. Elle adorait les levers de soleil sur la ville. Les rues froides et vides. Les tours qui se dressaient comme des lances vers le ciel pâlissant. Il n'y avait jamais beaucoup de gens dehors — quelques fêtards souffrant de leurs excès, qui titubaient jusque chez eux, des policiers, des laitiers. C'était dans ces moments-là qu'elle découvrait la vie sauvage urbaine. Une fois, elle aperçut trois geais dans un tilleul. Une autre, un faucon pèlerin s'envola devant elle et plana, les ailes presque immobiles, au-dessus des rues. Qu'avait-il vu en bas ? Une souris ? Un hamburger abandonné ?

Un jour, elle vit même un renard. Il était debout au milieu de la route, dans le silence frais et propre du matin ; des maisons à trois étages, pimpantes, les rideaux tirés, s'alignaient de part et d'autre de la chaussée. Il avait l'air aussi perturbé que Rowan par la vie citadine, il était crasseux et sous-alimenté. Elle arrêta la voiture, sortit, laissant la portière ouverte, et s'avança vers lui.

— Salut, renard!

Il la regardait fixement. Elle retint son souffle, aux anges. Jusqu'où la laisserait-il approcher?

— Salut, renard, murmura-t-elle en tendant la main.

Il se détourna et remonta la rue en trottinant dans le petit matin. Puis il s'arrêta et se retourna pour la regarder.

— Salut, renard, répéta-t-elle avec un petit bruit de langue, le bruit qu'elle émettait pour appeler Elvis.

Le renard remua les oreilles. Elle sentit qu'il était timide, sournois, inaccessible et sauvage, et comprit qu'elle ne devait pas s'approcher davantage. Lorsqu'il s'enfuit enfin, elle remarqua une blessure à vif sur sa croupe. Sur une impulsion, elle se mit à courir après lui. Ses pieds martelaient la chaussée, choc rythmique qui résonnait dans le silence de la rue déserte.

— Oh, ne pars pas, appela-t-elle, je peux t'aider!

Mais le renard sauta au-dessus d'une barrière et disparut dans un jardin. Rowan s'accrocha à la grille en fer forgé, retenant son souffle, penchée pour soulager le point de côté qu'elle s'était provoqué en voulant courir trop vite, trop longtemps.

« J'aurais pu faire quelque chose. J'aurais pu le faire soigner », songeait-elle un peu plus tard en parcourant le long chemin en sens inverse pour retourner à la voiture qu'elle avait laissée au milieu de la route, la portière grande ouverte, la clé restée sur le contact.

Quatre autres personnes habitaient la maison avec Eileen et Rowan. Danny et Fred avaient chacun une chambre au rez-de-chaussée, Harry et Lou occupaient le premier étage. Danny et Fred étaient à proximité de la cuisine, Harry et Lou des toilettes.

— Mais nous, disait Eileen à Rowan, nous vivons au sommet. Nous avons peut-être un étage à descendre pour aller aux toilettes, mais nous jouissons de la vue. Et la vue, c'est le plus important.

— Pas quand on a envie de faire pipi au milieu de la nuit, faisait valoir Rowan.

Tous les locataires allaient et venaient en permanence. Ils portaient des vêtements voyants — orange ou vert acide —, écoutaient de la musique à fond. Quand ils s'exprimaient, Rowan les trouvait merveilleux et sauvages, incandescents. Il lui fallut des années pour se rendre compte que c'étaient en fait des âmes en transit, qui se cherchaient dans leur chemin vers la normalité et la respectabilité. La banalité. Elle leur parlait rarement; elle gardait ses rêves pour elle.

Danny, qui fournissait Eileen en marijuana, mit un jour Rowan en garde à son sujet.

— Méfie-toi, avec elle. Elle fait du mal aux gens.

— Pourquoi dis-tu ça? C'est mon amie.

— C'est l'amie de tout le monde. Elle se servira de toi. Elle se sert de tout le monde.

— Elle n'est pas comme ça, protesta Rowan. Elle me prête ses disques. Elle partage toutes ses affaires.

Danny haussa les épaules.

— Elle partage ce qu'elle veut bien partager. Mais c'est seulement pour t'inciter à lui prêter ce que tu as et qu'elle veut. On dirait que tu ne te rends pas compte de l'âge qu'elle a.

— Que veux-tu dire?

— Bon sang, cette fille cite Dylan! Elle est *vieille*! Elle a forcément plus de trente ans. Au moins.

— Impossible. Elle n'a pas l'air vieille du tout. Non. Et puis, même si c'était vrai, quelle importance?

L'idée d'avoir une amie intéressante et plus âgée séduisait Rowan. Cela lui paraissait très sophistiqué.

Danny haussa les épaules. Si Rowan n'avait pas assez de jugeote pour se demander pourquoi une femme de cet âge menait une vie pareille et vivait dans ce cloaque, qu'y pouvait-il? Au moins, il aurait essayé de lui ouvrir les yeux. Il posa son café sur la table de la cuisine, écrasa sa cigarette dans le cendrier et se mit à feuilleter le journal. Il tournait les pages rapidement, en y jetant à peine un coup d'œil, assis sur le bord de sa chaise, les orteils au sol. Ses jambes se trémoussaient au rythme de la musique qu'il avait écoutée un peu plus tôt et qui continuait à tambouriner dans sa tête. Il y avait toujours de la musique dans la tête de Danny, elle ne s'arrêtait jamais.

— C'est à toi de voir, dit-il à Rowan.

La conversation était terminée. Il l'avait prévenue. Il n'allait pas perdre davantage de temps à parler d'Eileen avec elle.

Chaque fois qu'Eileen passait une soirée à la maison, elle demandait à Rowan de venir fumer, boire du vin et bavarder dans sa chambre. Eileen s'asseyait en tailleur sur son lit, appuyée contre le mur; Rowan s'installait sur un coussin par terre. Puis Eileen se mettait à parler, et ne tardait pas à partir dans des délires. Elle avait trop à dire. Elle commençait une phrase, tombait en cours de route sur un mot qui lui rappelait un souvenir absolument sans rapport avec ce dont elle parlait, et se mettait à narrer l'histoire que ce souvenir lui avait remise en mémoire. Cela conduisait inévitablement à un autre souvenir, à une autre histoire. De temps en temps, elle s'interrompait, prenait une inspiration et disait :

— Oh, où en étais-je? Qu'est-ce que je racontais, déjà? J'ai perdu le fil. Donne-moi une seconde, le temps de me rappeler ce dont je parlais.

Parfois, Eileen donnait l'impression de mener deux ou trois conversations simultanément. Toutes avec elle-même. Cela ne dérangeait pas Rowan. Elle songeait que la vie d'Eileen ressemblait à une bande-annonce de film — fantastique, incroyable, merveilleuse, pleine d'action, excitante, à ne pas manquer! Alors qu'il ne lui était pas arrivé grand-chose, à elle. Elle était née. Bien. Comme tout le monde. Sauf, bien sûr, Eileen, qui, elle, n'était pas « née ». Elle avait fait une entrée fracassante dans le monde, avec trois semaines d'avance. Cette première apparition — très publique — avait eu lieu à l'arrière d'un taxi en route pour l'hôpital.

— Je ne pouvais pas attendre, expliquait-elle. J'avais trop hâte de commencer à vivre, à faire la fête.

C'était, tout du moins, sa version des choses.

Rowan trouvait son propre passé sans grand intérêt. Elle avait été élevée dans une petite ville, avec une maman et un papa — un couple de gens normaux, ordinaires. Elle était allée à l'école, avait quitté l'école. Avait pris des cours de secrétariat, s'était trouvé un travail dans les assurances, puis un autre dans un cabinet d'avocats. Et maintenant celui-là, pour M. Frobisher. Rien de bien excitant. Une existence normale, banale, sans relief. Elle n'arrivait pas à considérer ses réussites comme telles. Elle avait quitté sa ville natale, trouvé des postes relativement bien payés, avait toujours réussi à s'assumer, à se nourrir, à se loger et à se vêtir. Mais elle ne prêtait guère attention aux promesses de James Frobisher, qui affirmait que, si elle se débrouillait bien dans son job, il lui trouverait une place au sein de l'équipe éditoriale. Elle ne se doutait pas que son patron, ignorant tout de la guerre des biscuits qu'elle lui avait déclarée, trouvait qu'elle se débrouillait précisément très bien. Rowan faisait son travail de son mieux, sans cesser de penser au jour où elle partirait. Elle ne se félicitait même pas d'avoir — en prenant le logement le moins cher qu'elle ait pu trouver, en allant au bureau à pied, en mangeant peu et en n'achetant que des vêtements soldés — réussi à économiser plusieurs milliers de livres. Elle avait décidé qu'elle n'était pas quelqu'un de fabuleux. Peut-être était-ce à force de toujours tout se refuser.

Il n'y avait rien de banal chez Eileen. Tout ce qu'elle faisait, elle le faisait en technicolor. Elle mettait le fameux manteau de lapin et annonçait :

— Je sors acheter un paquet de clopes. Tu m'accompagnes ? Non ?

Et quand Rowan secouait la tête :

— Bon, très bien. Mais ne viens pas te plaindre si tu rates quelque chose.

— Que veux-tu que je rate en restant ici pendant que tu vas acheter un paquet de cigarettes ?

— On ne sait jamais, répondait-elle, surexcitée.

Inévitablement, Rowan se levait, mettait son manteau, l'accompagnait. On ne savait jamais. Et c'était toujours elle qui payait les cigarettes.

Un samedi après-midi, vers la fin du mois de février, Eileen, un joint à la main, leva la tête vers la fenêtre et regarda les nuages qui s'amoncelaient dans le ciel.

— Je pense que ce sont des esprits, pas du tout des nuages. Ce sont les morts qui nous rendent visite. Parfois, je les regarde et je reconnais les visages de gens que j'ai connus. Une fois, j'ai vu mon oncle George. Et ma tante Else.

Elle tendit le joint à Rowan, qui secoua la tête.

— Tu dis des conneries. N'importe quoi.

Rowan se leva, donna un coup de pied dans le coussin.

— Il se passe des tas de choses intéressantes, et moi je suis là, à écouter tes conneries.

Il lui avait fallu tout ce temps pour réaliser qu'Eileen disait beaucoup d'inepties. De plus en plus souvent, durant les longues sessions du samedi après-midi au cours desquelles Eileen parlait d'Eileen, Rowan s'ennuyait. Eileen regardait le visage de Rowan et remarquait son manque d'expression, la façon dont ses yeux se posaient sur la porte ou se tournaient vers le ciel. Cela finissait toujours par arriver, songeait Eileen. Les visages finissaient toujours par se fermer ainsi. Les gens la chassaient de leur esprit. Alors qu'elle voulait être leur amie.

Eileen n'était guère douée pour les relations de voisinage. Il ne lui venait même pas à l'idée que Rowan pût souhaiter avoir la paix. Ou tout simplement dormir, pour pouvoir se lever et aller au travail le matin. A n'importe quelle heure du jour ou de la nuit, Eileen frappait à la porte de Rowan, exigeant que celle-ci vînt écouter le récit de sa dernière aventure. Rowan s'efforçait d'ouvrir les yeux, des lambeaux de rêves plein la tête, et grommelait :

— Va-t'en !

Elle n'avait plus envie d'entendre les histoires d'Eileen, avec leur conclusion inévitable : « Tu aurais dû venir » ou « Tu as raté quelque chose ».

Elle commençait à se demander ce qu'elle avait bien pu trouver à Eileen, au début, ce qui l'avait séduite. Son absurde spontanéité ? Sa gentillesse presque exagérée ? Non. Rowan savait que ce n'était pas cela.

Eileen la touchait. Physiquement. Ce n'était pas grand-chose ; mais d'où venait Rowan, les gens ne se touchaient pas. Bon an mal an, les anniversaires, les Noëls, les réveillons de Nouvel An se succédaient sans que dans sa famille on s'embrassât ou se câlinât. Un sourire, un verre raisonnablement rempli — c'était tout. Les grands départs s'accompagnaient d'un malheureux petit geste de la main, sur le pas de la porte. Un jour, Norma avait rangé ses sentiments au placard, bien décidée à ne plus les mettre en jeu et, en tout cas, à ne plus les montrer. Rowan ne savait pas pourquoi. En fait, ce ne fut qu'après son départ de la maison, en repensant à son enfance, qu'elle avait réalisé combien sa mère redoutait toute forme d'émotion.

Les autres filles avaient des relations avec leur mère — des amitiés, même. Norma avait toujours été renfermée. Par exemple, consciente qu'elle était censée parler de sexe à sa fille, elle avait un jour assis Rowan à la table de la cuisine, l'avait regardée dans les yeux et avait dit :

— Tu dois savoir certaines choses...

— Oui, avait acquiescé Rowan.

— Bien.

Norma était visiblement soulagée.

— Je me doutais bien que tu étais au courant, reprit-elle. La plupart des jeunes filles le sont, de nos jours.

Et ç'avait été tout. De fait, Rowan avait bien acquis à l'école des connaissances de base sur les « choses de la vie », mais elle pensait qu'en discuter avec sa mère aurait pu être intéressant. Que cela les aurait aidées à s'ouvrir un peu l'une à l'autre.

Les premières règles de Rowan lui avaient fait un choc. Naturellement, elle savait que cela lui arriverait forcément un jour. Mais cela ne l'avait pas empêchée d'avoir peur lorsque, à treize ans, elle avait découvert du sang sur sa culotte, dans les toilettes de l'école.

— C'est commencé, avait-elle annoncé à Norma ce soir-là en rentrant à la maison.

Norma était occupée à nettoyer le plan de travail dans la cuisine. Elle ne s'était pas retournée, n'avait rien fait pour accueillir d'une façon positive ce premier pas de sa fille vers la féminité.

— J'irai te chercher quelque chose chez le pharmacien, avait-elle répondu sans cesser de frotter.

Voilà ce que l'on appelait de l'intimité, chez les Campbell. Dès qu'il y avait des scènes un peu sensuelles à la télévision, Norma se figeait. Elle ne disait jamais rien. Inutile : elle arrivait à traduire beaucoup de choses par une simple respiration, un raidissement des épaules.

Oui, la mère de Rowan était douée pour le silence

— grâce à des années de pratique. Elle s'était aperçue qu'elle exprimait plus de choses (et obtenait plus aisément ce qu'elle voulait) en ne disant rien qu'en donnant son avis. Les silences étaient merveilleux. Personne ne pouvait les discuter ou raisonner avec eux et, de plus, elle n'avait pas à réfléchir à ce qu'elle allait dire. Pour elle, ils étaient l'arme absolue.

Rowan avait découvert la passion quelques années plus tard, dans l'allée qui longeait l'arrière de la friterie du village. Elle en avait été émerveillée. Et effrayée. Pas étonnant en conséquence qu'elle fût si aisément séduite par les gens qui faisaient un geste vers elle, qui la touchaient. Eileen, par exemple.

Une nuit, Eileen, surexcitée parce qu'elle avait repéré Mick Jagger à l'autre bout de la pièce lors d'un vernissage, entra en coup de vent dans la chambre de Rowan ; c'est alors qu'elle vit les cartes.

— Waouh, dit-elle en regardant autour d'elle. Pas croyable !

La pièce était éclairée par des bougies ; Rowan avait horreur du noir. Les cartes... Leurs couleurs étaient patinées et elles luisaient doucement dans la lumière vacillante.

— Waouh, répéta Eileen, ta chambre...

Puis elle se tourna et pointa un doigt plein de reproche vers Rowan, un éclat étrange dans les yeux, révélant l'espace d'un instant une Eileen différente, plus dure, jalouse.

— Tu ne m'as jamais parlé de ça.

Rowan haussa les épaules.

— Tu n'as jamais posé de questions.

Après cela, plus rien ne fut pareil. La relation de Rowan avec Eileen changea de lieu. Eileen, à l'instar d'Elvis, venait constamment dans sa chambre. Il se passait rarement une journée sans qu'elle vînt suivre, sur l'une des vieilles cartes, le chemin que Rowan comptait emprunter, à travers l'Europe, en direction de l'Orient.

Eileen connaissait beaucoup de gens qui étaient partis, en Orient justement, en quête de leur moi mystique. Parfois, elle se disait qu'elle partirait peut-être, elle aussi. Mais elle était trop occupée à se faire une place au sein du monde dans lequel elle évoluait, et n'était pas certaine d'avoir vraiment envie d'explorer ses profondeurs mystiques. Elle ne voulait pas dénicher ce qui se tapissait dans son subconscient; son mysticisme se limitait à tirer les cartes à ses amis et à étudier son horoscope dans les journaux à grand tirage. A vrai dire, ces horoscopes la frustraient. Ils n'étaient jamais assez précis, assez immédiats. Elle voulait s'entendre dire qu'elle allait être riche et heureuse. Elle voulait s'entendre dire qu'elle allait être riche et heureuse *très, très vite*. La plupart du temps, peu lui importait ce qui l'attendait durant la semaine ou le mois à venir. Ses interactions avec le monde étaient si immédiates qu'elle avait besoin de savoir ce qui allait se passer dans les vingt minutes!

Les projets de voyages de Rowan l'excitaient. Pas de mysticisme ou d'auto-analyse là-dedans. Leur énergie et leur optimisme venaient de la vision que Rowan avait du monde, une vision glanée au fil de films sur la nature, de livres, de documentaires télévisés. Rowan ne s'inquiétait pas des destinations. Sa passion, c'était les voyages. Elle maîtrisait parfaitement le jargon des agents du tourisme; quand elle parlait de faire du trekking en Afrique, d'aller assister aux orgies des baleines grises dans un lagon mexicain ou de prendre le Transsibérien, ses expressions sortaient tout droit des brochures touristiques qu'elle avait lues et relues.

Eileen voulait tout savoir de l'itinéraire de Rowan.

— Raconte, disait-elle, les bras autour de ses genoux repliés, en tirant d'un air pensif sur sa cigarette.

Et Rowan, idiote qu'elle était, déroulait ses rêves devant elle comme un tapis rouge.

Le vendredi soir où, en rentrant du bureau, Rowan trouva Eileen dans la cuisine en petite culotte et tee-shirt à l'effigie de Lou Reed, en train de manger du gâteau au chocolat à même la boîte, elle sut que quelque chose n'allait pas. Il y avait un côté désespéré dans la façon qu'elle avait d'enfourner une énorme tranche dans sa bouche et de regarder le plafond tout en mâchant, se balançant d'un pied sur l'autre, pressée d'avaler cette bouchée afin de pouvoir en prendre une autre. Elle sursauta violemment lorsque Rowan posa son sac de courses sur la table.

— Seigneur! s'écria-t-elle en se tournant d'un seul bloc.

Puis, soulagée :

— Ah, ce n'est que toi! Merci, mon Dieu.

Elle se laissa tomber sur une chaise et reprit :

— J'étais au lit, et tout à coup j'ai senti qu'il *fallait* que je mange du chocolat, tu vois ce que je veux dire? Tout le monde était sorti, alors je me suis dit que je n'avais qu'à descendre. Je n'ai pas pris la peine de m'habiller. Tu m'as fait une de ces peurs!

La cuisine était vétuste et mal entretenue. Sa peinture jaune s'écaillait, ses éléments, jaunes eux aussi, tombaient en ruine, les portes, dont les poignées pendaient lamentablement, étaient maculées de taches indélébiles. Des années plus tôt, des locataires oubliés, partis depuis longtemps, avaient accroché au mur un poster de Neil Young. A présent, il était couvert de graisse, mais nul ne songeait à l'enlever. De toute façon, personne n'avait l'intention de rester suffisamment longtemps pour avoir envie de le remplacer. Et personne ne passait assez de temps dans la cuisine pour s'en plaindre. Les surfaces étaient toujours couvertes de miettes, l'évier plein à ras bord de vaisselle sale. Au centre de la pièce se trouvait une table en bois, peinte en jaune, sur laquelle Eileen, ayant fini d'avaler avec frénésie une bouchée de gâteau au chocolat, se laissa tomber d'un air théâtral. Elle posa sa tête à côté des tasses à café et des bols de céréales abandonnés là le matin, et gémit. Le glaçage du gâteau lui avait laissé une épaisse moustache, qu'elle essuya d'un revers de main.

— Devine quoi ?

— Quoi ?

Rowan commença à déballer ses courses. Si la seminudité d'Eileen ne la surprenait plus, elle s'émerveillait toujours qu'on pût se sentir aussi décontracté dans une tenue aussi légère. Elle détestait son corps et aurait été incapable de parader dans la maison en l'exposant ainsi. Elle se serait sentie trop vulnérable — trop, eh bien, pas exactement nue, mais trop consciente d'une certaine ondulation inesthétique au niveau des cuisses, qu'elle ne pouvait s'empêcher de remarquer chez Eileen. En fait, le corps entier d'Eileen commençait à souffrir de ses excès. Elle voulait toujours trop de tout.

— Je suis enceinte, annonça-t-elle.

— Comment le sais-tu ? demanda Rowan.

Eileen lui lança un regard empreint de dérision.

— Tu n'es pas naïve à ce point, c'est impossible... Comment crois-tu que je le sais ? J'ai fait un test. D'après mes calculs, je suis enceinte de six semaines. Le bébé est pour novembre. Sauf que je ne le garderai pas.

— Non ?

Rowan comprenait cela ; elle estimait qu'avoir un bébé était la pire chose qui pût arriver à une femme. Cela avait des conséquences terribles sur votre corps. De plus, les bébés étaient de drôles d'énergumènes. Chauves, édentés, incontinents... Impossible de savoir à quoi ils pensaient. Oui, elle était soulagée qu'Eileen n'eût pas l'intention d'en avoir un.

— Non, dit Eileen, catégorique. Je vais avorter.

Rowan détestait ce mot; elle n'avait que trop conscience de ses connotations infamantes.

— La semaine prochaine, mardi, précisa Eileen.

Le néon qui, au-dessus de leurs têtes, diffusait une lumière fluorescente, odieusement blafarde, grésillait. Du bout des doigts, Eileen arracha un morceau de glaçage au gâteau et le porta à ses lèvres.

— Viens avec moi, dit-elle d'une voix fragile, suppliante.

— Je ne peux pas. J'ai du travail.

Rowan ouvrit une boîte de nourriture pour chat et fouilla avec fracas dans les couverts pour trouver une fourchette, afin d'en vider la moitié dans l'assiette d'Elvis. Le tout plus bruyamment que nécessaire, comme si le vacarme pouvait couvrir sa culpabilité.

— Du travail! répéta Eileen avec un reniflement méprisant. « Oui, monsieur, non, monsieur, tout de suite, monsieur », alors que ta meilleure amie a besoin de toi. Je voulais seulement que tu sois là. J'avais besoin de ta présence. Pardon d'avoir demandé.

Rowan caressa le chat, qui arqua son dos maigre sous sa main.

— Bon, d'accord, soupira-t-elle, je viendrai.

— Oh, ne prends pas cette peine si tu n'en as pas envie. Je me débrouillerai.

— Ne sois pas comme ça... J'ai dit que je viendrais, je viendrai. Je dirai à M. Frobisher que j'ai une gastro.

— Diarrhée et nausées. Tu ne pourrais pas trouver une excuse un peu plus glamour?

— Non, diarrhée et nausées devraient le tenir à distance. Il ne demandera pas de détails.

— Très malin! acquiesça Eileen.

Le mardi, Eileen jeta un petit sac bourré à craquer sur la banquette arrière de sa Coccinelle et démarra. Rowan s'agrippait d'une main à la poignée de la portière et s'appuyait de l'autre au tableau de bord, le regard fixé droit devant elle, livide.

Eileen était une conductrice exubérante. Sa voiture bondissait en avant, toujours en cinquième; parfois, la jeune femme lâchait le volant pour raconter une histoire à sa passagère en gesticulant et, si quelque chose ou quelqu'un se mettait en travers de son chemin, elle frappait furieusement le pare-brise en criant : « Hé, vous! Barrez-vous de là! » La radio diffusait à plein volume des chansons populaires entraînantes, mais leurs accords vibrants n'interrompaient pas ses bavardages incessants. Cette femme était-elle vraiment sur le point de subir un avortement?

— Qu'y a-t-il, dans le sac? demanda Rowan.

— Un truc fabuleux que je compte porter après. Nous pourrions aller en boîte, faire la fête.

— Je ne pense pas, dit Rowan. Tu seras fatiguée. Ce sera moi qui conduirai, au retour. Attends-toi à te sentir déprimée.

— Tu crois?

Eileen réfléchit pendant une minute ou deux.

— Meuh non, dit-elle enfin en secouant la tête. Ce n'est pas mon genre. La vie est trop courte.

Elles roulaient depuis une heure lorsque Rowan demanda :

— Au fait, où est la clinique?

D'un geste vague de la main, Eileen indiqua une direction sur la gauche.

— Oh, quelque part par là. Je ne sais pas vraiment.

— Tu ne vas pas rater ton rendez-vous? Tu n'étais pas censée y être à neuf heures?

Rowan jeta un coup d'œil à sa montre. Il était la demie.

— Si, acquiesça Eileen. J'ai raté mon rendez-vous. N'y allons pas. Continuons plutôt à rouler. Amusons-nous. La vie est trop courte pour se plier à des contraintes. Au diable les rendez-vous !

Elle conduisit ainsi jusqu'à Brighton. Durant tout le trajet, Rowan serra les poings, désespérée. Elle avait l'impression d'avoir été kidnappée ; elle était coincée dans une voiture qui allait trop vite pour qu'elle puisse sauter en marche, avec la radio qui hurlait si fort qu'Eileen n'entendait pas ses protestations. Aussi décida-t-elle de bouder.

Une fois arrivées, elles se promenèrent sur la plage. Rowan, qui ne parlait toujours pas, avait enfoncé ses mains dans ses poches et regardait les traces que ses pieds laissaient sur le sable. Eileen dansait. Elle enleva ses chaussures et courut, sautant dans les vagues qui venaient mourir sur la grève.

— Viens, Rowan ! On ne peut pas être à la plage sans patauger dans l'eau !

Rowan secoua la tête.

— Il fait un froid de canard.

— Mais non, l'eau ne paraît gelée qu'au tout début. Après, on s'habitue.

Elle écarta les bras, comme pour embrasser cette journée mémorable.

— C'est génial. Trop cool. Je me sens merveilleusement bien ! hurla-t-elle avant de partir en courant dans l'eau, faisant voler des gerbes d'écume tout autour d'elle.

Le froid de cette mi-mars était si intense qu'il était presque palpable, brume amère sur l'eau, brise glaciale sur leurs visages. La plage était déserte ; seul un homme en imperméable promenait un petit chien noir en sifflotant tristement. L'animal et son maître se déplaçaient tous deux d'un air déprimé. Rowan enfonça ses mains plus profondément dans ses poches, remonta le plus possible le col de son manteau et regarda autour d'elle, la mine sombre. Lugubre, elle donna un coup de pied dans un petit coquillage. Elle avait le nez qui coulait. A intervalles réguliers, elle jetait un coup d'œil par-dessus son épaule pour s'assurer que personne de son bureau ne risquait de la prendre en flagrant délit. Elle aurait pu se faire renvoyer.

Lorsque Eileen eut fini de s'ébattre dans l'eau, elles partirent à la recherche d'un pub où se réchauffer et manger un sandwich. Le bas du jean d'Eileen était trempé et incrusté de sable. Elle commença à frissonner et jeta un regard de reproche à Rowan.

— Pour toi, ça va. Tu es sèche. Tout ça n'est pas bon pour le bébé.

— Je croyais que tu ne voulais pas le garder.

— C'est vrai. Mais tant qu'elle est là-dedans, dit-elle en se tapotant le ventre, je dois m'occuper d'elle.

— Elle? Alors, c'est une fille?

— Absolument. Je *sens* que c'est une fille.

Une fois au pub, Eileen refusa tout alcool et but du jus d'orange avec son sandwich au fromage, expliquant qu'elle devait faire attention à cause du bébé. Elle n'osait pas croiser le regard de Rowan. Elle ne savait plus où elle en était. Elle ne voulait pas avoir un bébé; mais, en même temps, elle n'avait pas envie de subir un avortement. Pleine d'indécision et d'angoisse, elle cherchait tout à la fois à nier ce qui lui arrivait et à prendre soin de l'enfant qui grandissait en elle.

Trois semaines plus tard, Eileen prit un nouveau rendez-vous pour avorter. Cette fois, elle se rendit réellement à la clinique. Rowan et elle demeurèrent assises dans la voiture à l'extérieur — Rowan, cette fois, s'était inventé une grand-mère malade à Luton. Eileen tambourinait du bout des doigts sur le volant en fredonnant des extraits d'une chanson quelconque qui lui trottait dans la tête.

— Je déteste les hôpitaux, pas toi?

— Si, acquiesça Rowan. C'est à cause de l'odeur.

Il y eut un silence tandis qu'elles songeaient aux odeurs dans leur vie, aux moments de peur. Eileen alluma la radio. Elle noyait toujours ses pensées dans le bruit. Le silence la mettait mal à l'aise.

— Des tubes et des entonnoirs, gémit-elle en croisant les mains sur le volant et en posant sa tête dessus. Oh, mon Dieu... Est-ce qu'on vous fait un lavement, pour un avortement? demanda-t-elle au bout de quelques instants.

— Je ne sais pas. J'imagine que oui. Tu sais, je n'en ai jamais eu. D'avortement, je veux dire. De lavement non plus, remarque.

Rowan avait le sentiment horrible que ce projet d'avortement allait se terminer de manière aussi absurde que la fois précédente.

— Je me suis fait opérer des amygdales quand j'avais dix ans, dit Eileen. On m'a fait un lavement. Il y avait des tas de tubes en caoutchouc et d'entonnoirs... Quand je pense que certains font ça pour le plaisir! Beurk.

Elle frissonna et mit le contact. Le ronflement irrégulier du moteur à refroidissement à air retentit.

— Non, décréta-t-elle avec un geste horrifié. Pas aujourd'hui. Aujourd'hui, ce n'est pas un jour à lavement.

Elle sortit de sa place de parking en marche arrière et s'éloigna à toute allure.

— *Un* tube et *un* entonnoir, souligna Rowan. Au singulier. Tu n'as qu'un derrière! Et existe-t-il vraiment des jours à lavement?

Elle s'était remise en position passager : agrippée à la

poignée située au-dessus de la portière et appuyée sur le tableau de bord.

— Tôt ou tard, il faudra bien que tu le fasses.

— Tôt ou tard, admit Eileen, heureuse de nouveau, à présent qu'elle s'éloignait des entonnoirs, des tubes et des odeurs d'hôpital. Mais pas aujourd'hui.

— Il ne faudrait pas attendre indéfiniment, lui rappela Rowan, sans quoi il sera trop tard.

Cette fois, elles firent un pique-nique à base d'oranges et de chocolat à Hyde Park. Rowan se sentait encore plus mal à l'aise qu'à Brighton. A tout instant M. Frobisher risquait de jaillir de derrière un buisson, de la montrer du doigt et de l'accuser : « Alors, on prend un jour de maladie, mademoiselle Campbell ? Nous en parlerons tous les deux demain matin. Et, au fait, je suis au courant, pour les biscuits. » Elle remonta son col, ce qui lui donnait tout à fait l'allure de la personne sournoise et traîtresse qu'elle avait l'impression d'être. Agacée, Eileen remit son col en place et lui tapota la joue. La culpabilité de Rowan attirait l'attention sur elles, estimait-elle.

— Ne sois pas déprimée.

Deux semaines plus tard, Eileen obtint un autre rendez-vous. Cette fois, Rowan refusa de l'accompagner.

— Je ne peux pas. Je ne peux pas prendre davantage de congés.

— Je pensais que tu étais mon amie, dit Eileen d'un air déçu. Je pensais que j'étais un peu importante pour toi. Moi, je suis très attachée à toi.

Elle était assise, les jambes croisées, au pied du lit de Rowan. Il était sept heures du matin.

— Tu es importante pour moi, c'est évident, voyons ! Mais je ne peux pas courir le risque de perdre mon boulot, c'est tout.

Eileen ne répondit pas. Au lieu de cela, elle grimpa sur le lit de Rowan dès que celle-ci se fut levée.

— Je te déteste. Tu m'as pris mon chat. Pourquoi est-ce qu'il dort tout le temps avec toi ?

— Parce que je suis toujours là. Et que je le nourris.

Eileen ne prêta pas attention à cette remarque.

— Ton lit est plus chaud que le mien, observa-t-elle.

Lorsque Rowan rentra à la maison ce soir-là, Eileen était encore dans sa chambre, dans son lit ; adossée aux oreillers, elle feuilletait un de ses magazines de voyages.

— Tu n'y es pas allée, alors ? demanda Rowan.

— Non. Je n'arrivais pas à me résoudre à affronter tout ça.

— Les tubes et les entonnoirs ?

— L'ensemble. Le Dr Henderson était énervé après moi, ajouta-t-elle avec une moue boudeuse. Il dit que je n'arrête pas de perdre du temps. Il refuse de me donner un autre rendez-vous. Il n'a pas été très gentil avec moi.

— Je le comprends.

— Tu n'es pas très gentille avec moi non plus.

— Je ne suis pas responsable de ce qui t'arrive.

Rowan la laissa ruminer et descendit à la cuisine nourrir Elvis — et grignoter quelque chose elle-même.

Au bout d'un moment, Eileen vint s'asseoir à la table et la regarda manger.

— Il va falloir que j'aie ce bébé, dit-elle en tendant la main vers l'assiette de Rowan.

Elle prit un morceau de chou-fleur, le trempa dans la béchamel et le porta à ses lèvres.

— C'est vraiment bon.

Elle prit un autre morceau. Puis un autre.

Rowan poussa l'assiette devant elle.

— Tiens, prends tout, tant que tu y es. Tu en as plus besoin que moi.

Elle s'adossa à sa chaise. Elle ne savait pas pourquoi, mais elle éprouvait un mauvais pressentiment à l'idée qu'Eileen pût avoir ce bébé.

— Qui est le père, au fait? Tu ne me l'as jamais dit.

— Il est marié. Il est parti, il est retourné en Amérique.

— Il est au courant, pour le bébé?

Eileen hocha la tête.

— Oui. Il m'a donné de l'argent. Mille livres.

— Mille livres! Pourquoi?

— Pour le bébé, l'avortement... L'un ou l'autre.

Eileen fixait le mur. Elle n'aimait pas être questionnée. Elle haussa les épaules.

— Je pourrais toujours le faire adopter. C'est vrai, quel genre de vie puis-je offrir à un gamin? Il y a des tas de femmes qui feraient de bien meilleures mères que moi. Toi, par exemple.

— Moi? Certainement pas. Jamais je n'aurai d'enfants.

— Tu serais une mère merveilleuse. Tu es si calme, si patiente... Même mon chat te préfère à moi.

— Les chats préfèrent toujours les gens qui les nourrissent. Ce sont des opportunistes, déclara Rowan.

« Comme toi », songea-t-elle tout à coup. Mais elle n'exprima pas cette pensée à haute voix, et se perdit dans ses rêves. Parfois, son désir de s'échapper était irrésistible; parfois, comme en cet instant, elle aurait aimé se retrouver dans le village où elle avait été élevée.

Elle ne s'était pas contentée de quitter ce village; elle l'avait fui aussi vite que possible, dès que possible. Fretterton, à l'entrée des vallées. Population au dernier recensement : six mille personnes. Elle était brusquement submergée par le mal du pays. Le minuscule village qui tombait en ruine, avec sa « grand-place » centrale... Au fil des années, tous les gens du coin étaient partis vivre dans les maisons neuves qui avaient été construites aux alentours, laissant la grand-place à quantité de nouveaux venus qui préféraient les vieux immeubles, avec leurs étroites fenêtres et leurs escaliers en colimaçon. Ils arrivaient de partout. Le vieux Walter, le fou des oiseaux, avait vécu à Londres et était venu passer sa retraite à Fretterton. Chaque week-end, il prenait sa voiture et allait s'installer dans un coin isolé pour observer les oiseaux des environs, ses jumelles à la main et son carnet de notes dans la poche de son anorak. Mlle Porteous, elle, venait de Glasgow. Elle rédigeait les horoscopes du journal local. George O'Connell, de Sydney, dirigeait le County Arms Hotel. Ces gens, qui lui avaient semblé si ennuyeux lorsqu'elle était adolescente, lui paraissaient tout à coup fascinants.

Elle se souvenait des allées étroites et des petits chemins qu'elle avait arpentés, enfant. Cootie's Lane, envahie d'églantines en été, qui conduisait de la grand-place à la bibliothèque. Mon Dieu, songea-t-elle, la bibliothèque, où Janice Buchanan mettait tous les livres licencieux sur l'étagère du bas, afin que les personnes âgées ne puissent les atteindre et ne soient pas choquées. Rosie Jamieson s'était fait mal au dos en cherchant à attraper *L'Amant de lady Chatterley* et avait menacé de faire un procès. « Lawrence, D.H., s'était-elle exclamée au Squelch, le pub local, devrait être au milieu, avec Lessing, Doris et Levi, Primo ! » Les retraités du village n'étaient pas aussi bêtes que l'imaginait Janice Buchanan.

Cette crise de nostalgie était si violente, si soudaine, que Rowan en fut secouée. Elle n'avait pas eu conscience, jusqu'alors, d'avoir cela en elle. Elle faillit pleurer au souvenir de la cuisine dans laquelle elle pénétrait chaque jour en rentrant de l'école. Sa mère, toute petite, plus petite encore que Rowan — qui ne mesurait pourtant qu'un mètre cinquante-sept —, avec ses cheveux gris mal permanentés, sortait du salon pour l'accueillir.

— Bonne journée, aujourd'hui ? Tu as des devoirs à faire ? demandait-elle invariablement.

— Non, répondait toujours Rowan.

Elle posait son cartable dans un coin, près du réfrigérateur, avant de se laisser tomber sur une chaise à côté de la table en Formica.

— Il y a un truc à manger?

— Je suis sûre que tu trouveras quelque chose si tu regardes là, disait sa mère en désignant le placard de la cuisine.

C'était toujours pareil. Elles avaient échangé ces phrases presque chaque jour depuis que Rowan avait commencé l'école, à l'âge de cinq ans, jusqu'à ce qu'elle quitte la maison, à dix-sept.

Si elle sortait ou ouvrait la fenêtre à six heures du soir, des odeurs de friture lui parvenaient immanquablement. Il y avait toujours quelqu'un, quelque part, qui faisait des frites. Tous les dimanches, la cloche de l'église retentissait. « Frites et religion, murmura-t-elle, presque sans en avoir conscience. Je viens du royaume du gras. »

Tous les vendredis soir, elle se retrouvait avec ses amis devant la friterie des Rossi, qui proposait aussi des bonbons, du chocolat et des glaces. Ils traînaient là, riant et criant — rassurés par leur nombre et leurs tenues identiques — des grossièretés à tous les adultes égarés sur leur territoire. Ils buvaient du Coca, arrosé, lorsque quelqu'un avait réussi à mettre la main sur une bouteille, de vodka. Ils flirtaient, s'essayaient à jurer, à fumer, à boire du cidre et à faire l'amour. Dans la petite allée derrière la boutique, Rowan avait pris sa première bouffée de cigarette, échangé son premier baiser, s'était fait peloter pour la première fois. Par Duncan Willis. Au son du bus de neuf heures qui quittait la grand-place, sous un ciel ravagé, contre un mur couvert de mousse, Rowan avait découvert la passion. Elle l'avait éprouvée dans sa gorge et dans sa langue — l'odeur et la puissance de cette passion, sa sauvagerie, qui naissait au plus profond d'elle-même, qui l'envahissait et ne durait jamais, jamais assez longtemps. C'était là quelque chose qu'elle aimait garder pour elle. Elle pensait que si elle s'abandonnait à ses pulsions, ses rêves tourneraient court.

Après tout, il suffisait de voir ce qui était arrivé à Eileen.

3

Eileen adora être enceinte. Sans avoir à faire d'efforts — sans maquillage élaboré, sans décolletés plongeants, sans roulements de hanches, sans cris hystériques —, elle faisait l'objet de l'attention générale. Dans les pubs, ses amis insistaient pour lui laisser la meilleure place. Avec un petit rire travaillé, elle se glissait dans l'étroit espace entre la table fixée au sol et la banquette. « Je ne sais pas s'il y a assez de place pour nous deux! »

Cette situation raviva l'intérêt de Rowan pour elle. Elle s'autorisa à oublier à quel point Eileen devenait pénible; à présent, elle la trouvait courageuse. Une femme seule, donnant le jour à un enfant... Mais il est vrai que Rowan avait tendance à tout romancer.

Chaque matin, avant de partir travailler, Rowan apportait à Eileen une tasse de thé et des toasts au lit. Elle la couvrait de compliments.

— Tu es superbe. Resplendissante. Tu devrais avoir des bébés plus souvent. La grossesse te va vraiment bien.

— Je sais. Je suis douée pour ça. J'étais née pour me reproduire.

Eileen souriait et, sans aucune gêne, soulevait sa chemise de nuit pour exhiber son ventre arrondi.

— Regarde, on dirait un pudding de Noël. Il ne me manque plus qu'une branche de houx sur le nombril!

Rowan regardait avec perplexité cette excroissance qui tressautait lorsque l'enfant bougeait ou donnait des coups de pied. Elle qui avait l'intention de ne jamais être enceinte était secrètement horrifiée par les détails de la grossesse d'Eileen — ses gonflements, ballonnements, sécrétions, ses brûlures d'estomac. Eileen, elle, acceptait tout cela sans se plaindre.

— On dirait que cela t'est déjà arrivé, tu réagis si naturellement, observait Rowan.

— Je suis une femme, lui répondait Eileen. Je me laisse porter par le courant.

Au bout de sept mois, cependant, Eileen commença à en avoir franchement assez de toute cette histoire.

— Regarde-moi, pleurnichait-elle, debout devant son miroir, de profil afin de bien constater l'ampleur des dégâts. Je ne récupérerai jamais mon corps d'avant. Je déteste le fait d'avoir un corps. Il ne m'obéit jamais.

— Ce sera bientôt terminé.

Rowan demeurait toujours calme durant les explosions d'Eileen. Cette dernière, invariablement, se retournait contre elle.

— Facile à dire, pour toi! Tu arrives à remonter tes fermetures Eclair. Tes doigts n'ont pas triplé de volume. Ces temps-ci, je passe ma vie assise ici toute seule à faire de la rétention d'eau!

— Tu pourrais sortir. Il n'y a pas de loi qui interdise aux femmes enceintes d'apparaître en public. Tu pourrais aller à des cours de préparation à l'accouchement par exemple...

— Jamais! hurlait Eileen. Jamais! Il faut s'allonger par terre et faire comme si on accouchait. Pousser et respirer. Et c'est plein de femmes enceintes!

— Ça semble logique. Dis-moi, à t'entendre, on dirait que tu connais bien le sujet.

— J'ai vu ça à la télé.

Eileen sortait une tablette de chocolat de sa table de nuit, cassait plusieurs carrés, les mangeait.

— Tu te gaves de cochonneries. Cela ne risque pas de te faire du bien, et au bébé non plus, observait Rowan.

— Ça m'apaise.

Elle s'attaquait à une autre barre. Mâchait en regardant par la fenêtre. La conversation était close.

Durant les mois de grossesse, Eileen et Rowan suivirent pas à pas le développement de Sadie — car c'était là le prénom choisi pour le bébé — dans le ventre de sa mère. Elles se renseignaient avec un intérêt inépuisable sur les différentes phases de développement du fœtus. « Elle doit avoir des doigts et des orteils, à présent. » Elles passaient leurs disques préférés en boucle afin que le bébé découvre la musique qu'elles écoutaient et puisse l'apprécier autant qu'elles. Si Eileen pleurait, le bébé pleurait. Si elle riait, il riait. Lorsqu'elles lurent quelque part que Sadie suçait peut-être déjà son pouce, elles s'inquiétèrent.

— Ça pourrait déformer ses dents de devant, dit Rowan.

— Elle n'a pas encore de dents, lui rappela Eileen. En tout cas, je ne la laisserai pas sucer son pouce au-delà de... de l'âge jusqu'auquel on peut laisser les enfants sucer leur pouce. Et je ne compte pas l'habiller tout le temps en petite fille. Et si elle me pose une question, quelle qu'elle soit, je lui dirai la vérité.

Là-dessus, elle tapota son ventre d'un geste protecteur. Elle continuait à se mentir, à se cacher la vérité. A parler d'élever un bébé qu'elle n'avait pas l'intention de garder.

Un jour, Rowan posa à Eileen des questions à propos de ses parents.

— Ne devrais-tu pas leur dire que tu vas avoir un enfant?

— Non. Je ne les intéresse pas. Nous ne nous sommes jamais bien entendus.

— Peut-être que ce serait différent, maintenant? Ils auront certainement envie de voir le bébé?

— J'en doute.

Eileen avait l'air amère. Puis elle se lança dans une courte interprétation de *She's Leaving Home.* « Bye, bye », chantait-elle d'une petite voix plaintive, pleine d'apitoiement sur elle-même.

Rowan n'arrivait pas à comprendre qu'Eileen pût faire une croix sur son passé aussi facilement. Pourtant, elle-même avait trouvé sa maison et son village étouffants et les avait fuis dès qu'elle avait été en âge de le faire. Elle s'imaginait souvent en train de courir ventre à terre le long de l'allée menant à la route, la valise de sa grand-mère à la main, le lendemain de la fin des classes... Ce n'était pas, elle le savait ce qui s'était réellement passé. En vérité, après l'école, elle avait travaillé pendant deux mois à la friterie des Rossi avant de commencer une année d'études de secrétariat à Edimbourg. Puis, après avoir occupé deux emplois dans la capitale écossaise, elle était descendue à Londres.

Elle était fière de cela. Elle menait ses projets à bien; chaque étape de sa vie l'éloignait davantage de ses tristes débuts pour la rapprocher de son fabuleux futur. Parfois, elle était submergée de joie. Debout dans sa chambre, toute seule, les bras écartés, les poings serrés, elle triomphait. Oui. C'est moi qui ai accompli tout cela. *Moi.* Et je vais parcourir le monde. Le monde entier. Elle avait du mal à le croire elle-même, mais elle savait qu'elle le ferait. Malgré cela, elle continuait à appeler chez elle une semaine sur deux; elle savait que sa mère s'inquiéterait, dans le cas contraire.

— Pourquoi Eileen ne veut-elle pas annoncer sa grossesse à sa famille? demanda-t-elle un jour à Danny, du rez-de-chaussée, qui connaissait Eileen depuis bien plus longtemps qu'elle.

— J'en sais rien, répondit-il avec un haussement d'épaules.

— D'où vient-elle?

De nouveau, il haussa les épaules.

— Liverpool, m'a-t-elle dit. Mais elle a raconté à quelqu'un d'autre qu'elle avait été élevée en Afrique du Sud. Elle s'invente régulièrement une nouvelle vie.

— Seigneur! Quoi qu'il en soit, son père et sa mère aimeraient peut-être être au courant, pour le bébé. Tu sais quoi? ajouta-t-elle en s'asseyant en face de lui à la table de la cuisine. En définitive, je ne sais rien sur elle. Elle parle tout le temps, mais elle ne *dit* rien. Tu l'as remarqué?

— Ça, c'est Eileen. Demande-lui de te parler de sa vie, et elle te racontera une histoire. Je suppose qu'elle vient d'une famille tout ce qu'il y a de plus normal, banal, ennuyeux. Ce qui, de toute évidence, ne lui convient guère. Alors, elle a arrangé un peu son image. Pour se rendre plus intéressante. Elle est à Londres depuis des siècles — elle avait seize ans quand elle est arrivée. Bien avant moi. Pendant un certain temps, elle a eu régulièrement sa photo dans les journaux à scandales; on la voyait en boîte, accrochée au bras d'un mec ou d'un autre. C'est plus difficile, pour elle, maintenant qu'elle est plus âgée. Les types comme ceux avec qui elle sortait n'ont pas envie d'être vus avec une vieille.

— Elle n'est quand même pas vieille, souligna Rowan, choquée.

Danny tira sur sa cigarette.

— Oh, si ! Et regarde où elle a atterri, dit-il en faisant un grand geste avec sa cigarette. Avant, elle partageait une maison à Chelsea.

— Elle est encore jolie, protesta Rowan.

— Pas au réveil, ma chérie. Pas au réveil.

Durant le dernier mois de sa grossesse, Eileen se vautra dans la dépression et le chocolat.

— Je vais rester comme ça à jamais, gémissait-elle en roulant sur le côté et en se soulevant maladroitement sur un coude. Dans quelques semaines, ce sera terminé, mais je resterai énorme. Ça arrive, tu sais. Quand on voit certaines femmes, dans les maternités, on dirait que le bébé est encore là.

Elle prit une gorgée du médicament qu'elle avait acheté pour soigner ses brûlures d'estomac. Elle gardait toujours la petite bouteille près d'elle et dévissait régulièrement le bouchon pour en boire un peu, comme une clocharde avinée. Elle rota.

— Comment sais-tu ça ? s'étonna Rowan.

— Je l'ai vu. Je regarde autour de moi, figure-toi.

— Mais ça ne t'arrivera pas, à toi.

— Oh, si, je le sais. Je déteste ça. Et je te déteste, toi, ajouta-t-elle à l'adresse du bébé en se frappant l'estomac. Regarde ce que tu m'as fait ! Ma vie est foutue.

— Arrête ! Tu t'apitoies sur ton sort, dit Rowan, qui recommençait à trouver Eileen pénible.

— Je suppose. Au moins, une fois le bébé né, je pourrai boire et fumer de nouveau.

En prévision des bons moments à venir, elle esquissa un petit roulement de hanches.

— J'ai tellement hâte !

Puis, pour la énième fois, elle souleva son haut et mesura l'ampleur des dégâts.

— Regarde-moi. A quoi est-ce que je ressemble ?

demanda-t-elle en se tournant vers Rowan. Ah, faire la fête...

Elle avait prononcé ces derniers mots d'un ton monocorde, sans joie. Elle était persuadée de ne plus jamais pouvoir « faire la fête ».

— Bientôt, je serai trop vieille...

— N'importe quoi! s'exclama Rowan en s'efforçant d'avoir l'air gaie. Tu ne seras jamais vieille. Et tu auras ton bébé... Ce sera super.

Elle aurait aimé paraître plus convaincante.

Toutes deux regardèrent un moment les montagnes d'affaires pour bébé qu'Eileen avait accumulées au fil des derniers mois : des vêtements, des couches, des biberons, un stérilisateur, un berceau, une table à langer. Un landau d'occasion se trouvait sur le palier. De toute évidence, Eileen ne s'était jamais résolue à parler d'adoption au personnel de la clinique. Elle avait, au contraire, pris le parti de réunir tout ce dont son bébé aurait besoin.

— Quelle quantité de trucs pour un simple nourrisson! s'exclama-t-elle. Je ne veux pas de tout ça. Je vais te dire la vérité, Rowan : je n'éprouve aucun sentiment maternel. Je n'en ai jamais eu.

— Ça viendra avec le bébé. C'est ce qu'ils disaient dans le bouquin qu'on a acheté, tu te souviens? Et tu as besoin de tout ça pour le bébé.

— Qu'est-ce que je vais faire? gémit Eileen, les larmes aux yeux et le visage déformé par le désespoir.

Rowan avait horreur des conversations de ce type.

— Que font les autres, à ton avis? Ils assument. Ils continuent à vivre. Ils se débrouillent.

Les mains d'Eileen retombèrent à ses côtés. Elle regarda Rowan avec une froideur inédite, étrange. Continuer — qu'est-ce que cela voulait dire? Se débrouiller — comment faisait-on ça? Assumer — quelle notion idiote ! Elle n'avait jamais rien assumé de sa vie, et n'avait pas l'intention de commencer maintenant.

Le 28 novembre, Sadie naquit — à sept heures du matin, Eileen secoua Rowan pour la réveiller.

— C'est le moment. Le bébé arrive. Il faut y aller.

— Cela fait combien de temps que le travail a commencé ? demanda Rowan en s'asseyant et en cherchant du regard ses vêtements.

— Des heures et des heures.

— Pourquoi ne m'as-tu pas prévenue plus tôt ? Nous devrions déjà être là-bas. Ils t'ont pourtant dit à la clinique de ne pas attendre le dernier moment...

— Oh, si je devais tenir compte de tout ce qu'ils racontent ! Quand on attend le dernier moment, au moins, ils n'ont pas le temps de faire toute une histoire. Et puis, je ne veux pas de ce bébé, annonça Eileen. J'ai changé d'avis.

— Tu ne peux plus changer d'avis, il faut que tu aies ce bébé, maintenant, Eileen, pour l'amour du ciel ! Il est temps que tu grandisses un peu ! Regarde les choses en face. Tu vas avoir un bébé.

Rowan repoussa ses couvertures, sauta du lit, enfila un jean et un pull, sortit de la pièce en courant, dévala l'escalier et atteignit la porte d'entrée. Eileen n'avait pas bougé.

— Eileen ! appela Rowan, d'une voix rendue aiguë et stridente par la peur. Il faut que tu viennes ! Ne compte pas sur moi pour t'accoucher ici !

Elle remonta l'escalier à toute vitesse, attrapa Eileen par le bras et commença à l'entraîner vers la porte. Puis elle passa dans la chambre d'Eileen, y prit son sac et ressortit en courant pour conduire Eileen jusqu'à la voiture.

— Tu ne comprends pas ! criait la jeune femme en résistant comme une enfant en plein caprice. Je ne veux pas ! J'ai fait une erreur. Je ne peux pas avoir un bébé.

Toi, tu n'as pas de mal à faire des projets, mais moi, je n'ai jamais rien prévu de ma vie...

— Tu ne peux plus rien y faire, maintenant.

Rowan ouvrit la portière du côté passager et poussa Eileen à l'intérieur.

— Je ne peux pas avoir un bébé. Après, je serai une *mère*. Toute bêtifiante, à discuter de chaussures qui vont bien ou pas et de petits gilets... Je n'aime pas les gilets.

— Mais non, tu ne seras pas comme ça.

Rowan claqua la portière avec violence et contourna la voiture en courant pour s'installer au volant. Ses mains tremblaient lorsqu'elle introduisit la clé de contact.

— Pense à Elizabeth Taylor. A Marianne Faithful. Doris Day. Marlene Dietrich... Toutes des mères, et elles ne parlaient jamais de gilets, ni les unes ni les autres.

Elle passa la première et démarra.

— Elle sera Sagittaire, dit Eileen en s'agitant sur son siège.

Elle se redressa, puis s'écria :

— Oh, non, encore une ! Ça fait mal, vraiment, vraiment mal. J'aurais dû accepter ce lavement. J'aurais dû avorter. C'est vraiment horrible...

Puis, tapant du pied sur le sol de la voiture :

— Freine, bon sang ! Freine ! Tu n'as pas idée de ce que j'endure. Et tu n'es pas foutue de conduire correctement !

— Je conduis mieux que toi, protesta Rowan, blessée. Elle ne se rendait pas compte de la folie des femmes en travail. Elle pensait avoir affaire à une personne saine d'esprit.

— Toi, tu n'arrêtes pas de lâcher le volant et de parler. Tu ne regardes même pas où tu vas.

— Foutaises. Peut-être que je n'ai pas l'air de regarder, mais en fait, je regarde. Jésus ! s'écria-t-elle comme

Rowan négociait un virage serré. Ne me secoue pas, j'ai mal, bordel!

Elle poussa un gémissement angoissé, submergée par la panique.

— J'ai changé d'avis. Je suis sincère. Je ne le veux pas. Je ne veux pas ça! Je ne peux pas le faire. *Je ne peux pas.* Fais que ça s'arrête. Je t'en prie, fais que ça s'arrête!

Rowan était en sueur; elle la sentait, épaisse et humide, qui coulait le long de son dos, de son crâne, de sa lèvre supérieure. De la peur mouillée. Elle voulait qu'Eileen sorte de la voiture. Son pull collait à sa peau et au siège du conducteur. Et si elles n'arrivaient pas à temps et que le bébé naisse sur le siège passager, et qu'elle doive accoucher Eileen elle-même? Et si elle lâchait l'enfant? Oh, mon Dieu...

— Ne pousse pas. N'envisage même pas de pousser avant que nous soyons arrivées. Si tu pousses, je ne t'adresserai plus jamais la parole.

Cette situation lui faisait horreur. Elle avait envie de rejeter la tête en arrière et de hurler, encore et encore, le pied au plancher, à cent trente kilomètres-heure.

Elles arrivèrent à l'hôpital, se garèrent perpendiculairement au trottoir et coururent à l'intérieur. Rowan portait le sac d'Eileen, qui était prêt depuis trois semaines et contenait, « au cas où », des jeans, des tee-shirts, des sous-vêtements, une robe en velours rouge — Eileen s'imaginait, sottement, que les filles faisaient la fête dans les maternités —, un peu de marijuana en cas de besoin urgent et une bouteille de Bacardi.

Elles se précipitèrent vers l'accueil; la raison de leur présence était plus qu'évidente. L'état d'Eileen, la façon dont elle se tenait les reins, leurs mines paniquées à toutes les deux, le sac de voyage — aucun doute à avoir. On mit Eileen sur une chaise roulante et on l'emmena. Alors qu'elle s'éloignait le long du couloir, Rowan l'entendit crier : « Non, non, je ne veux pas ! J'ai changé de putain d'avis, bordel ! » Rowan laissa tomber le sac à ses pieds et se pencha vers la réceptionniste.

— Prénom ? demanda l'infirmière en sortant un questionnaire.

— Rowan.

— Nom de famille ?

— Campbell.

— Age ? Religion ?

Tout à coup, Rowan comprit.

— Non, dit-elle. Non. Ça, c'est moi.

Elle désigna le couloir, dans la direction où Eileen avait disparu.

— C'est elle. C'est Eileen qui va avoir le bébé.

L'infirmière soupira et sortit un autre questionnaire.

— Prénom ?

— Eileen.

— Nom de famille ?

Rowan se mordit les lèvres.

— Ben, mince, dit-elle. Mince. Elle ne me l'a jamais dit.

Depuis le temps qu'elle fréquentait Eileen, malgré toutes les histoires que celle-ci lui avait racontées, toutes les confessions, les confidences, les rêves, les prévisions, les prédictions, les formes dans les nuages, Rowan ne connaissait toujours pas son nom de famille.

Rowan ne laissa pas d'être surprise par l'effet que les bébés avaient sur les gens. Elle le constata dès le premier jour, lorsqu'elle demanda à partir plus tôt du bureau.

— J'espère que vous avez une bonne raison, grommela M. Frobisher.

— Mon amie a eu un bébé. J'aimerais aller la voir. Elle n'a pas beaucoup de proches, à Londres. Enfin, personne qui s'intéresse aux bébés, en tout cas.

— Un bébé? Quoi comme bébé?

Rowan lui retourna un regard vide. Elle ne s'y connaissait pas du tout en bébés et ignorait tout du vocabulaire d'usage. « Euh... humain », faillit-elle répondre, mais elle s'abstint.

— Fille ou garçon? précisa M. Frobisher.

— Oh, une fille.

— Ah, oui, approuva M. Frobisher avec un sourire — un sourire presque gâteux, songea Rowan. C'est le mieux. Moi, j'ai quatre filles.

— Vous avez des enfants? demanda Rowan, incrédule.

— Eh oui. Mais elles sont grandes, maintenant : vingt ans, dix-huit, dix-sept et la petite, Emma, quatre ans. Avec quatre gosses, il y a de quoi faire, croyez-moi. Emma, ç'a été une surprise pour tout le monde...

Il détourna le regard un moment, soupira.

— Tout le monde, répéta-t-il. Je vous en prie, partez plus tôt. Allez voir votre amie.

D'un geste, il lui fit signe de disposer. Il avait presque l'air bon enfant. Les bébés, Rowan devait le découvrir, avaient cet effet-là sur les gens.

Cinq jours après la naissance de Sadie, Eileen la ramena à la maison. Elle arriva dans sa chambre, le nouveau-né serré contre sa poitrine, et regarda autour d'elle. Elle semblait mal à l'aise. « Bon, voilà, je l'ai eue, songeait-elle. Qu'est-ce que je fais, à présent? Je l'emmaillote, je la mets dans le placard et je continue comme avant? » Elle fit part de ses doutes à Rowan.

— Et maintenant?

— Maintenant tu dois aller de l'avant, j'imagine, dit Rowan, qui n'était pas très sûre d'elle non plus.

— Je ne veux pas aller de l'avant! J'ai eu le bébé. Maintenant, je veux que les choses redeviennent comme autrefois.

Les cris de protestation qu'elle avait poussés lorsqu'on

l'avait emmenée en salle d'accouchement retentissaient encore et encore dans son cerveau. *J'ai changé d'avis. J'ai changé d'avis.*

— Au début, tu avais l'intention de la faire adopter, lui rappela Rowan.

— Je sais. Je sais. Simplement, je n'ai jamais fait les démarches. Et maintenant, regarde, la voilà, ajouta-t-elle en tenant le bébé à bout de bras. Toute petite et tout ça. Comment pourrais-je la faire adopter? On ne peut pas savoir à quel genre de personnes ils la donneraient. Ils risqueraient de la confier à quelqu'un qui ne connaîtrait pas toutes les paroles de *Leopardskin Pill-Box Hat*, qui travaillerait aux impôts, un M. Jones, un fonctionnaire, un type tout gris. Nous ne pouvons pas laisser Sadie à n'importe qui.

Le bébé se mit à pleurer. Eileen le tendit à Rowan.

— Tiens. Il faut que je m'asseye.

Elle se laissa tomber avec raideur sur le lit.

— Ooooh... Je ne ferai plus jamais ça. Absolument jamais plus. Cette fois, je suis vraiment sincère.

— Cette fois?

— Ouais... Tu sais, pas comme quand on dit qu'on ne fera plus jamais un truc et qu'on le refait quand même. Comme de se soûler. On se réveille avec la langue pâteuse et l'estomac qui fait des cabrioles et on jure que « plus jamais », mais après ça, on reprend un verre.

— Je vois, acquiesça Rowan avant de regarder le bébé. Elle est magnifique. N'est-ce pas incroyable?

Le nouveau-né était dans ses bras, calme à présent, et remuait ses lèvres minuscules en faisant de petits bruits de succion. Rowan sourit.

— Ssh, ssh, murmura-t-elle en posant ses lèvres sur le front du bébé.

— Tu es douée pour ça, observa Eileen.

— Tu le seras aussi.

— Oh, non, pas moi. Je n'ai pas l'instinct maternel, je te l'ai déjà dit.

Rowan rendit le bébé à Eileen.

— Assume, suggéra-t-elle pour la seconde fois, consciente que c'était la seule solution. C'est ce que tout le monde fait. Il faut assumer.

Assumer? Pour la seconde fois, Eileen chassa cette idée. Assumer — qu'est-ce que cela signifiait? Elle n'avait jamais rien assumé de sa vie et n'avait pas l'intention de commencer maintenant. Les femmes aussi séduisantes et brillantes qu'elle ne se résignaient pas si facilement. En être réduit à *assumer*, c'était avouer sa défaite.

4

Les hurlements commencèrent cette nuit-là. Rowan fut réveillée à deux heures du matin par les vagissements du bébé. Elle attendit, rigidifiée dans son lit, que le bruit cesse. Nul doute qu'Eileen allait faire quelque chose... Mais non, les cris de rage aigus du nouveau-né s'élevaient toujours plus fort. Rowan se leva, enfila son peignoir et alla voir ce qui se passait.

Le bébé était dans son berceau, emmitouflé dans ses couvertures, et braillait de toute la force de ses poumons. Son petit visage était écarlate, et des gouttes de sueur perlaient à son front. Fureur et sentiment d'insécurité jaillissaient en un hurlement, puis, le menton tremblant, Sadie reprenait sa respiration pour le prochain cri. Rowan n'aurait jamais cru qu'un être aussi minuscule pût être à l'origine d'un vacarme pareil.

Eileen était à l'autre bout de la pièce, accroupie dans un coin, les mains au-dessus de la tête. Elle portait une chemise de nuit jaune vif recouverte de boutons de roses (sa tenue d'hôpital). Ainsi, elle paraissait plus vulnérable que si elle avait été nue.

— Fais quelque chose! Fais quelque chose! s'écria-t-elle. Fais-la taire, par pitié.

Rowan jeta un coup d'œil inquiet au bébé.

— Comment?

— Je ne sais pas. Prends-la.

— Ce ne serait pas plutôt à toi de le faire?

Eileen secoua la tête avec violence.

— Je ne peux pas. Vas-y, toi.

Maladroitement, Rowan tendit la main et attrapa le nourrisson hurlant, qu'elle tint à bout de bras avec raideur.

— Et maintenant?

Eileen la regardait avec attention.

— Je ne sais pas.

Rowan attira le bébé à elle. Elle le tint contre sa poitrine, lui tapota le dos et dit « Chut ». Et « Allons, allons ». Et « Tu en fais un bruit! ». Les hurlements cessèrent. O joie du silence.

— Tu vois? dit Eileen. Tu y es arrivée sans problème. Tu es bien meilleure que moi pour tous ces trucs maternels.

Rowan remit Sadie, à présent silencieuse, dans son berceau. Le bruit s'éleva de nouveau. Elle la reprit. Cette fois avec davantage de confiance en elle.

— Tu ne penses pas qu'elle a faim?

Elle avait lu quelque part que les bébés se nourrissaient en pleine nuit.

— Ou qu'elle a besoin d'être...

Horreur.

— ... changée?

— Probablement, répondit Eileen. A l'hôpital, ils me réveillaient à deux heures du matin pour la nourrir et la changer. Je n'ai pas eu une seule nuit de sommeil tranquille. C'était horrible.

Rowan commença à arpenter la pièce, le bébé sur l'épaule. C'était une sorte de réaction instinctive au bruit, qui lui venait naturellement.

— Et puis, continuait Eileen, la mine sombre, à peine

m'étais-je rendormie qu'ils me réveillaient de nouveau pour recommencer. Tu n'as pas idée. J'avais emporté des vêtements vraiment sympa, et je n'ai pas eu l'occasion de les porter une seule fois. Et personne ne voulait boire un coup avec moi. Toutes les autres mères étaient si ennuyeuses !

— Des fonctionnaires ? Des Mme Jones toutes grises ? ironisa Rowan, sardonique. Tu ne crois pas que tu devrais la nourrir, à présent ?

Elle avait hâte de rendre le bébé à Eileen et de retourner au lit.

Eileen secoua la tête, se redressa avec raideur et porta les mains à ses reins en grognant.

— Je ne peux pas. Fais-le, toi. Ce n'est pas un gros repas, elle n'a besoin que de soixante millilitres, à cette heure-ci.

— Je n'ai jamais donné de biberon à un bébé de ma vie, protesta Rowan. Je ne sais pas quoi faire. Et si je me trompais ? Et si elle mourait ? demanda-t-elle, terrifiée.

— Ne sois pas bête, répondit Eileen en se mettant au lit. Elle ne va pas mourir. Les bébés sont des petites choses très résistantes.

— Que dois-je faire ?

— C'est facile. Prends un biberon dans le stérilisateur. Mets-y soixante millilitres d'eau bouillante et deux cuillerées de poudre de lait. Secoue un petit peu, et quand ça aura refroidi, donne-le-lui. Elle ne pose pas de problèmes, elle se nourrit très bien, c'est ce que m'ont dit les infirmières à l'hôpital.

Il fallut plus de deux heures à Rowan pour préparer le biberon avec le bébé dans ses bras, lui donner à manger et changer sa couche. Elle était pétrifiée à l'idée de faire une erreur, ou de laisser le bébé tomber tête la première sur le sol de la cuisine. Ses mains lui semblaient énormes contre le corps minuscule. Elle s'emmêlait les pinceaux.

Lorsqu'elle eut fini de préparer le biberon, elle murmura :

— Voilà. C'est bon, hein ?

Elle goûta le breuvage. Ce n'était pas bon du tout.

— Eh bien, tu dois avoir hâte de passer aux œufs et aux frites...

Elle lui avoua qu'elle n'avait jamais touché de bébé auparavant.

— Je suis nulle pour ça. En fait, si tu veux le savoir, je suis nulle en tout. A mon avis, ce n'est pas moi qui devrais faire ça. C'est Eileen. Je dois travailler, moi, demain matin. Mais elle s'en moque complètement. Elle n'a jamais travaillé de sa vie.

Elle avait allumé le chauffage et, une fois qu'elle eut terminé sa tâche terrifiante, elle resta un moment assise devant le radiateur, le bébé endormi dans ses bras. Rowan trouvait la chaleur électrique, les minuscules gargouillis du nourrisson et le poids de celui-ci dans ses bras à la fois agréables et réconfortants. Elle n'avait pas envie de bouger. Alors elle demeura là, à boire du café en rêvassant. Cela faisait près d'un an qu'elle habitait à Londres. Dans quelques mois, avait-elle calculé, elle aurait assez économisé pour pouvoir s'en aller. Puis, enfin, sa vraie vie commencerait.

Elle s'imaginait en train de partir, son sac au dos. Elle n'avait pas l'intention de dire au revoir à quiconque, excepté à Eileen. Et elle appellerait chez elle une dernière fois. Sa mère esquisserait-elle ce même petit geste triste qu'elle avait eu lorsque Rowan avait quitté la maison ?

Après cela, pour tous les gens qu'elle connaissait, elle ne serait plus qu'une carte postale occasionnelle en provenance de quelque lieu éloigné et sauvage. Elle avait tellement hâte de pouvoir se glisser hors de cette maison et partir !

Partir... Quel beau mot, songeait-elle. Elle demeura

assise là jusqu'au moment où la chaleur devint intolérable sur son visage. Son dos, lui, était gelé.

Alors, elle éteignit le chauffage, remonta à l'étage et remit le bébé assoupi dans son berceau — Eileen, endormie, les cheveux étalés sur l'oreiller, ne bougea pas d'un millimètre — avant de retourner au lit. Deux heures plus tard, les hurlements recommencèrent. Cette fois, Rowan attrapa une chaussure, la lança contre le mur et cria à Eileen de se lever et de s'occuper de sa fille.

5

En y repensant, Rowan décida que c'était le sac à dos qui avait tout déclenché. On était en mars lorsqu'elle l'acheta et le rapporta dans sa chambre avec une paire de chaussures de marche neuves.

Eileen les fixa avec horreur.

— Pourquoi as-tu acheté ces trucs-là?

— Pour mes voyages. Je mettrai l'essentiel de mes affaires là-dedans, expliqua Rowan en tapotant le sac à dos, et je porterai les chaussures. Elles sont vraiment résistantes. Des chaussures comme ça peuvent vous faire toute une vie.

— Elles sont affreuses!

— Si tu le dis. Moi, je les aime bien. Je vais les porter pour aller au bureau pendant une semaine ou deux, histoire de les faire à mon pied.

— Ils vont te laisser te balader avec des trucs pareils au bureau?

— Probablement pas. Je ne les mettrai que pour y aller, et j'emporterai une paire de chaussures plus convenables, plus féminines, avec moi.

— Alors, tu t'en vas. Tu t'en vas, comme ça?

— Oui, acquiesça Rowan sans ambages. Je t'avais dit que je m'en irais.

Tout en parlant, elle tripotait les lanières de son sac à dos. S'occuper les mains l'aidait à supporter les sarcasmes d'Eileen et l'appréhension qu'elle éprouvait à l'idée de ce qu'elle allait entreprendre. Il était bien plus facile d'envisager de faire le tour du monde que de le faire vraiment... Depuis qu'elle avait acheté le sac et les chaussures, preuves tangibles de l'imminence de son départ, Rowan avait l'estomac noué.

— Mais... et moi? Et Sadie? demanda Eileen.

Rowan cessa de jouer avec sa nouvelle acquisition et se tourna vers son amie.

— Quoi, toi? Tu as ta vie, tes soirées. Quant à Sadie, ce n'est encore qu'un bébé. Moi, je suis sur le point de réaliser mon rêve de toujours.

— Mais... balbutia Eileen. Je n'ai jamais cru que tu le ferais vraiment. Je pensais que c'étaient juste des paroles en l'air.

Rowan secoua la tête.

— Oh, non. J'irai jusqu'au bout. Je m'en vais.

A mesure que le temps faisait oublier à Eileen le choc de l'accouchement et de la découverte de son état de mère, à mesure que son corps retournait à la normale, elle s'efforçait de retrouver sa vie d'avant. Du lundi au vendredi, elle s'occupait du bébé : « Je fais la maman », disait-elle.

Le matin, elle donnait son bain à Sadie, lavait ses vêtements et préparait les biberons du jour. Elle se débrouillait à peu près. Si seulement elle avait eu le sentiment d'être une vraie mère, comme les autres femmes, les bonnes mères, alors elle aurait pu *assumer*... songeait-elle. Parfois, quand Sadie pleurait, qu'elle poussait ses hurlements sans fin, Eileen la tenait à bout de bras en criant : « Arrête. Arrête! Tais-toi! » Lorsque le bébé, loin de s'arrêter, pleurait plus fort encore, Eileen le mettait sans douceur dans son berceau et quittait la pièce. Elle restait ensuite, le dos appuyé contre le mur du palier, à secouer la tête. La bouche ouverte, le cou tendu, elle poussait un hurlement silencieux — pas un son ne s'échappait de ses lèvres crispées. Elle n'osait pas se laisser aller à crier vraiment, de peur qu'on ne l'entende. A d'autres moments, quand Sadie pleurait, elle s'asseyait sur le lit, silencieuse et immobile, les mains jointes sur ses genoux, et elle regardait l'enfant, sans rien éprouver.

Elle se souvenait de tout, de chaque seconde de la naissance de Sadie. Les visages autour du lit. Le moniteur cardiaque. Les voix. Dès qu'elle était arrivée à l'hôpital, elle avait été conduite à toute vitesse en salle d'accouchement, rasée, et on lui avait administré un lavement.

— Putain, vous vous débrouillez toujours pour en faire un aux gens, hein, d'une manière ou d'une autre! Dire que j'aurais pu subir une de ces saloperies il y a neuf mois et que rien de tout ça ne se serait passé!

— Vous aimez bien jurer, on dirait? avait observé la sage-femme.

— Vous n'avez encore rien vu.

Cinq heures plus tard, Sadie était née. Pendant quelques instants de stupéfaction, Eileen l'avait tenue dans ses bras. Puis, après qu'on l'eut nettoyée et nourrie de toasts et de thé, Eileen avait été conduite avec le bébé dans la maternité, où elle avait été accueillie par toutes les autres mères.

— Qu'est-ce que c'est? Un garçon ou une fille?

— Oui, l'un ou l'autre, avait répondu Eileen.

— Et son poids?

— Plutôt léger. Pas de régime à prévoir dans l'immédiat.

— On vous a fait des points de suture?

— Disons que je ne vais pas pouvoir me remettre au cheval d'arçons avant un moment.

Puis elle avait remonté les couvertures au-dessus de sa tête et s'était endormie.

Le lendemain, elle avait été réveillée par une infirmière à six heures du matin.

— C'est le moment de nourrir le bébé. Sein ou biberon?

Eileen avait soulevé légèrement la tête de l'oreiller.

— Sein ou biberon? avait répété l'infirmière.

On lui avait déjà posé la question à plusieurs reprises durant sa grossesse, mais elle avait jusque-là évité de prendre une décision — après tout, ce n'était là, selon elle, qu'un détail technique. A présent, il n'était plus possible de tergiverser.

— Sein ou biberon?

— Moi, j'ai toujours été très biberon, avait-elle déclaré. Même si c'est rarement du lait que je biberonne!

On avait donc placé un biberon sur un chariot à côté de son lit, près du berceau. Eileen avait regardé le bébé; elle n'éprouvait rien.

— Le moment de nourrir le bébé est arrivé, maman, avait ordonné l'infirmière. Après, il faudra que vous la baigniez et la changiez.

Eileen haïssait cette femme de toutes ses forces. Elle était horrifiée; être mère lui était odieux. Il lui avait suffi de jeter un coup d'œil dans le service, de regarder les autres mères bêtifier, allaiter et câliner pour savoir qu'elle était la seule rebelle. Elle n'aurait pas l'occasion de porter sa robe de soirée; sa bouteille de rhum resterait intacte dans sa valise. Le matin, elle avait fumé un peu d'herbe dans son bain, mais cela lui avait donné des suées. Elle était en pleine crise de paranoïa.

Cela n'était pas allé en s'arrangeant. De retour chez elle, seule dans la maison, elle passait des heures à fixer la petite Sadie, les yeux vides, le visage dénué d'expression. Elle ne pensait à rien de concret; en fait, elle ne pensait à rien. Son esprit était plein de confusion, d'émotions — de la peur et de la colère. Elle détestait cette « maman » qu'elle était désormais. Elle en voulait au bébé de lui avoir fait cela.

Parfois, elle trouvait un moyen d'atténuer sa souffrance : elle se racontait qu'elle s'occupait de Sadie pour une autre femme, la vraie mère. Dans ces moments-là, elle serrait les lèvres, se déplaçait avec davantage d'aisance. Elle était très, très gentille et dévouée. Elle ne laisserait pas tomber cette autre femme, elle prendrait grand soin de son enfant en attendant qu'elle vienne le récupérer.

L'après-midi, Eileen sortait Sadie dans son landau et arpentait les rues dans son manteau de lapin, un sourire aux lèvres. Elle faisait de grands pas, le dos droit, la tête haute. Elle ne regardait pas autour d'elle, ne prêtait pas attention aux passants. Si quelqu'un s'arrêtait pour admirer Sadie et se penchait sur la poussette en s'extasiant — « Quel bébé adorable ! » —, elle niait en être la mère :

— N'est-elle pas superbe ? Je m'occupe simplement d'elle pour une amie.

Ou bien :

— Vous ne le croirez jamais, mais c'est ma petite sœur. Maman nous a fait une surprise à tous. Ha, ha. Et à elle aussi ! Elle n'aurait jamais cru cela possible. Bien sûr, elle est ravie.

Eileen n'avait aucune peine à voir en imagination cette mère qu'elle avait inventée — une femme encore belle quoique plus très jeune, souriante, avec de petites rides autour des yeux et de la bouche. Une femme gentille, sur les nerfs, naturellement, depuis ce moment d'inattention qui avait bouleversé sa vie...

Eileen n'arrivait pas à se débarrasser du sentiment d'irréalité qui l'habitait depuis que Sadie était née. Elle avait l'impression de vivre dans un rêve. Que tout cela

— nourrir le bébé, changer le bébé, laver le bébé — se terminerait bientôt. Cela n'avait vraiment rien à voir avec elle.

Elle découvrait un côté sombre en elle dont elle n'avait pas eu conscience auparavant. Parfois elle se disait que si elle ne gardait pas le contrôle d'elle-même, elle risquait de se mettre à pleurer inlassablement, sans pouvoir s'arrêter. Seule dans sa chambre, elle sentait le désespoir s'accumuler, monter en elle, et il lui fallait s'asseoir et respirer profondément pour éviter de déclencher l'énorme crise de larmes qui l'engloutirait à jamais. Lorsque les exigences du bébé devenaient trop intolérables, Eileen reniflait et se demandait : « Que ferait une vraie personne, à ma place ? »

Parfois, elle traitait le bébé durement. Elle n'allait pas très loin dans la cruauté. Simplement, elle n'était pas très tendre en changeant une couche, ou elle fourrait sans douceur le biberon dans la bouche de Sadie. Percevant la colère de sa mère, inquiète de sentir sur elle ses mains maladroites et imprévisibles, Sadie pleurait, ses petits poings serrés de fureur et de peur.

— Je déteste ça, pleurnichait Eileen en maudissant sa malchance. Je déteste ça. Je déteste tout. Tout le monde.

Elle faisait un rapide inventaire dans sa tête de ses amies et de ce qu'elles étaient en train de faire au même instant. Aucune d'entre elles, cela, elle en était sûre, ne faisait la même chose qu'*elle*. Elles travaillaient. Elles étaient vendeuses dans des boutiques à la mode, ou réceptionnistes dans des maisons de disques, ou secrétaires de direction. Celles qui avaient assez d'argent pour ne pas travailler étaient sans doute au lit. Et puis, il y avait Rowan. Eileen lançait la couche sale à travers la pièce et commençait à essuyer les fesses du bébé en la soulevant sans douceur de la table à langer. Sadie hurlait de plus belle. Parfois, Eileen détestait Rowan. Elle n'était pas la gentille fille qu'elle prétendait être. Elle ne parlait que de voyager. « Parcourir le globe, la singeait Eileen. Imbécile ! »

Eileen estimait qu'elle n'avait qu'une solution pour échapper à la réalité, une botte secrète : le suicide. C'était sa seule pensée vraiment privée. Elle avait tout prévu. Elle attendrait que la maison soit vide — elle l'était toujours durant la journée. Elle nourrirait et changerait le bébé. Puis elle le mettrait en sécurité dans son berceau. Après ça, elle prendrait le nombre de médicaments nécessaire pour faire le travail, les ferait passer avec une bouteille de whisky et plâtrerait le tout avec une tranche de pain. « Ça devrait faire l'affaire », pensait-elle. Mais alors même qu'elle songeait à mettre fin à ses jours, elle savait qu'elle ne passerait jamais à l'acte. Elle aimait la vie, quand elle parvenait à échapper au bébé et à en profiter un peu. Et puis, la mort la terrorisait. Malgré tout, l'option suicide était là, si un jour elle en avait vraiment, vraiment besoin.

Tous les week-ends, Rowan jouait à la baby-sitter. Elle acceptait cela avec plaisir. Elle aurait fait n'importe quoi, *n'importe quoi* pour ne pas avoir à suivre Eileen dans ses horribles fêtes. A partir du vendredi soir, elle prenait le bébé dans sa chambre pour qu'Eileen puisse rentrer aussi tard qu'elle le souhaitait sans réveiller Sadie.

Le dimanche matin, Rowan donnait le biberon à l'enfant et la sortait. Cela ne la dérangeait pas du tout. Depuis que Sadie était entrée dans sa vie — cela faisait quatre mois —, elle avait appris à l'aimer ; plus le nourrisson grandissait, plus il réagissait aux sourires et au son d'une voix amicale, et plus Rowan était emballée. Sadie et elle jouaient à de petits jeux idiots : Rowan se cachait derrière un journal, faisait des gargouillis avec une paille dans un verre, des bulles dans le bain. Tous les prétextes étaient bons pour se vider la tête.

Elle souriait et disait à Eileen :

— En fait, quand j'y pense, la petite Sadie va me manquer. Elle est tellement mignonne !

— Je ne pense pas qu'elle te manque du tout, rétorquait sèchement son interlocutrice. Sans ça, tu ne partirais pas. Tu ne dois pas avoir beaucoup d'affection pour Sadie et moi, si tu peux t'en aller comme ça.

— Je t'ai déjà dit que je voulais voyager, lui répondait patiemment Rowan. Je ne m'en vais pas « comme ça », je fais ce que j'ai toujours voulu faire.

— Je ne comprends pas que tu puisses nous laisser tomber aussi facilement. Comment peux-tu me tourner le dos ainsi ? Je suis ta meilleure amie.

— Je ne me considère pas comme ta meilleure amie. En fait, je ne pense pas que tu aies une meilleure amie.

A peine eut-elle prononcé ces mots qu'elle les regretta. Eileen sortit de la pièce en claquant la porte, laissant son bébé sur le lit de Rowan. Dans sa chambre, de l'autre côté du palier, elle se mit à fouiller frénétiquement dans sa pile de CD. Elle trouva celui qu'elle cherchait et le mit. La musique s'éleva, tonitruante, envahissant la maison. Sadie commença à pleurer. Rowan la prit dans ses bras pour la calmer ; Eileen revint comme une furie, un verre dans une main, une cigarette dans l'autre.

— Après tout ce que j'ai fait pour toi ! Tout ce que je t'ai donné. Voilà ce que tu me fais.

— Quoi ? dit Rowan. Qu'est-ce que tu as fait pour moi ?

— Toutes les soirées auxquelles je t'ai emmenée. Les gens à qui je t'ai présentée.

— Je détestais ces soirées.

— Oh ? dit Eileen d'un ton sarcastique. Ce n'est pas l'impression que j'avais, à te voir te pavaner.

— Qu'est-ce que tu racontes ? Je ne me suis jamais « pavanée ».

Sachant qu'en effet Rowan ne s'était jamais pavanée, Eileen ignora sa remarque.

— Tout ce que je t'ai offert...

— Quoi, par exemple? demanda Rowan, qui ne voyait pas ce qu'Eileen avait bien pu lui donner.

— Oooh, gémit Eileen, espèce de sale ingrate! Et le dîner italien?

— C'est vrai, acquiesça Rowan. J'avais oublié.

Un jour, un des petits amis d'Eileen lui avait offert un solitaire, qu'elle avait revendu le lendemain. Elle avait dépensé une partie de l'argent pour aller dîner dans un restaurant italien avec Rowan.

— Entrée, plat, dessert, sans compter le vin, lui rappelait Eileen à présent. Et de la *sambuca* avec le café. Et puis, il y a eu nos pique-niques. J'imagine que tu les as oubliés aussi?

— Non, affirma Rowan en secouant la tête. Je ne les oublierai jamais.

Eileen avait obtenu un petit rôle dans un feuilleton télévisé. Trois semaines de travail. Elles avaient pique-niqué dans sa chambre pour fêter ça.

— De vrais pique-niques, insista Eileen.

C'était vrai. Elle avait acheté un panier en osier et une nappe à carreaux, qu'elle avait étalée sur le sol.

— Et un pique-nique classe, en plus.

— Oui, acquiesça Rowan.

Sous le regard des héros d'Eileen, Jimi Hendrix, Bob Dylan et les Beach Boys, elles avaient bu du champagne, mangé du pâté et du jambon fumé, du fromage italien, différents saucissons et du gâteau aux carottes. Elles en avaient mis partout.

— D'où viens-tu, Eileen? avait demandé Rowan.

Et Eileen lui avait raconté une histoire.

— Liverpool, avait-elle dit en prenant l'accent de cette ville.

— C'est bizarre. En général, tu n'as pas l'accent de Liverpool.

— Ça se perd, non? Toi, en revanche, tu n'as pas perdu ton accent écossais...

Puis, passant du coq à l'âne, selon son habitude :

— Quand je suis arrivée ici, je n'avais rien. Pas d'argent. Rien. Mais il fallait que je parte de chez moi. Mon père nous battait. Nous étions six, et il nous battait quand il avait bu. Un jour, je me suis levée et je suis partie. J'ai pris mes vêtements, je les ai mis dans un vieux sac en plastique et j'ai fait du stop jusqu'à Londres. Et me voilà. J'ai vécu dans un squat. Emménagé avec un type à Earls Court. Rencontré des gens. J'ai fait mon chemin. Avec de la volonté, on arrive à tout. Et puis, bien sûr, à l'époque, un accent de Liverpool permettait d'obtenir n'importe quoi. Les gens s'imaginaient tous que tu connaissais les Beatles.

— Les Beatles! Mais c'était il y a des siècles!

— Oui, avait répondu Eileen en haussant les épaules, mais ils sont une sorte de légende, non?

Rowan regarda Eileen. Les Beatles, songeait-elle à présent. Peut-être Eileen était-elle bel et bien beaucoup plus âgée qu'elle n'en avait l'air?

Eileen retourna dans sa chambre au pas de charge, enleva le disque, en remit un autre et réapparut, une nouvelle cigarette à la main, son verre rempli à ras bord.

— Vas-y. Va-t'en. Laisse-moi, laisse le bébé. Tu t'en moques, pas vrai?

— Non, je ne m'en moque pas. Mais ça fait des années que je projette de m'en aller et que j'économise pour ça.

— Ooooh, mademoiselle économise! ironisa Eileen d'un ton moqueur en levant les yeux au ciel.

Elle éteignit sa cigarette, en alluma une autre.

— Tu t'es simplement servie de moi, hein? Tu cherchais quelqu'un pour te faire rencontrer du monde en attendant d'être prête à partir?

— Quoi?

— Eh bien, casse-toi, continua Eileen. Vas-y. J'espère que tu seras heureuse. Je l'espère vraiment.

Elle disparut de nouveau. Puis réapparut, le verre de nouveau rempli, la musique toujours hurlante. A présent, elle portait son manteau.

— Je sors — j'espère que cela ne te dérange pas. Après tout, une fois que tu seras partie, je ne pourrai plus aller nulle part, n'est-ce pas? Je serai coincée ici à longueur de temps.

Elle vida son verre, le reposa avec violence. Sortit.

Rowan haussa les épaules. Elle laissa partir Eileen; elle estimait qu'il valait mieux que celle-ci aille se défouler ailleurs. Poussant un soupir, elle prit le bébé, le berça un moment.

— Je ferais mieux de te mettre au lit.

Cela ne la dérangeait pas; elle avait l'habitude. Depuis quelque temps, elle passait tout son temps libre à s'occuper de Sadie.

Eileen rentra à la maison à deux heures du matin, un sourire aux lèvres. Elle était de si bonne humeur que Rowan aurait pu croire qu'elle avait rêvé sa crise de rage. Elle entendit Eileen dans sa chambre qui bordait Sadie en lui chantant une petite chanson. Elle crut reconnaître *Mr Jones*, de Dylan.

Rowan ne comprenait pas; à partir de ce moment-là, Eileen devint de jour en jour plus douce, plus charmante. Elle chantait des chansons — *Leopardskin Pill-Box Hat* et *Most Likely You'll Go Your Way and I'll Go Mine*, elle tapotait la joue de Rowan quand elles se croisaient dans l'escalier, susurrait : « Bientôt partie... Je parie que tu ne tiens plus en place. »

Le vendredi, elle déclara :

— Ça ne te dérange pas que je passe une dernière soirée dehors avant que tu ne disparaisses ? Une dernière nuit de folie ?

Rowan secoua la tête.

— Je serai à la maison le week-end prochain, aussi. Je ne pars que le mardi d'après.

— Eh bien, dit Eileen en écartant les bras, tant mieux. Deux derniers week-ends de fête pour moi !

Et elle esquissa un petit pas de danse.

Cela faisait un certain temps qu'Eileen n'était plus rentrée à la maison avec une histoire à raconter, une aventure à partager. A quatre heures du matin cette nuit-là, elle fit irruption dans la chambre de Rowan ; elle empestait l'alcool, exsudait le bonheur, écumait d'extase. Elle avait fait une conquête. Rowan émergea du sommeil, renifla, souleva la tête de l'oreiller et dit :

— Hein ? Quoi ?

Eileen s'assit au pied du lit et lui débita toute son histoire. Sadie dormait de l'autre côté de la pièce, dans son berceau. Elle était toujours installée dans la chambre de Rowan, le vendredi et le samedi soir. A quatre mois, elle faisait ses nuits sans broncher. Les cris d'excitation subits, la musique tonitruante, les rires et les verres qui s'entrechoquaient étaient des sons auxquels elle était désormais accoutumée. Pour elle, ils étaient naturels. Rowan était persuadée que si quelqu'un avait bercé Sadie en lui chantant une petite chanson pour l'endormir, l'enfant se serait mise à pleurer, inquiète. Tout geste apaisant lui aurait semblé louche.

— J'ai rencontré un homme, annonça Eileen en sautant sur le lit. Non, corrigea-t-elle, j'ai rencontré *l'*homme. L'homme de ma vie. Le putain de prince charmant.

— Oh, super, dit Rowan, d'une voix rendue atone par la fatigue.

— Maurice — il est français.

Eileen agrippa le bras de Rowan. Ah, comme cet homme était parfait. Et si français. Il était tout ce qu'une femme pouvait désirer.

— Il faudrait que tu le rencontres. Ses mains! dit-elle en levant les siennes devant elle et en les caressant. Oh, elles sont parfaites — longues et fines. Et ses cheveux noirs... et sexy, je ne sais pas comment dire. Et si tu voyais son costume! Oh, mon Dieu, il est merveilleux. Et il est fou de moi.

Elle agita sous le nez de Rowan une rose rouge que Maurice lui avait offerte.

— N'est-elle pas superbe? soupira-t-elle. Il est diplomate. Tu imagines? Un diplomate! Oh, mon Dieu! répéta-t-elle d'une voix suraiguë, visiblement abasourdie d'avoir tant de chance. Un diplomate. Et il veut rencontrer Sadie. Il adore les enfants.

Sérieuse tout à coup, elle saisit de nouveau le bras de Rowan.

— C'est toujours pareil, pas vrai? C'est précisément quand on pense que tout va vraiment, vraiment mal que, tout à coup, quelque chose de merveilleux se produit. Le seul truc, ajouta-t-elle, regardant Rowan d'un air suppliant, c'est qu'il veut me voir demain soir. Ça ne t'embête pas, hein?

— De m'occuper de Sadie? Non. Vas-y, amuse-toi bien.

A son retour, la nuit suivante, Eileen était encore plus surexcitée.

— Oh, mon Dieu!

Elle se laissa tomber en travers du lit, mimant l'évanouissement.

— Si tu voyais sa maison! Oh, mon Dieu! Si tu voyais ça! Des colonnes. Il y a des colonnes dans le hall. Et un immense escalier qui monte au premier. Et une espèce de balcon. Toutes les couleurs sont douces, pastel. Et le salon est immense. Il y a un canapé géant et un arbre. Un arbre, dans un énorme pot bleu, en plein milieu de la pièce! Il nous a fait à manger. Du poulet farci aux herbes et au beurre. Et nous avons bu du vin dans des verres gigantesques.

Elle s'interrompit quelques secondes, puis esquissa un sourire plein de sous-entendus.

— Tu devrais voir sa chambre. Il a un lit à baldaquin, et une moquette si épaisse que quand on marche dessus, on ne voit plus ses pieds. Oh, Rowan! s'exclama-t-elle en écartant les bras sur le lit, le regard fixé au plafond. Je suis si heureuse! Tout colle non?

Puis elle ajouta, alors qu'elle se levait pour regagner sa propre chambre :

— Il a un chat siamois.

Rowan, terrassée par le sommeil, s'enroula dans ses couvertures en grommelant quelque chose d'inaudible.

Le lendemain matin, Eileen était toujours rayonnante de bonheur. Elle assit Sadie sur les genoux de Rowan afin d'être libre de danser de joie, de flotter dans la pièce. Elle écarta tout grands les bras, comme pour accueillir sa chance, puis les serra contre elle, sans doute pour la retenir.

— Une dernière faveur, dit-elle à Rowan sans cesser de danser, de flotter, sans même se tourner vers elle. Il veut que je l'accompagne à Paris le week-end prochain. On partirait vendredi, et on rentrerait dimanche soir. Est-ce que tu...?

— ... pourrais t'occuper de Sadie?

— Oui? Je sais que c'est une grosse faveur, vu que c'est ton dernier week-end et tout. Mais tu veux bien? Tu veux bien?

Elle tournait sur elle-même, les mains jointes en prière.

Elle en faisait un peu trop, elle le savait; elle ne pouvait jamais s'empêcher d'être théâtrale.

Rowan haussa les épaules.

— Pourquoi pas?

Elle caressa la tête de Sadie, ses cheveux duveteux, puis elle la prit dans ses bras et la tint serrée contre elle.

— Ce sera sympa. Notre dernier week-end, Sadie, tu entends ça? Nous allons bien nous amuser, pas vrai?

Le jeudi, Rowan retira l'essentiel de son argent de la banque et le changea en traveller's cheques. Elle acheta un billet pour Paris; elle avait l'intention de traverser la France, puis l'Italie, avant d'acheter un billet pour l'Orient à Rome ou à Milan. A moins qu'elle ne traverse la Méditerranée à sauts de puce jusqu'en Afrique, avant de se diriger vers l'est. Elle n'était pas pressée. Elle voulait voir le monde.

Ce soir-là, Eileen organisa une petite soirée dans la maison en son honneur. Danny fit des lasagnes.

— Tu vas en Italie, Rowan?

— Probablement, acquiesça Rowan. Je commence par Paris. Puis l'Italie, et ensuite l'Orient.

— Elle va voyager de par le monde, dit Eileen avec emphase en l'entourant de ses bras. Elle va gravir les montagnes de la Lune, naviguer sur le Nil Blanc, suivre les traces de Mungo Park, s'agenouiller devant des champs d'orchidées sauvages dans des régions inhabitées dont nous n'avons même pas entendu parler...

Rowan observa le visage d'Eileen tandis qu'elle parlait, et la moquerie ouverte qu'elle y lut la choqua. Mais il n'était guère étonnant qu'Eileen se moquât d'elle. Elle le méritait. Avait-elle vraiment dit tout ça? Quelle honte.

— Je veux juste voyager un peu avant de m'installer dans la vie, c'est tout, dit-elle avec embarras.

— Vous devriez voir la liasse qu'elle a là-haut, reprit Eileen, ravie de son petit effet. Elle est pleine aux as!

Rowan finit lentement sa bouchée de sauce à la viande avant de se défendre :

— Ce sont des traveller's cheques. Et on ne peut pas vraiment parler de liasse. J'ai fait des économies... Il n'y a pas tant que ça. Il va falloir que je fasse attention.

— Il faudra de toute façon faire attention. Tu ne devrais pas voyager seule. Les gens ne sont pas gentils, tu sais, la prévint Eileen.

— Tout ira bien, affirma Rowan.

Mais elle n'en était pas si sûre. Plus le moment du départ approchait, plus elle avait peur.

— Les routes sont pleines de gens comme moi, qui veulent voir le monde. Je ne tarderai pas à trouver quelqu'un pour voyager avec moi, se rassura-t-elle.

— Bien sûr, acquiesça Danny. Tu te seras fait des amis avant même de quitter l'aéroport.

— Non, intervint Eileen en posant un bras condescendant sur l'épaule de Rowan. Pas notre petite Rowie. Elle est trop timide.

— Non, ce n'est pas vrai, dit Rowan. Et même si je suis timide, quelle importance ? Je me débrouillerai. Laisse-moi tranquille.

Elle était déjà assez inquiète à l'idée de voyager de par le monde pour ne pas avoir envie de subir en prime les sarcasmes d'Eileen.

Les murs de la cuisine étaient couverts de taches. Il y avait des traînées de confiture, de sauce tomate et de Dieu seul savait quoi d'autre sur les éléments et autour de la cuisinière. L'unique néon projetait une lumière blafarde, si insupportable que, la plupart du temps, les résidants préféraient cuisiner et manger à la bougie. Tout à coup, elle réalisa combien elle s'était attachée à cette maison, à cette cuisine dégoûtante. Elle prit une longue gorgée de vin californien et dit :

— Vous allez me manquer, tous.

Puis elle porta la main à son visage et se couvrit les yeux, craignant d'éclater en sanglots.

Le lendemain, Rowan dit au revoir aux autres secrétaires, dans le bureau vert. Elles lui offrirent une pendulette de voyage dans un coffret en cuir. Une fois de plus, alors qu'elle les remerciait, Rowan eut peur de se mettre à pleurer. A cinq heures moins le quart, M. Frobisher la fit venir dans son bureau. « Il va vouloir se venger pour tous les biscuits à la noix de coco », se dit Rowan.

Mais non : M. Frobisher lui avait acheté une boussole en laiton.

— Tenez, dit-il. Vous pourrez toujours retrouver le nord. A partir de là, vous n'aurez aucun problème pour vous repérer.

Elle fixa l'objet. Une petite chose parfaite, avec une fine aiguille tremblante.

— L'aiguille ne bouge pas, expliqua M. Frobisher. Il faut tourner la boussole jusqu'à ce que l'aiguille indique le nord. Je m'inquiète pour vous, Rowan, ajouta-t-il dans le même souffle. Partir seule, comme ça... Je ne sais pas comment je réagirais si une de mes filles voulait vous imiter.

— Vous la laisseriez partir, dit Rowan avec assurance.

— Je ferais de sa vie un enfer. Je tenterais de la dissuader par tous les moyens. Après quoi je la laisserais partir.

Rowan sourit.

— J'ai noté mon numéro de téléphone personnel sur cette carte, reprit M. Frobisher. Si vous aviez des problèmes — si, à Dieu ne plaise, quelque chose de fâcheux vous arrivait —, appelez-moi. Vous seriez surprise du nombre de gens que je connais. Nos livres éducatifs sont vendus partout dans le monde, vous comprenez.

— Merci, dit Rowan. Je suis sûre que je n'aurai pas à m'en servir.

— J'ai toujours eu un faible pour vous, Rowan, déclara-t-il.

Mais Rowan était trop abasourdie de l'entendre prononcer son prénom pour vraiment réaliser ce qu'il était en train de dire. Ce n'est qu'une fois sur le chemin du retour qu'elle se remémora ses paroles. Elle se demanda si elle n'avait pas mal jugé son patron. Peut-être M. Frobisher n'était-il pas le monstre qu'elle s'imaginait? « J'ai toujours eu un faible pour vous », avait-il dit. Elle ne l'aurait jamais cru capable d'avoir un faible pour quiconque. A présent, elle se sentait coupable de l'avoir détesté.

Elle prenait toujours plaisir à rentrer chez elle à pied. Cela l'étonnait de voir à quel point elle s'était familiarisée avec la vie citadine. Elle pouvait fendre la foule du soir en effleurant à peine une épaule ou un bras. Croiser un million de visages sans en voir aucun. Valser autour d'un feu rouge, danser entre les voitures, atteindre le trottoir d'en face sans une égratignure. D'où elle venait, on vivait et bougeait différemment, avec davantage d'insouciance. Au point qu'il arrivait que les deux seules personnes à emprunter une rue réussissent à se heurter. « Oh, pardon, je ne vous avais pas vu. » Sur les trottoirs vides, il n'était pas assez dangereux de rêvasser un peu pour que les gens résistent à la tentation... Rowan s'immobilisa; elle était envahie par une vague de nostalgie si amère et si douce à la fois qu'elle la sentait, la respirait, la goûtait presque.

Elle toucha la boussole de M. Frobisher dans sa poche. Le nord. A la maison, à Fretterton, en plein milieu de l'Ecosse — un peu au nord, un peu à l'est —, la nuit ne tombait pas encore. Les rues étaient claires et fraîches, comme toujours au printemps, une fraîcheur crue, remplie d'espoir. L'odeur des feux de charbon flottait dans l'air...

Déjà, les jeunes devaient se rassembler derrière la friterie, les pouces dans les poches arrière de leurs jeans, une cigarette à la bouche, les sourcils un peu froncés à cause de la fumée. Il y avait sans doute une ou deux voitures, les vitres baissées, la musique à fond. Elle les imaginait sans peine, ces jeunes gens, avec leur démarche trop fière d'adolescents encore peu sûrs d'eux. Tous des James Dean en puissance...

Lorsque Rowan arriva à la maison, elle découvrit qu'Eileen avait installé Sadie, avec son berceau, ses couches, ses jouets et des vêtements de rechange pour deux jours, dans sa chambre.

— Je n'arrivais pas à tout faire entrer, lui dit Eileen, alors j'ai rangé ton sac à dos dans ma chambre. Ça ne t'embête pas, n'est-ce pas?

— Non, répondit Rowan en secouant la tête.

Mais en vérité, cela l'embêtait. Cela l'énervait que sa chambre ait été réarrangée en son absence. Elle songea qu'elle aurait fait mettre un verrou à sa porte, si elle avait dû rester plus longtemps.

— Bien, reprit Eileen en souriant. Tu peux prendre la voiture — je n'en aurai pas besoin.

Elle lança les clés de la Coccinelle sur le lit. Puis, dans un geste d'une générosité inattendue, elle alla chercher son manteau.

— Tu peux prendre ça aussi. Ça te donnera une allure dingue. Tout le monde te prendra pour moi.

Rowan fixa le manteau sans rien dire. Elle le trouvait horrible.

— Tu n'en auras pas besoin?

— Non. Pas là où je vais. Ça ne ferait que m'encombrer.

— Il faut que je mange, dit Rowan dans un soupir.

Elle souleva Sadie et descendit. Dans la cuisine, elle installa le bébé dans son transat, nourrit Elvis, puis réchauffa un biberon et un petit pot poulet-légumes, avant de prendre un yaourt pour elle. Elle était assise à table et nourrissait Sadie, affamée, à la petite cuillère, en proie à une absurde mélancolie, quand Eileen passa la tête par l'entrebâillement de la porte.

— Bon, eh bien, je m'en vais.

— O.K., dit Rowan en essayant de sourire. Amuse-toi bien.

— Oh, pas de problème! Je ne tiens plus en place.

Eileen regarda un moment Sadie et Rowan.

— Vous êtes très bien, toutes les deux. Elle est comme Elvis, ajouta-t-elle, montrant sa fille du doigt. Elle te préfère à moi. Tu te débrouilleras très bien, j'en suis sûre.

Rowan sourit.

Eileen traversa la pièce et embrassa Rowan, puis Sadie. Ses lèvres s'attardèrent sur sa tête tandis que ses doigts caressaient lentement son petit visage, sa peau de pêche.

— Sois sage, dit-elle.

Puis elle sortit de la cuisine.

Rowan se tourna vers Sadie.

— Qu'en penses-tu? Cette sale ingrate ne m'a même pas dit au revoir!

6

Rowan avait eu une enfance hollywoodienne, pleine de cow-boys et d'Indiens, de gangsters, d'aventuriers, de rêveurs, d'amants et de chansons. Mamie Garland, la propriétaire du cinéma le Rialto, sur la grand-rue, passait ses vieux films préférés dès qu'elle le pouvait. Au moins trois fois par semaine, Rowan s'asseyait à l'orchestre, seule dans le noir, un paquet de caramels à la main, pleine d'impatience, attendant que la magie opère. Elle adorait toutes sortes de films, pour toutes sortes de raisons : par exemple, *Règlement de comptes à OK Corral*, pour les accessoires (les chemises de Burt Lancaster étaient impeccablement amidonnées). Elle avait vu *Camille* à la télévision un dimanche après-midi pluvieux et avait été émue aux larmes. Voilà ce qu'elle voulait être — une héroïne tragique, vêtue de blanc. De plus, à l'époque où elle l'avait vu, elle était encore en âge de trouver que le fait de mourir jeune était le comble de l'élégance.

Lorsqu'elle avait quatorze ans, son professeur d'anglais avait lu à la classe l'*Ode à un rossignol*[1]. Rowan avait été profondément émue et avait décidé de quitter ce monde

1. Célèbre poème de John Keats. *(N.d.T.)*

avant trente ans, d'une manière sereine et indolore. Elle adorait les vieux films avec Spencer Tracy et Katharine Hepburn. Voilà une femme qui disait ce qu'elle pensait, qui faisait ce qu'elle voulait ! C'était ainsi qu'il fallait vivre, lorsqu'on prévoyait de mourir tragiquement à vingt-neuf ans et demi.

Il y avait eu d'autres films, des dialogues mémorables, des moments extraordinaires. Le jeune esprit de Rowan s'émerveillait de tout cela — il restait peu de place pour l'école, son père, sa mère et la maison de quatre pièces dans laquelle ils vivaient.

Norma avait peu de temps à consacrer aux films et à la passion que leur vouait sa fille. Rowan se souvenait fort bien du jour où elle avait persuadé sa mère de l'emmener voir *Les Dents de la mer*; elle avait sept ans à l'époque et avait été absolument terrorisée. Cette nuit-là, elle avait refusé d'aller au lit, certaine qu'un énorme requin l'attendait dissimulé en haut de l'escalier. Sa mère avait accueilli cette crise d'angoisse avec un silence qui semblait dire : « Eh bien, si c'est là l'effet que te font les films, ma fille, tu n'iras plus au cinéma. » Cela avait suffi : la crainte de ne plus pouvoir retourner au Rialto s'était révélée plus grande que sa peur des requins, même des requins blancs mangeurs d'hommes.

Après cela, Norma avait été traînée par sa fille au Rialto presque chaque semaine. Elle avait regardé en silence *Rencontres du troisième type* — après quoi Rowan avait regardé le ciel pendant des semaines, guettant des signes de l'au-delà : peut-être des extraterrestres viendraient-ils la chercher, l'emporter pour une nouvelle vie dans les étoiles ? Puis Norma avait enduré sans un mot *Bugsy Malone* — Rowan s'était prise un moment pour la petite amie d'un gangster —, *Flashdance* — Rowan irait travailler dans une usine sidérurgique (enfin, dans la mesure où il n'y en avait pas à Fretterton, la fabrique de conserves ferait l'affaire) et apprendrait à danser —, *Fitzcarraldo* — elle voulait partir en Amazonie vivre au milieu de tribus passionnées d'opéra...

Au bout d'un certain temps, Norma avait refusé de conduire sa fille au cinéma, si bien que Rowan y était allée seule — ce qui, à ses yeux, était mieux encore. Ses ambitions, d'une semaine à l'autre, évoluaient au fil de ses découvertes cinématographiques. Après *Breaking Glass*, elle avait eu envie de devenir une chanteuse post-punk incomprise. Après les *Blues Brothers*, elle s'était acheté le chapeau et les lunettes des héros, tout en se mettant en tête de posséder un snack-bar et de le diriger avec tout le piquant d'une Aretha Franklin.

Depuis, Rowan n'avait pas changé. Il n'y avait que deux ans qu'ayant vu *Liaison fatale*, pendant quelques instants, elle s'était imaginée en amante dominatrice à la libido exacerbée, capable de mettre les hommes à genoux d'un simple regard. Le temps d'attraper le bus pour rentrer chez elle, cependant, elle s'était ravisée. Elle n'était pas sûre que ce personnage lui colle à la peau.

Norma reprochait à Hollywood les vocations en série de sa fille. Elle ne se rendait pas compte que ce n'étaient là que des fantasmes passagers d'adolescente, que Rowan elle-même ne prenait pas au sérieux; elle en voulait aux médias dans leur ensemble, les jugeant responsables des idées bizarres de sa fille.

— Tout ça, c'est la faute de ces films qu'elle a vus, disait-elle. Je n'aurais jamais dû la laisser y aller. J'avais bien dit qu'il n'en sortirait rien de bon. Rien de bon. Sans compter tous les livres qu'elle a lus. Et toutes les sottises qu'elle a regardées à la télévision. Elle aurait dû exercer une activité saine. Comme Claudia Rossi, qui jouait au hockey. Rowan est trop influençable. Elle n'a aucune idée de ce qu'elle est vraiment, de *qui* elle est vraiment. Elle plaît aux gens telle qu'elle est, mais elle ne s'en rend pas compte. Elle a toujours envie d'être quelqu'un d'autre.

George, son mari, assis à la table de la cuisine, n'avait pas le courage de rappeler à Norma que Claudia Rossi était tombée enceinte à dix-huit ans, qu'elle avait à présent trois enfants et qu'elle était trop grosse.

— Tu t'inquiètes trop, répondait-il simplement. Elle a la tête sur les épaules, et elle n'est pas bête. Elle finira par comprendre ce qu'il lui faut, tu verras.

Il se demandait souvent pourquoi Norma ne tricotait pas. N'était-ce pas là l'activité de prédilection des femmes qui trouvaient à redire à tout? Il l'imaginait assise très droite, ses aiguilles s'agitant à toute vitesse. Et puis non, en fait. Mieux valait qu'elle s'abstienne. Si elle devait tricoter autant qu'elle trouvait à redire, il se retrouverait à la tête d'une énorme collection de pulls hideux. Il refuserait de les porter. Elle trouverait à redire à ce refus. Tricoterait davantage. Produirait plus de pulls. On n'en sortirait pas.

Bien sûr, Rowan continuait à aller au cinéma à Londres, mais ce n'était pas pareil. On entendait ce que disaient les acteurs, l'écran ne tressautait pas, et l'on ne pouvait pas crier au projectionniste de mettre en avance rapide, ou de repasser les bons moments. Et en plus, il n'y avait pas de poules.

Mamie Garland possédait des poules de Rhode Island qui avaient gagné des prix. Ces bêtes, adorées et gâtées à l'extrême, arpentaient librement le jardin qui s'étendait entre la cuisine de Mamie et la porte de sortie du cinéma. Celle-ci restait souvent ouverte, et même quand elle était fermée, il y avait dessous un espace d'une cinquantaine de centimètres par lequel entraient aisément les jeunes gens qui, comme Rowan, n'avaient pas de quoi payer leur billet, les courants d'air et les poules. Ces dernières arpentaient la salle à grand bruit en grattant le sol et en picorant le pop-corn tombé à terre. On trouvait toujours des œufs frais en vente dans le hall, à côté des caramels faits maison de Mamie Garland.

Rowan trouvait les séances de cinéma, à Londres, étrangement silencieuses ; seuls les rares froissements de papiers de bonbons venaient couvrir les sons en provenance de l'écran. Au Rialto, pendant la séance, on entendait les bruits de succion des spectateurs dégustant leurs caramels, ainsi que des discussions animées — sur les maris d'Elizabeth Taylor, les yeux de Paul Newman, les jeans de James Dean, la vie sexuelle de Kim Novak, les problèmes de drogue de Robert Mitchum. Tout cela, avec en fond sonore les plaisants petits coups de bec des poules. Non, aller au cinéma à Londres n'était pas pareil. Et ils ne passaient pas *Marqué par la haine* tous les mercredis soir sous prétexte que c'était le film préféré de la propriétaire. Rowan l'avait vu si souvent qu'elle pouvait réciter les dialogues en même temps que Paul Newman et Pier Angeli.

Bien qu'elle ne l'eût pas vue depuis près de cinq ans, Rowan considérait toujours Claudia Rossi, la fille des propriétaires de la friterie, comme sa meilleure amie. Elles avaient grandi ensemble. Rowan passait tellement de temps chez les Rossi que sa mère avait fini par sortir de son silence pour s'en plaindre ouvertement.

— Tu es si souvent fourrée là-bas que je me demande pourquoi tu n'emménages pas tout simplement chez eux. Je pense que tu les préfères à nous.

Elle avait raison : c'était le cas. Rowan aurait voulu être une Rossi. Faire partie d'une grande famille où l'on se disputait, où l'on riait, où l'on parlait constamment et où l'on se touchait. C'était cela, surtout, qui lui plaisait. Les contacts physiques.

Alors que Rowan avait fui Fretterton sans demander son reste, il n'avait jamais été question que Claudia fît de même. Elle avait grandi en sachant qu'elle travaillerait dans le fast-food familial dès qu'elle aurait fini l'école. Et maintenant, il lui arrivait souvent de poser ses coudes sur le comptoir de la friterie et de laisser son regard se perdre par-delà le village, de l'autre côté de la vitrine, en se demandant ce que devenait sa vieille amie Rowan. Rowan, songeait-elle, portait certainement des tenues élégantes et travaillait dans une tour de bureaux dominant la ville. Elle devait avoir une secrétaire personnelle et vivre dans un bel appartement, avec du parquet ciré, des canapés blancs et des plantes vertes. Claudia en soupirait d'envie.

Rowan fourra la dernière cuillerée de poulet aux légumes dans la bouche de Sadie.

— Seigneur, tu ne connais rien de tout ça, pas vrai?

Elle ôta le bavoir de l'enfant et essuya ses grosses joues avec celui-ci. Puis elle prit la vaisselle sale et la porta jusqu'à l'évier. Elle jeta à la poubelle les restes d'un poulet tandoori qui moisissaient sur le plan de travail. Ota des bols à céréales gluants, pleins de l'eau sale de l'évier, vida celui-ci, le remplit d'eau chaude et lava la vaisselle de Sadie.

— Qu'est-ce que tu penses de notre cloaque? demanda-t-elle à Sadie. Affreux, hein? Ce n'est pas un endroit pour une mignonne petite fille comme toi.

Sadie sourit.

Rowan la souleva de son transat et la serra contre elle.

— Bon, maintenant, qu'est-ce qu'on fait? Qu'est-ce qui te fait envie, ce soir? On descend au pub, on boit quelques verres et ensuite on va en boîte, histoire de voir si on peut te trouver un beau petit garçon d'au moins six mois pour te faire passer un bon moment? Non? Que dirais-tu d'un bain, alors?

Elle observa un moment la couche de nourriture séchée qui recouvrait la grenouillère de Sadie.

— Il va falloir que tu surveilles tes manières à table.

Le repas qu'elle venait de prendre agissait sur le système digestif de Sadie. Elle se concentra, leva les yeux vers le ciel, devint rouge sous l'effort et déféqua copieusement dans sa couche.

— Ça aussi, c'est un problème, souligna Rowan. Tu ne t'en sortiras jamais, en société, si tu continues comme ça.

Sadie sourit. Tendit la main, attrapa la lèvre inférieure de Rowan et tira dessus. *Should I Stay or Should I Go*, hurlait la radio. Rowan, portant Sadie, se mit à danser avec elle dans la cuisine. Enfin, il y avait dans sa vie quelqu'un qu'elle pouvait aimer de tout son cœur. Qu'elle pouvait serrer contre elle et câliner dès qu'elle en avait envie. Qui l'adorait en retour.

— Un bain me paraît tout indiqué, affirma-t-elle.

Elle remplit la baignoire d'eau et de bain moussant, déshabilla Sadie, la nettoya, enleva ses propres vêtements et grimpa dans le bain. Elles jouèrent avec la mousse; Rowan trempait Sadie, puis la soulevait haut dans les airs avant de la replonger dans l'eau. Puis elle s'allongea, l'enfant posée sur elle, et son regard se perdit à travers la vapeur vers le plafond, dont la peinture s'écaillait.

— Toi, tu ne connais que Londres et les gens d'ici — Danny, tout ça. Ils se donnent beaucoup de mal pour être cool. Mais moi, je pourrais te parler de gens incroyables... D'où je viens, dans mon village, il y avait toujours des tas de gens qui allaient et venaient. Je ne leur prêtais pas attention; pour moi, ils faisaient partie du décor.

Elle songea à la petite dame âgée qui vivait sur la place du village, en face du County Arms Hotel. Et, submergée d'émotion, elle se surprit à parler d'une voix chantante, berçante :

— C'est une astrologue. Je suis sérieuse, elle fait des

horoscopes. La plupart des gens du village se sont fait faire leur thème astral. Tous les matins, à sept heures, elle va à la supérette acheter du lait, les journaux et je ne sais quoi. Elle flotte le long des rues dans son grand manteau en velours, avec son chapeau mou violet vif qui lui tombe sur les yeux. Elle, elle flotte vraiment, pas comme ta maman. Ta maman est une amatrice comparée à Mlle Porteous. Seigneur, maintenant que j'y pense, elle est vraiment très vieille. Au moins soixante-dix ans. Pourtant, elle se déplace sur le trottoir comme sur des rollers. Les gens qui regardent par la fenêtre du rez-de-chaussée quand elle passe ont tout juste le temps d'entr'apercevoir le violet de son chapeau. « Hors de mon chemin », dit-elle en chassant les importuns d'un geste. Elle a peur qu'on ne lui demande des prédictions gratuites, tu comprends. Les gens pourraient l'arrêter et lui poser des questions. Est-ce le bon moment pour réserver une maison de vacances, quand on est « Gémeaux » ? Et où vaut-il mieux aller ? Que disent les étoiles à propos des « Balance » qui trouvent une sorte de grosseur sous leur bras gauche ? Elle écrit des horoscopes pour la *County Gazette* : sa rubrique s'appelle « Porteous vous prédit ». Tu vois ? Je parie que tu ne savais pas tout ça... Je n'ai jamais pensé à elle, avant. Mais comment en est-elle arrivée à vivre dans notre village ? Elle n'y est pas née, c'est sûr. Qui est-elle vraiment ? Tu vois ce que je veux dire ? Toute ma vie, je l'ai toujours connue...

Silence. Pas un gargouillis de la part de Sadie.

— Est-ce que je t'ennuie, avec mes histoires ? demanda Rowan.

Elle baissa les yeux. L'enfant était allongée sur elle, la tête sur sa poitrine, et elle dormait à poings fermés.

— On dirait bien, oui.

Rowan se leva avec douceur, les enveloppa toutes les deux dans une grande serviette de bain et monta dans sa chambre. Elle allongea Sadie sur le lit. La sécha avec précaution et lui mit une couche et une petite grenouillère rouge. Elle s'essuya avec la serviette, la jeta à l'autre bout de la pièce et grimpa dans le lit, prenant Sadie avec elle.

Rowan avait toujours du plaisir à tenir le bébé dans ses bras. Elle aimait sentir Sadie reposer contre elle, s'émouvait de la confiance avec laquelle celle-ci s'abandonnait au sommeil. Elle se demandait à quoi rêvaient les bébés. Se voyaient-ils transportés le long de couloirs interminables, bras tendus vers des biberons géants qui leur échappaient toujours ? Imaginaient-ils d'énormes visages penchés sur eux et gazouillant ? Longtemps, elle regarda Sadie dormir dans ses bras, sans songer à la remettre dans son berceau. Elle n'arrivait pas à comprendre pourquoi Eileen la couchait aussi vite que possible puis levait les bras, esquissait une petite danse sur place et murmurait, jubilante : « Libre, enfin. Libre, enfin ! »

— J'ai peur pour toi, petite Sadie, dit Rowan. Ta mère est tellement nulle ! Je ne lui fais pas confiance, en ce qui te concerne. Qu'est-elle en train de faire, là, à ton avis ? Je suppose qu'elle rit, qu'elle boit et qu'elle flotte. Et que penses-tu de cette histoire de Maurice ? Tu y crois, toi ?

La chambre était plongée dans l'obscurité ; un lampadaire, à l'extérieur, projetait un fin rai de lumière au pied du lit. En temps normal, elle aurait allumé une bougie, mais elle craignait que la chambre ne prenne feu au milieu de la nuit. Elle renonça à allumer sa lampe de chevet. Elle ne voulait pas que Sadie sache qu'à son grand âge elle avait encore peur du noir.

— J'ai eu un grand amour, dit-elle, d'une voix qui sonnait étrangement creux dans le silence de la pièce. Nelson. Il est encore là-bas. C'est l'éditeur de la *County Gazette*. Il a à peu près vingt ans de plus que moi. Quand j'avais treize ans, il en avait environ trente-trois. Oh, j'étais tellement folle de lui ! Complètement subjuguée.

L'horreur de l'adolescence dans toute sa splendeur. Je rougissais et tremblais de partout dès que je le croisais dans la rue. Ou bien je partais en courant et en pouffant. Mon Dieu, je suis morte de honte rien que d'y repenser. Il portait des costumes fantastiques. « Top » : c'était le mot que j'utilisais toujours pour parler de lui. Et il avait toujours des chemises de rebelle.

Sadie bougea dans ses bras. Ses lèvres esquissèrent un mouvement de succion.

— Oh, je sais, dit Rowan. Tu es une Londonienne. Tu as l'habitude des tee-shirts où il est écrit : « Allez vous faire foutre, je n'ai pas besoin de votre rédemption, de votre acceptation ou de votre compréhension. » C'est parce que nous sommes en ville. Mais là-bas, il n'y a que les anarchistes, les obsédés sexuels, les voyous et les gaspilleurs, bref tous les bons à rien, pour porter une chemise rouge ou rose. C'est te dire le genre d'endroit que c'est. Eh bien, mon Nelson, lui, il portait des chemises de rebelle, et il avait des cils superbes, très longs. A treize ans, c'est tout ce qu'on regarde chez un garçon.

Elle s'allongea plus confortablement dans le lit et remonta la couverture sur elles deux.

— C'est bien moi, ça. Vendredi soir, et au lit à huit heures...

7

Le dimanche, Rowan installa Sadie dans la Coccinelle et partit pour Heathrow. Eileen avait promis de revenir par le vol de seize heures, « à temps pour mettre mon bébé au lit ». Rowan songeait, quand elle se sentait d'humeur magnanime, que cela ferait plaisir à Eileen qu'elles viennent l'accueillir, de voir leurs deux visages souriants et familiers à l'aéroport. Et nul doute que le nouvel amant d'Eileen, ivre de cette dernière, de vin et de nourriture parisienne, serait heureux de rencontrer la petite fille. Et puis, quand elle se sentait moins charitable, elle prenait plaisir à imaginer qu'elle prendrait Eileen en flagrant délit d'affabulation. Elle voulait être là lorsque sa colocataire apparaîtrait à la porte des arrivées au côté d'un vieux Français obèse, son gros ventre débordant de sa ceinture, son crâne chauve luisant sous les lumières de l'aéroport. Il empesterait les Gauloises et l'ail. Tandis qu'Eileen s'approcherait pour saluer Rowan et sa fille, il lui donnerait une tape sur les fesses tout en émettant des sons incompréhensibles. Et quand il apercevrait Sadie, ce serait terminé. Bien sûr, il ne savait pas vraiment qu'Eileen avait un enfant; c'était encore un des mensonges de la jeune femme. Et jamais il ne voudrait qu'elles emménagent toutes les deux chez lui!

« Je t'ai amené ta fille, Eileen », avait l'intention de dire Rowan.

Eileen rougirait jusqu'aux oreilles. Agiterait la main d'un air coupable. Essaierait d'expliquer :

« Ha, ha. Oui, Maurice, euh... Voilà Sadie.

— *Merde!* s'exclamerait le Français. *Merde et adieu*[1]. »

Rowan souriait rien que d'y penser. Bien sûr, ce n'était pas de la malice, seulement un peu d'espièglerie innocente. Et pourquoi pas? Eileen était la première à faire l'apologie de la méchanceté. Rowan se souvenait d'une de leurs conversations :

— As-tu déjà été méchante, Rowan? Vraiment, vraiment méchante, juste pour le plaisir?

Rowan avait répondu sans hésiter :

— Non.

— As-tu déjà couché avec le mec de ta meilleure amie, comme ça, par jeu? Pour vérifier qu'il était aussi fantastique au pieu qu'elle te le disait?

— Non.

— Même pas une petite pipe rapide pendant un dîner, alors que ta copine emmerdait tout le monde avec le récit de ses vacances à Acapulco?

— Non!

Rowan avait pris note mentalement de ne jamais présenter Eileen à un de ses petits amis.

— Tu n'as jamais volé quelque chose à une amie, sachant qu'elle le chercherait partout, après? Rien d'important... Son journal intime, par exemple?

— Jamais! Eileen, comment as-tu pu faire une chose pareille? Un journal intime, *c'est* important!

— Oui. Mais comme ça, tu peux le lire et tout savoir sur elle.

— C'est horrible.

1. En français dans le texte. *(N.d.T.)*

— Je sais. Super.

— Tu n'as pas pu avoir de « meilleures » amies, en faisant des trucs pareils. Pas des vraies.

— J'en ai eu plein. Toi, tu es ma meilleure amie.

Un frisson glacé avait parcouru Rowan. De quoi Eileen était-elle capable ?

— Tu n'as même pas volé de l'argent dans le porte-monnaie de ta mère quand elle ne regardait pas ?

— Absolument jamais. Elle l'aurait su. Elle savait toujours au centime près ce qu'elle avait.

— Oh.

Eileen avait eu l'air de s'ennuyer.

Au début de cette conversation, Rowan se sentait vertueuse ; à la fin, elle n'avait plus que l'impression d'être terriblement banale... Mais à présent, elle remettait les pendules à l'heure. Elle se vengerait du peu de cas qu'Eileen avait fait d'elle en se montrant méchante à son tour. Tout le long du trajet jusqu'à l'aéroport, un sourire flotta sur ses lèvres. C'était merveilleux. Elle aurait dû se mettre à la méchanceté bien plus tôt.

Elle se posta au niveau des arrivées avec Sadie, qu'elle tenait prête à faire coucou à sa maman. Mais la maman en question n'arriva pas. Incrédule, elle attendit jusqu'à ce que la dernière personne fût sortie. Puis Rowan songea : « Qu'est-ce que je m'étais imaginé ? Qu'on pouvait compter sur elle — sur *Eileen* ? Absurde ! Elle aura pris le prochain vol. »

Mais non.

Sadie avait sérieusement faim, et ses hurlements commençaient à être embarrassants. Aussi Rowan la ramena-t-elle à la maison. Elle la nourrit et la mit au lit. Toute la nuit, elle tendit l'oreille, guettant le retour d'Eileen. Chaque fois qu'une portière de voiture claquait, qu'on entendait des bruits de voix à l'extérieur ou qu'elle croyait percevoir le grincement de la porte d'entrée,

Rowan se levait et allait à la fenêtre jeter un coup d'œil dans la rue, le visage pâle et inquiet, rongée par le doute et l'angoisse, l'estomac noué.

Le lendemain, Rowan appela l'aéroport pour demander si une Eileen Johnson était enregistrée sur un vol en provenance de Paris. On lui répondit que non. Mais peut-être voyageait-elle sous le nom de Maurice, songea-t-elle. Elle appela l'ambassade de France et s'entendit répondre qu'aucun Maurice n'y travaillait.

— Non, insista-t-elle, parlant plus fort, comme si cela pouvait aider son interlocuteur à comprendre ce qu'elle disait : Maurice. Il ne doit pas être sur place pour le moment. Il est parti à Paris avec mon amie Eileen. Ils devaient rentrer hier et ne sont pas arrivés. Je me demande ce qui a pu se passer. Si vous pouviez me donner son adresse à Paris... Parce que, vous comprenez, Eileen m'a laissé son bébé, et il faut que je sache quand ils vont revenir. Je dois partir moi-même demain. Il est essentiel que je les contacte.

Elle parlait trop ; sa gorge était serrée, sa voix de plus en plus aiguë. Les larmes n'étaient pas loin. Le silence à l'autre bout du fil indiquait clairement que son correspondant n'avait pas du tout envie d'écouter ses histoires. Aucune aide à attendre de ce côté-là.

Elle ne savait pas quoi faire. Alors elle s'agitait et arpentait nerveusement la cuisine, allant sans cesse se poster à la fenêtre. Chaque fois qu'elle regardait dehors, elle était surprise de ne pas voir Eileen arriver en sautillant dans la rue, un sourire aux lèvres.

Lorsqu'elle n'était pas en train de faire les cent pas, Rowan s'asseyait sur les marches de l'escalier, livide, et fixait la porte d'entrée, espérant voir Eileen la franchir. Elle rejetait ses cheveux en arrière. Fumait. Lorsque Sadie, consciente de son agitation, se mit à hurler, Rowan la fit taire avec irritation. Elle ne pouvait pas supporter que ce bruit et la culpabilité qu'il faisait naître en elle la détournent de son désespoir. Elle se répétait que la désaffection d'Eileen était sa punition, parce qu'elle avait voulu être méchante.

La maison était vide. Inhabituellement silencieuse, elle lui faisait l'effet d'une caverne, et sa laideur était plus évidente encore. Etrange, cette capacité qu'avait la musique, quelle qu'elle fût, d'atténuer le côté minable d'un endroit...

Rowan aurait voulu que l'un de ses colocataires revienne, afin de pouvoir discuter de son dilemme avec lui. Lorsque, enfin, elle se décida à mettre de la musique pour tromper sa solitude, elle utilisa la longueur des morceaux pour minuter ses espoirs. Eileen reviendrait avant la fin de cette chanson. Non. Bon; celle-là durait cinq minutes cinquante; d'ici là, elle serait arrivée. Enfin, Danny rentra à la maison. Dès qu'il ouvrit la porte, il eut conscience de la tension qui habitait Rowan et sut que quelque chose clochait.

— Qu'y a-t-il? demanda-t-il à la jeune femme, qui avait cessé de faire les cent pas pour reprendre sa place au pied de l'escalier, Sadie sur les genoux.

— C'est Eileen.

Elle ne le regarda pas en face; elle avait peur de lire de l'inquiétude sur son visage et d'éclater en sanglots. Or elle s'était juré de ne pas pleurer.

— Elle n'est pas rentrée à la maison. J'ai passé toute la journée ici avec le bébé. J'ai téléphoné à tout le monde. Maintenant, je ne sais plus quoi faire. Tu crois qu'elle a eu un accident?

— Non, pas Eileen... Elle reviendra. Tu sais comment elle est. Elle doit s'amuser et ne pas voir le temps passer. Mais il faudra bien qu'elle rentre, pas vrai? Ne serait-ce que pour te rendre ton sac à dos. Tu vas en avoir besoin.

— Mon sac à dos?

— Oui. Tu le lui as prêté.

— Non.

— Ah bon? En tout cas, elle l'avait en partant. Je l'ai vu. J'ai pensé que tu le lui avais prêté.

— Mon sac à dos? répéta Rowan.

— Oui.

Elle lui tendit Sadie.

— Mon sac à dos, dit-elle encore.

Elle tourna les talons et monta l'escalier quatre à quatre. « Mon sac à dos. » Elle entra comme une furie dans la chambre d'Eileen, regarda autour d'elle. Pas de sac à dos. Elle courut dans sa propre chambre vérifier qu'Eileen l'avait bel et bien enlevé lorsqu'elle était venue déposer le berceau. Pas de sac à dos. De retour dans la chambre d'Eileen, Rowan ouvrit la penderie en grand. Tous les vêtements de sa colocataire avaient disparu. Rowan ouvrit les tiroirs de la commode : vides.

— Seigneur, murmura-t-elle, la gorge serrée par la panique. Mon Dieu, mon Dieu, mon Dieu.

Elle resta un moment immobile, cherchant à arrêter le cours de l'odieuse pensée qui venait de l'effleurer.

— Oh, Jésus, mon Dieu, oh, non.

Elle retourna en courant dans sa chambre. Fouilla avec l'énergie du désespoir dans ses livres, mais ne parvint pas à trouver son exemplaire des *Voyages avec moi-même et un autre*. Elle avait mis son argent, son billet d'avion et son itinéraire de voyage entre ses pages. Un par un, elle ouvrit tous ses autres livres — peut-être s'était-elle trompée, peut-être avait-elle caché tout cela ailleurs... Un par un, elle les feuilleta, les tint à bout de bras, les secoua. Mais rien ne se produisit. Ses traveller's cheques ne tombèrent pas sur la moquette. Ils n'étaient pas là. Son argent avait disparu, son billet avait disparu, les cartes sur lesquelles elle avait noté ses projets de voyage avaient disparu. Son livre chéri avait disparu. Eileen lui avait tout pris.

8

La nuit où elle découvrit la trahison d'Eileen, lorsque Rowan eut compris que celle-ci lui avait pris son sac à dos, son argent, son livre fétiche et ses rêves, sa migraine se déclencha. Deux semaines plus tard, elle était toujours là. C'était une douleur constante derrière ses yeux, une rivière de souffrance qui courait jusqu'à son cou. Elle avait les yeux gonflés, mal au cœur en permanence, et l'impression d'évoluer dans un cauchemar. Régulièrement, toutes les vingt minutes environ, elle soulevait la tête et essayait de s'extraire de l'odieuse brutalité de ce qu'elle vivait. Alors, elle allait jusqu'à la fenêtre et regardait dehors, croyant à chaque fois qu'elle allait voir apparaître Eileen, souriante. Clamant : « Ah, ah. Tu ne devineras jamais où je suis allée. »

Au bout de cinq bonnes minutes passées à espérer et à fixer la rue sans succès, Rowan allait jusqu'à la porte d'entrée et jetait de nouveau un coup d'œil dehors. Son mal de tête augmentait. C'était la peur. Le stress. La fatigue oculaire.

Elle était en proie à un tourbillon d'émotions contradictoires. Par moments, elle était envahie par la rage — une rage si violente que ses lèvres se raidissaient, qu'elle tremblait de tous ses membres, et qu'il lui fallait s'asseoir pour respirer lentement, tant elle avait peur d'imploser de fureur. Cette garce lui avait volé toutes ses affaires. *Comment avait-elle osé?* Et parfois elle se sentait idiote. Elle aurait dû le sentir venir. Elle était une victime-née, stupidement crédule et absurdement naïve.

Une fois, elle parvint à se persuader qu'elle était une sorte de sainte. C'était si noble de sa part de recueillir un nourrisson orphelin... De laisser son amie parcourir le monde, profiter de la vie pendant qu'elle restait à la maison, frottait les parquets, cuisait du chou à la vapeur, charriait du linge sale, pleurait et soupirait... Exaltée par sa vertu, Rowan releva la tête avec fierté, rentra les joues et serra Sadie contre elle, avant d'éclater d'un rire dément. Avait-elle jamais frotté des parquets et préparé du chou à la vapeur? Malgré tout, elle avait passé un bon moment à imaginer sainte Rowan se sacrifiant pour son hystérique de copine...

Bon, cela dit, il fallait prendre des décisions.

Au bout de deux semaines de folie, Tracy arriva. Eileen lui avait passé sa chambre, expliqua-t-elle. Elle était plus jeune que Rowan, commençait tout juste à travailler dans la publicité et était pleine d'a priori.

— J'espère que tu ne m'en voudras pas de te le dire, mais j'ai trouvé ton chat dans ma chambre, allongé sur mon lit. Je sais qu'il est probablement très propre et tout ça. Mais on ne sait jamais où il a pu aller traîner. Ça ne t'embête pas de garder un œil sur lui, à l'avenir?

Elle débordait de confiance en elle.

— Et puis, j'ai installé tes affaires pour bébé sur une étagère du réfrigérateur. J'avais besoin de place pour mes yaourts et mes légumes. Tu crois vraiment que c'est un endroit pour élever un enfant? Je veux dire, un jardin serait préférable...

Rowan la regardait sans mot dire. Elle était lasse; trop d'émotions en trop peu de temps, trop d'espoirs, de désespoirs et d'inquiétudes l'avaient brisée. Elle avait à peine le courage de s'expliquer.

— Ce n'est pas mon chat, dit-elle d'une voix monocorde.

— A qui est-il, alors?

— A Eileen.

— Et elle l'a laissé comme ça? Bah, je suppose qu'elle avait trop de choses dans la tête, avec ce tour du monde à organiser. Quelle merveilleuse aventure!

Tracy était pleine d'admiration et d'envie en évoquant Eileen, cette âme vaillante et sauvage. Elle posa sur la pauvre, pitoyable Rowan un regard plein de compassion méprisante.

— Eileen avait une telle imagination!

— Elle t'en a parlé, alors? Qu'a-t-elle dit?

Rowan se sentait si mal qu'elle souhaitait plonger davantage encore dans la douleur, connaître le crucifiement total, absolu.

— Oh, oui, elle m'en a longuement parlé, dit Tracy avec condescendance. Elle voulait aller jusqu'en Asie du Sud. Et suivre les traces d'autres grands voyageurs. Martha Gellhorn. Et, bien sûr, Mungo Park. Elle a l'intention de remonter le Niger, comme lui. Tu ne trouves pas ça fabuleux?

— Si, répondit Rowan.

Son visage n'exprimait pas plus d'émotion que sa voix.

— Si tu es trop occupée, j'emmènerai le chat à la fourrière demain. Je demanderai qu'on lui trouve une autre maison ou qu'on le pique.

Choquée par cette menace contre Elvis, Rowan pointa un doigt furieux en direction de Tracy.

— Essaye seulement, dit-elle. Essaye seulement, pour voir.

Elle tremblait en parlant. Cela lui remit les idées en place; le fait de cracher un peu de son venin, de déverser sa bile sur quelqu'un d'autre lui fit soudain prendre conscience de l'absurde réalité de sa situation.

— Seigneur, dit-elle. Seigneur, Seigneur, Seigneur. Je n'ai plus rien.

Elle se laissa tomber sur la dernière marche de l'escalier. Elle n'avait pas d'argent, pas de quoi payer le loyer. Pas de quoi se nourrir ni nourrir Sadie. Elle leva les yeux vers Tracy, qui tripotait la manche de sa chemise, visiblement désireuse de s'enfuir et de mettre un terme à ce moment embarrassant, mais trop polie pour le dire.

Rowan leva la main et se mit à compter sur ses doigts.

— Je n'ai pas d'argent. Pas de travail. Je ne peux pas payer le loyer. Ni ma part des factures. Je ne peux pas m'acheter à manger. Et à Sadie non plus.

Elle n'avait plus de doigts disponibles, et s'arrêta là, serrant contre elle son bouquet de misères.

— Qu'est-ce que je vais faire?

Tracy haussa les épaules. Elle aurait aimé dire à Rowan qu'elle aurait dû réfléchir à tout cela avant de tomber enceinte; mais, se souvenant de sa réaction lorsqu'elle avait suggéré de se débarrasser d'Elvis, elle préféra tenir sa langue.

— Sadie est la fille d'Eileen, lui dit Rowan. J'étais sur le point de partir en voyage. Eileen m'a volé tout mon argent, s'est tirée et m'a laissé la petite.

Rowan se leva et se dirigea vers la cuisine, où Sadie dormait dans son couffin.

— Elle se disait ma meilleure amie. Et elle m'a volé ma vie.

— Mon Dieu, dit Tracy.

C'était une mésaventure fabuleuse! Voilà qui lui ferait un extraordinaire sujet de conversation, quand elle irait retrouver ses copains au pub, un peu plus tard. Elle suivit Rowan dans la cuisine, désireuse d'avoir plus de détails.

— Aucune mère ne laisserait son bébé ainsi...

Rowan hocha la tête d'un air désabusé.

— Oh, si. C'est ce qu'a fait Eileen. Toutes les femmes n'ont pas l'instinct maternel.

— Mais tu es si douée pour t'occuper du bébé ! J'étais persuadée que c'était le tien.

Rowan haussa les épaules.

— Tout ça est en définitive assez basique. Il suffit de donner à manger à une extrémité et de torcher l'autre.

— Pourquoi est-ce que tu ne fais pas quelque chose? Va trouver la police. Remets Sadie à une assistante sociale. Elle sera confiée à une famille d'accueil en attendant qu'Eileen revienne.

— Je ne pourrais pas lui faire ça, dit Rowan en baissant les yeux vers l'enfant. C'est mon amie.

Tracy jeta un coup d'œil dans le couffin.

— C'est un bébé. Minuscule. Vous ne pouvez pas aller prendre un verre ensemble au pub. Tu ne peux pas lui emprunter ses vêtements. Et elle n'est pas près de discuter du dernier Bertolucci, pas vrai? Donne-la donc à une famille adoptive. Elle ne se souviendra de rien. C'est ce que tu as de mieux à faire.

— Je l'aime beaucoup, protesta Rowan. Elle sourit quand elle me voit. C'est bien la seule...

Oh, mon Dieu, songea-t-elle. Peut-on être plus pathétique? Elle fouilla dans les poches de son jean à la recherche d'un mouchoir en papier, songeant qu'il lui fallait s'essuyer les yeux. Sauf qu'elle ne pleurait pas. Elle avait remarqué cela un peu plus tôt : elle était vidée comme si elle avait pleuré à n'en plus pouvoir. Mais ses yeux étaient restés secs. Elle renifla, se tamponna le nez avec un vieux Kleenex tout durci et froissé. « Une bonne crise de larmes me ferait du bien, songea-t-elle. Ça me remettrait les idées en place. » Mais elle n'arrivait pas à pleurer.

Elle fourra ses mains dans ses poches, jeta un regard triste à la cuisine sordide et soupira.

— Deux possibilités. Soit je reste à Londres et je me trouve un autre travail. Je pourrais être intérimaire, si je n'arrive pas à dénicher un job permanent. J'engage une nounou ou je trouve une crèche pour s'occuper de Sadie en mon absence. Soit je rentre chez moi, le temps de reprendre mes esprits. Je trouve un boulot là-haut pendant quelque temps. J'économise un peu. Puis je reviens à Londres et j'attends qu'Eileen débarque.

Tracy s'assit à la table, attendant une décision. Regarder les autres souffrir était toujours intéressant; cela augmentait votre expérience de la vie. Sans que vous ayez à en subir les épreuves vous-même.

Rowan songeait à son village. A sa mère. Elle aurait bien besoin d'une mère, en cet instant. Elle choisit celle de sa vieille amie Claudia; elle ne pensait pas que la sienne lui offrirait beaucoup de réconfort. Elle imaginait sans peine ce qu'elle dirait : « Pour l'amour du ciel, Rowan, remets cette enfant aux autorités ! Elle n'est pas à toi. Pas la peine de te mettre une telle responsabilité sur le dos... »

Décidant qu'elle avait par-dessus tout besoin d'entendre une voix amie, Rowan monta à l'étage, fouilla dans la poche de son manteau et trouva la carte que lui avait remise M. Frobisher. Elle redescendit, décrocha le téléphone et composa son numéro.

— Allô, monsieur Frobisher? C'est Rowan Campbell, vous vous souvenez?

— Rowan! dit-il, paraissant ravi. Bien sûr que je me souviens! Où êtes-vous? Dans un endroit exotique, j'espère.

— Je suis ici, à Londres.

— Vous n'êtes pas partie, alors?

— Non. Il m'est arrivé quelque chose... Mon amie m'a volé tout mon argent. Et elle m'a laissée là avec son bébé.

Il y eut un long silence. Puis :

— Où êtes-vous, exactement?

Il fallut une heure à James Frobisher pour la rejoindre. Lorsqu'il arriva, il portait un jean et un énorme pull en laine. Rowan n'aurait jamais imaginé qu'il lui arrivât de porter des jeans et, dans d'autres circonstances, elle aurait eu du mal à se retenir de faire une remarque à ce sujet.

Quand elle lui eut ouvert la porte, à bout de nerfs, elle se jeta dans ses bras. Cela faisait tellement de bien de serrer quelqu'un contre elle... Elle en avait besoin. Cependant, au bout de deux minutes passées ainsi, elle se sentit gênée. Après tout, cet homme avait été son patron.

— Je suis désolée, dit-elle. Je me suis jetée dans vos bras... Je ne voulais pas...

— C'était exquis, coupa-t-il. Mes vieux bras adorent que de jolies jeunes femmes se jettent dedans. Cela n'arrive pas souvent, ajouta-t-il en souriant. En fait, cela n'arrive jamais.

Elle le conduisit dans la cuisine, vit son expression vaguement dégoûtée et haussa les épaules en guise d'excuse.

— Désolée.

Tout à coup, elle connaissait l'embarras que l'on éprouve lorsque, en introduisant quelqu'un dans un endroit familier, on découvre soudain celui-ci d'un œil neuf et que l'on réalise combien il est sordide.

— C'est un peu le bazar...

— L'endroit où je vivais quand je suis arrivé à Londres, près de Cromwell Road, était bien pire que ça. C'est un palace, ici, en comparaison.

Malgré tout, il refusa une tasse de thé. Rowan le comprenait; si elle n'avait pas vécu là, elle-même n'aurait probablement rien accepté en provenance de cette cuisine. M. Frobisher regarda autour de lui.

— Où est le bébé ?

— Il dort. En haut, indiqua Rowan en désignant le plafond.

Au même instant, un petit vagissement retentit.

— Oh, voilà qu'elle se réveille, gémit-elle. Je ferais mieux d'aller la chercher. Elle est un peu perturbée, dernièrement. Elle sent que quelque chose ne tourne pas rond.

— Les bébés sont très sensibles, convint M. Frobisher.

Lorsqu'elle ramena Sadie dans la cuisine, il prit celle-ci et la plaça confortablement au creux de son coude. On voyait bien qu'il avait l'habitude des bébés.

— Bon, dit-il. Et vous ? Comment vous sentez-vous ?

— Je ne sais plus où j'en suis. Mais ce n'est pas à cause de Sadie, ajouta-t-elle. J'ai l'habitude de m'occuper d'elle. Je ne veux pas la donner à qui que ce soit. Je serais folle d'inquiétude pour elle. Et c'est agréable de lui parler. Elle ne répond pas. Non, ce qui est dur, c'est de m'être fait voler toutes mes affaires. Je me sens idiote.

— Ces choses-là arrivent. Ce n'est pas votre faute.

— Je ne sais pas... J'aurais dû le voir venir. Eileen était une fille tellement excessive ! Au début, je la trouvais fabuleuse, j'aurais volontiers passé ma vie avec elle. Et puis, j'ai commencé à trouver qu'elle en faisait un peu trop, et je me suis lassée. Maintenant, je pense que j'ai été débile. J'étais prévenue. Pas seulement par Danny, qui vit ici ; Eileen elle-même m'avait dit qu'elle était méchante. Qu'elle volait les gens. Je n'imaginais seulement pas qu'elle me volerait, moi.

M. Frobisher berçait le bébé tout en l'écoutant en silence.

— Avec elle, on avait toujours l'impression que quelque chose de merveilleux était sur le point de se produire

— même si ce n'était jamais le cas. Vous savez quoi? Je pense qu'elle faisait certaines choses uniquement pour pouvoir les raconter aux gens ensuite. Elle réinventait tous les petits moments anodins de son existence au fur et à mesure qu'elle les vivait. Tout était fiction, avec elle. Je lui en veux tellement! Et il n'y a pas grand-chose que je puisse faire.

— Porter plainte?

— Je ne veux pas que la police s'en mêle.

Il la regarda.

— Votre dilemme, en fait, c'est tout simplement « Dois-je partir ou rester? », n'est-ce pas?

Rowan hocha la tête.

— Faites une liste, lui suggéra James. Allez chercher un papier et un crayon, écrivez tous les pour et les contre.

Rowan s'empressa d'obéir et, pendant que Sadie dormait paisiblement dans les bras de James, elle écrivit :

Raisons de rester à Londres

1. *Meilleure paie*
2. *J'aime cette ville*
3. *Meilleures perspectives professionnelles*
4. *Mon coiffeur est ici* (C'était un détail trivial mais qui, sans qu'elle sût pourquoi, lui paraissait terriblement important.)
5. *Il se passe plus de choses* (Cela dit, si elle gardait Sadie, aurait-elle jamais l'occasion de sortir le soir? Enfin, il restait les week-ends... Elle se voyait très bien emmener la petite au British Museum.)
6. *Ma mère n'est pas ici* (Ça, songea-t-elle, c'était un peu injuste. Sa mère n'était pas si horrible que ça...)

Lorsqu'elle eut trouvé seize raisons de rester, elle fit la liste des raisons qu'elle avait de ne pas rentrer chez elle :

1. Paie détestable

2. Je ne me souviens plus si c'était bien, là-bas, j'étais trop jeune

3. Peu de boulots — pas de boulots ?

4. Coiffeurs détestables

5. Rien à faire le soir

6. Ma mère s'y trouve... et je n'ai pas envie de me retrouver face à elle

Elle n'alla pas plus loin.

— A voir mes listes jusqu'à présent, dit-elle à James, je n'ai aucune raison de repartir.

— O.K., dit-il.

Il tendit la main et prit la feuille de papier. Il la déchira.

— A présent, vous savez ce que vous dit votre tête. Mais vos tripes, elles, qu'en pensent-elles ? Qu'est-ce que vous voulez faire, au fond de vous ?

Elle le regarda. Elle connaissait la réponse, mais n'avait pas envie de l'admettre. Elle fixa le sol.

— Eh bien ? insista James.

— Je veux rentrer chez moi. Enfin, non, pas vraiment, mais je crois que je serais en sécurité, là-bas, et j'ai envie de sécurité. Maintenant que je suis passée à côté de l'inconnu, c'est l'inverse qui m'attire — le familier.

Elle fit une pause puis reprit :

— Enfin, au moins pour quelque temps.

Après une nouvelle pause, plus longue :

— Je me sens un peu... vaincue.

Une pause plus longue encore, puis :

— Rentrer chez moi, la queue entre les jambes... dit-elle en se grattant la tête. Je me sens vraiment nulle.

— Vous n'êtes pas nulle, Rowan. En fait, je vous trouve très courageuse.

Elle lui sourit. Elle avait bien besoin d'un compliment, en cet instant.

— Hum, dit-elle. Dites, il y a une question que j'ai toujours eu envie de vous poser... Les fois où vous venez au bureau si bien habillé, vous savez? C'est pour aller où?

— C'est quand j'emmène ma femme déjeuner dehors.

Bien sûr, songea Rowan. Pas étonnant. Les gens gentils faisaient des choses gentilles, et M. Frobisher était absolument, presque pathologiquement gentil.

Elle se leva.

— Je devrais partir. Maintenant. Avant de changer d'avis. Il faut que je le fasse.

— Comment irez-vous là-bas?

— En voiture. Eileen m'a laissé son bébé, son horrible manteau et sa voiture.

— Vous allez prendre la route maintenant?

— Oui. Autant partir tant que Sadie dort. Une décision instantanée, conclut-elle en claquant des mains.

— Vous avez assez d'argent pour acheter de l'essence?

Rowan se laissa retomber sur sa chaise.

— Il y a ce problème-là, aussi... J'ai fermé mon compte, je ne peux plus utiliser ma carte de crédit.

James sortit son portefeuille de sa poche. En tira cinquante livres, qu'il lui tendit.

— Je ne peux pas accepter, lui dit Rowan avec un geste de la main. Vraiment, non.

— Prenez-les.

— Non.

— Prenez-les! Comment allez-vous faire pour rentrer chez vous?

— Je me ferai envoyer de l'argent.

— Avant qu'il n'arrive, vous aurez changé d'avis. Allez-y, Rowan. Ecoutez vos tripes. Allez-y maintenant.

Elle prit l'argent.

— Je vous rembourserai.

— C'est un cadeau. Pour Sadie.

— Merci... Vous êtes très gentil, monsieur Frobisher.

— James.

— James... Je vous demande pardon, pour les biscuits, dit-elle en baissant la tête.

— Les biscuits?

— Oui. C'était moi qui achetais toujours ceux que vous détestiez. Je faisais ça pour vous embêter. Je suis désolée.

— Peut-être que j'étais un emmerdeur de me plaindre tout le temps.

Il posa son bras libre sur les épaules de la jeune femme.

— Vous vous en sortirez, Rowan. Vous vous en sortirez.

Lorsque Rowan eut mis toutes ses affaires et celles de Sadie dans la voiture, il ne restait plus de place pour ses cartes et ses livres. Elle les laissa dans un placard en se promettant de revenir les chercher un jour — ce qu'elle ne fit jamais.

Comme elle allait mettre le contact, Danny sortit de la maison en courant, brandissant Elvis au-dessus de sa tête. Le chat regardait autour de lui d'un air solennel, suspendu à deux mètres au-dessus du sol. Il n'était pas autrement étonné; rien ne le surprenait plus, de la part des humains.

— Je ne peux pas l'emmener, protesta Rowan en regardant avec horreur Danny ouvrir la portière arrière et jeter le félin à l'intérieur de la Coccinelle.

— Il *faut* que tu le prennes. Personne ne s'occupera de lui, ici. Il finira affamé et incompris, et en fin de compte, il rejoindra les autres grands rockers au paradis.

Rowan entendit les griffes du chat qui labouraient furieusement le siège arrière, puis le frottement indigné de sa langue sur son pelage malmené. Suivirent quelques secondes de paix, au terme desquelles Elvis prit conscience de la situation et entreprit de protester.

Rowan descendit sa vitre et se pencha à l'extérieur.

— Je vous enverrai de l'argent pour ma note de téléphone, dit-elle.

Au cours des deux semaines qui venaient de s'écouler, elle avait téléphoné à tous les Johnson qu'elle avait pu trouver dans l'annuaire de Liverpool, volé à la bibliothèque. Personne ne connaissait Eileen. Ou personne ne voulait admettre connaître Eileen.

— Oublie ça, répondit Danny. On se cotisera tous.

Il se pencha, ouvrit la boîte à gants et y mit une petite bourse remplie d'herbe.

— Tiens, dit-il. Pour quand tu n'en pourras plus d'être chez toi. Quand tu auras l'impression d'avoir le cerveau en compote, que les muscles de ton cou seront tout tordus et que ta figure sera tendue à faire mal. Fais-toi plaisir.

— Je crois que j'en aurais bien besoin tout de suite, répondit-elle avec un sourire. Bon, tu as mon numéro.

— Oui, soupira-t-il.

Elle lui avait donné son numéro chez elle une bonne douzaine de fois. L'avait laissé à tous les gens qu'elle connaissait. Il était épinglé sur le panneau en liège à côté du téléphone et collé sur le réfrigérateur. Il était marqué sur le mur des toilettes et sur le petit mot placé avec ses cartes dans le placard sous l'escalier. *Eileen, espèce de garce. Viens chercher ta fille.*

— Bon, eh bien, j'y vais, dit-elle.

Elle mit le contact et démarra. Les miaulements plaintifs d'Elvis se muèrent en grognements inquiets et furieux. Sadie, ne voulant pas être en reste, se mit à pleurer; le voyage promettait d'être long, très long.

Lorsque Rowan laissa Londres derrière elle, Sadie s'était tue; mais Elvis, lui, ne prenait pas ce voyage vers le nord à la légère. Il était passé derrière le siège arrière et se lamentait sans discontinuer.

La voiture avançait cahin-caha sur l'autoroute. Le vent

qui sifflait autour de l'habitacle donnait l'impression qu'ils allaient à vive allure, quand en fait la Coccinelle peinait pour atteindre les quatre-vingts kilomètres-heure. Au bout d'un moment, Elvis se déplaça et alla s'installer dans le couffin de Sadie. Paniquée à l'idée qu'il s'allonge sur le visage de l'enfant et l'étouffe, Rowan se retourna et agita vivement la main sous le nez de l'animal.

— Sors de là ! Sors de là !

Durant cet instant d'inattention, la voiture se déporta sur la voie rapide, pile devant une Jaguar qui roulait à une vitesse fantastiquement illicite. Le conducteur écrasa sa main sur le klaxon, et son pied sur le frein. Rowan, honteuse, retourna dans sa file, et la Jaguar la dépassa en hurlant et en faisant de furieux appels de phares. Elle disparut au loin, non sans que le conducteur eût multiplié les gestes frénétiques à l'adresse de Rowan, afin de bien lui faire savoir qu'il la trouvait folle à lier. Elle était d'accord avec lui.

— Je n'ai jamais rien fait d'aussi bête. Rouler sur des centaines de kilomètres avec un nourrisson et un chat !

La confrontation avec la Jaguar — le grondement agressif de la voiture qui la dépassait à toute allure, les flashes hystériques de lumière belliqueuse, la rage du conducteur, les coups de klaxon stridents — l'avait secouée. Elle avait les nerfs à fleur de peau.

— Tu vois tous les problèmes que j'ai à cause de toi ! dit-elle à Elvis sur un ton de reproche.

Les lèvres serrées, elle continuait à rouler.

— Tu n'es qu'un chat. Tu devrais garder ça en tête. Il y a des gens qui jettent les bestioles comme toi sur des routes comme celle-ci et qui les abandonnent à leur destin. Alors, ne te prends pas pour ce que tu n'es pas.

Elle fourra une cassette de Toots and the Maytals dans l'autoradio, et la musique de *Pressure Drop* jaillit des haut-parleurs. Elle continua à avancer. Décida que cette musique exubérante ne correspondait pas à son humeur. L'éjecta sans autre forme de procès de la machine, farfouilla dans les cassettes amoncelées dans le compartiment sous le volant jusqu'à ce qu'elle découvre un enregistrement de Schubert.

— Quelque chose d'apaisant, dit-elle à Elvis en insérant la cassette dans l'autoradio.

Le chat, sentant qu'elle s'adoucissait un peu vis-à-vis de lui, se glissa à l'avant de la voiture et s'installa sur ses genoux. Il resta là, roulé en boule, pendant les quatre-vingts kilomètres suivants. Elle le sentait qui tremblait, mais ses miaulements incessants s'étaient calmés. Il ne protestait plus que toutes les dix minutes environ. De toute évidence, il n'aimait pas le changement.

— A ton avis, lui demanda Rowan, qu'est-ce que ça veut dire, se prendre pour ce que l'on n'est pas? C'est une expression que ma mère utilisait souvent. Quand j'ai gagné la course de haies à la journée sportive de l'école, elle a dit : « Ne commence pas à te prendre pour ce que tu n'es pas. Ce n'est qu'une course. » Tu crois qu'elle craignait que je ne devienne trop sûre de moi et que ça ne me pose des problèmes? Ou qu'elle pensait que si je me prenais pour ce que je n'étais pas, j'entamerais une dégringolade sociale en règle et qu'à la fin je serais moins encore qu'au départ? Ou peut-être, continua-t-elle, de plus en plus échauffée à mesure qu'elle parlait, que les gens s'imaginent que quand on se prend pour ce qu'on n'est pas, on atteint des sommets époustouflants et qu'après on ne veut plus leur adresser la parole. Cela dit, c'est bizarre; les parents devraient être heureux que leur enfant se dépasse. Je peux comprendre que des gens n'aient pas envie que leur chat se prenne pour une star. Parce que, pardonne-moi de te le dire, mais les chats peuvent être pénibles. Si on les laisse faire, ils prennent leurs aises. Mais les humains ne sont pas comme ça. Je pense que je vais faire de ça ma nouvelle ambition. A partir d'aujourd'hui, je vais tout faire pour me dépasser.

La nuit avançait, et la route défilait. Sadie dormait. Elvis frissonnait et miaulait à intervalles réguliers. Par moments, elle avait l'autoroute pour elle toute seule et avait presque l'impression, due au hurlement constant du vent contre la carrosserie, d'entendre sa solitude gronder à son oreille. Les phares éclairaient la route devant elle, et de grands panneaux signalant des endroits dont elle n'avait jamais entendu parler. Elle songea qu'elle était peut-être la dernière personne vivante sur terre.

A deux heures du matin, Rowan aperçut sur la bande d'arrêt d'urgence un vieil homme vêtu d'un long manteau qui battait au vent, une bêche sur l'épaule. Mais comme elle s'approchait, la vision s'évanouit. Quelques kilomètres plus loin, elle vit deux énormes chiens noirs qui couraient devant elle. Elle avait des hallucinations. Un peu plus tard, une femme sur une vieille bicyclette rouillée se tourna pour se moquer d'elle. Rowan ne se rendit compte de ce qui lui arrivait que lorsque ce fut cette fois un enfant, prêt à traverser la route en courant, qui lui apparut. Elle écrasa la pédale de frein, Elvis glissa de ses genoux, planta ses griffes dans sa jambe et miaula — moins fort qu'elle ne cria, cependant.

— Mon Dieu. Je vois des choses. Je fais des cauchemars et je ne suis même pas endormie. Le seul truc positif avec les cauchemars, c'est qu'on finit par se réveiller et se rendre compte que ce n'était qu'un rêve... Je ne vais pas me réveiller. C'est l'enfer, conclut-elle, horrifiée.

A la grande consternation d'Elvis, elle ouvrit la fenêtre et prit une grande inspiration, bien décidée à demeurer éveillée et saine d'esprit. Elle était debout depuis six heures du matin. Vingt heures de veille. Elle s'accrochait au volant, le regard fixé droit devant elle, en pilotage automatique. A la fois parfaitement éveillée et endormie, elle roulait vers le nord.

Il était un peu plus de trois heures du matin lorsqu'elle passa la frontière écossaise. Un frisson de joie la parcourut. Elle avait fait tout ce chemin sans encombre; elle était presque chez elle. Cependant, conduire, épuisée, sur des petites routes sinueuses était pire encore que de conduire sur l'autoroute. Elle négociait chaque tournant, chaque descente avec précaution, se mordant les lèvres, tremblante. La route devenait un fantasme. Elle se voûtait, ondulait, s'étalait devant elle, vers le haut, jusqu'au ciel. Il fallait qu'elle s'arrête, qu'elle réfléchisse. Ce n'était que dans sa tête... Chaque fois qu'elle immobilisait la voiture, Sadie pleurait. Lorsqu'elle repartait, l'enfant se rendormait. Sept heures de route et, mis à part les moments où Rowan s'était arrêtée pour chasser ses hallucinations, Sadie avait dormi d'une traite. Elle poussait de petits soupirs, ronflait doucement. Elle gémissait dans son sommeil peuplé de rêves de nourrisson. Mais elle ne se réveillait pas.

Rowan fêta son petit triomphe en s'achetant un sandwich et une canette de Coca dans un garage trop éclairé ouvert toute la nuit, où résonnaient les accords stridents d'une chanson de Marvin Gaye. Le jeune homme posté derrière le comptoir, livide et apparemment encore plus épuisé qu'elle, lui dit que le son de Detroit était super, que Marvin avait été mal compris et que tous les sandwichs étaient mauvais; peu importait lequel elle choisirait. Cependant, elle préféra le crevette-mayonnaise au fromage-chutney, qu'elle jugea plus banal; puisqu'elle avait décidé de se dépasser, il fallait bien qu'elle commence par quelque chose.

— C'est un chat? demanda le jeune homme en jetant par la vitre un coup d'œil en direction de la voiture.

Elvis trônait comme une poule constipée sur l'appui-tête côté chauffeur.

— Oui.

— On n'a pas le droit de conduire avec un chat en liberté dans sa voiture.

— Vraiment?

— Vous l'emmenez toujours avec vous?

— Non. Et je ne l'emmènerai plus jamais nulle part. Sa Majesté n'a pas arrêté de râler depuis Londres.

— Alors comme ça, vous venez de Londres?

— Oui.

— Et où est-ce que vous emmenez le chat?

— Chez moi, chez mes parents.

— Ils aiment les chats?

— Je saurai ça dans quelques heures.

Ce petit échange au milieu de la nuit, un peu absurde, lui rappela son village. Les gens là-bas étaient comme ça, à la fois légèrement moralisateurs et incurablement curieux. Peu leur importait qui vous étiez et ce que vous faisiez, en définitive — du moment qu'ils étaient au courant de tout.

Il était près de cinq heures lorsqu'elle arriva. Il ne faisait plus complètement noir, une lueur apparaissait à l'horizon. Rowan s'arrêta en haut de la colline, au-dessus du village, et vit briller les lampadaires des rues. « Edelweiss, Edelweiss, chantonna-t-elle avant de se taper la tête contre le volant. Je déteste cette chanson. Satanée Julie Andrews. »

Elle redémarra et descendit la colline vers le village.

— Dans à peu près dix minutes, tous les démons de l'enfer vont se déchaîner, annonça-t-elle en se tournant vers Elvis. Ça va déjà être suffisamment terrible quand les parents vont voir Sadie, mais alors toi... Seigneur, ils ne voulaient même pas que j'aie un poisson rouge! ajouta-t-elle en haussant les épaules. Ce ne sont pas des amis des animaux. Ça sent bizarre, ici, depuis la pause au garage. Tu as fait pipi, hein? Ce n'est pas très gentil.

La Coccinelle pénétra sur la grand-place. Rowan se pencha au-dessus du volant et regarda autour d'elle. La place n'avait pas changé; peut-être les immeubles étaient-ils un peu plus délabrés que dans son souvenir. Les gens avaient emménagé dans les nouvelles maisons construites au-delà du village, laissant les vieux bâtiments rouges et jaunes aux fenêtres étroites tomber en ruine. Ce qui faisait paraître la BMW noire garée devant la friterie plus étincelante encore.

— Ce doit être la dernière voiture que Paolo Rossi a achetée pour aller draguer, observa Rowan avec un sourire entendu.

L'air fleurait bon le matin. Un peu de fumée flottait au-dessus des toits, portée par la brise fraîche venue de la colline et pas encore viciée par l'odeur lourde de graisse et de vinaigre de la friterie Rossi. Rowan se sentit oppressée, soudain, terrassée par un tourbillon d'émotions contradictoires — joie, nostalgie, tendresse et horreur. Joie, nostalgie et tendresse parce que rien n'avait changé. Horreur que rien n'eût changé. Elle se savait en sécurité, ici. C'était ce qu'elle avait souhaité par-dessus tout et, en même temps, cela lui faisait peur.

Sadie commença à s'agiter sur le siège arrière.

— Nous sommes arrivées, lui annonça Rowan. Je parie que tu n'aurais jamais imaginé te retrouver ici.

Elle n'avait pas prévenu ses parents. Ils n'avaient jamais entendu parler de Sadie. Tout au long du chemin, Rowan avait cherché la meilleure manière de réagir à leur surprise. Cool : « Ouais, ben, voilà, un bébé. Ce sont des choses qui arrivent. » Passionnée : « Eileen était mon amie. Je ne peux pas laisser son enfant à des étrangers ! » Alors qu'elle passait la frontière, Schubert de nouveau remplacé par du rock'n'roll, elle avait joué la scène en interprétant chaque rôle, sans cesser de fredonner nerveusement les paroles de *Papa Was a Rolling Stone.*

Rowan : Je ne pouvais pas laisser Sadie à des étrangers ! Seul un monstre aurait fait une chose pareille.

Sa mère : Ou une personne sensée ?

Son père : Honnête ? Normale ? Rowan, que veux-tu que nous fassions d'un bébé ?

Sans cesser de se demander ce qu'elle allait dire à ses parents, Rowan appuya sur l'accélérateur et quitta la grand-place. Sadie se mit à pleurer.

La Coccinelle sortit du village et gravit de nouveau la colline en direction du lotissement où vivaient les Campbell. Rowan se gara devant la maison et resta un long moment là, assise, à fixer la porte d'entrée. Devait-elle réveiller ses parents ? Peut-être vaudrait-il mieux attendre sept heures, heure à laquelle ils se levaient toujours. Sa mère la première ; elle enfilait sa robe d'intérieur en velours bleu pâle, ses mules confortables, et descendait mettre la bouilloire à chauffer avant d'aller aux toilettes. Quand elle ressortait, l'eau bouillait ; elle allumait la radio en préparant le thé. Puis George apparaissait dans la cuisine, vêtu de sa robe de chambre marron. Il allait chercher les journaux, le courrier et le lait sur le palier, et en profitait pour passer quelques instants devant la porte, à humer l'air et à évaluer la journée qui s'annonçait. Etait-ce une journée à jardiner ? Ou à aller se promener jusqu'au village ? Il adorait la vie, depuis qu'il avait cessé de travailler. Rowan songeait souvent qu'il était né pour prendre sa retraite. Il avait abandonné son travail deux ans plus tôt, à l'âge de cinquante-huit ans. Norma en avait quarante-cinq, à l'époque ; elle était de treize ans sa cadette. Mais, au lieu de maintenir son mari jeune, c'était elle qui s'était adaptée à leur différence d'âge — elle avait vieilli.

Sadie pleurait de plus en plus fort, exprimant cette fois

une véritable détresse. Rowan sortit de la voiture, se pencha à l'arrière et la prit dans ses bras. La petite était contrariée ; des torrents de larmes coulaient sur ses joues pâles, et son menton tremblait à chaque inspiration. Rowan la serra contre elle, l'enroula plus étroitement dans son petit duvet, ferma la portière de la voiture du pied et remonta l'allée vers la porte de la maison. Ici non plus, rien n'avait changé ; les rosiers, taillés en cette saison mais qui produiraient d'immenses fleurs aux couleurs vibrantes plus tard dans l'année, étaient toujours les mêmes. La même porte noire laquée. La même sonnerie en deux temps.

Ce fut son père qui vint lui ouvrir, sa robe de chambre marron serrée à la taille, les cheveux en bataille.

— Rowan ! Qu'est-ce que tu fais ici ?

Norma appela depuis la chambre :

— Qui est-ce ? Est-ce qu'il s'est passé quelque chose ? On est au beau milieu de la nuit !

— C'est Rowan ! cria George en direction de l'escalier, tout en faisant entrer Rowan et Sadie dans le salon.

— Rowan ?

La jeune femme entendit sa mère s'affairer à l'étage, passer sa robe de chambre et enfiler ses mules fourrées.

— Qu'est-ce qu'elle fait ici ?

Rowan regarda autour d'elle. La pièce avait à peine changé. Mais elle était si petite ! Etait-elle aussi exiguë lorsqu'elle était enfant ? Elle n'en avait pas le souvenir. Il y avait une nouvelle lampe à côté du canapé, mais celui-ci était toujours le même, avec ses fauteuils verts assortis. Même moquette aux motifs marron. Nouvelle télé, en revanche, et un magnétoscope.

— Tu as un magnétoscope, dit-elle à son père.

— Tu as un bébé, répondit ce dernier du tac au tac. Ce n'est pas... ?

— Non, coupa Rowan, c'est celui d'Eileen. Elle occupait la chambre en face de la mienne, à Londres.

Sadie hurlait toujours. Norma apparut; pendant un moment, elle resta sur le seuil de la pièce, observant la scène. Sa fille, censée voyager de par le monde, était debout dans son salon, un bébé sur la hanche.

— C'est moi, lui dit Rowan. Je suis revenue.

— Tu as un bébé, accusa Norma. Ce n'est pas...

— J'ai déjà répondu à cette question, soupira Rowan. Je vous présente Sadie. Et non, ce n'est pas mon bébé. C'est la fille d'Eileen, mon ancienne colocataire.

Norma se sentit fondre. Elle traversa la pièce, courant presque, les bras tendus.

— Oh, pauvre petite chérie...

Elle prit Sadie dans ses bras et roucoula :

— Voilà, voilà... Quel horrible chagrin, pauvre petit ange...

Sadie se calma presque instantanément.

— Oui, chantonna Norma, voilà qui est mieux. Tu viens de loin, pas vrai? Nous allons te donner quelque chose à manger... Oh, Seigneur.

Rowan se tourna vers son père, les bras écartés. Ce n'était pas du tout l'accueil qu'elle avait imaginé. Norma, qui berçait toujours Sadie, se tourna vers sa fille :

— Qu'as-tu fait à tes cheveux?

Rowan esquissa un sourire penaud.

— Je les ai décolorés.

— C'est ce que je vois, observa Norma sans se prononcer.

Elle enviait Rowan; elle aurait aimé avoir le courage d'opérer des changements de coiffure aussi drastiques, elle aussi, mais elle ne le dit pas.

— Je les aime comme ça, déclara Rowan, sur la défensive.

Elle se retrouvait enfin en terrain connu. Des critiques : elle n'en attendait pas moins de sa mère. Au moins, ainsi, elle savait comment réagir.

— Je les ai fait couper court et décolorer.

Elles se regardèrent un moment en silence. Rowan ne dit pas qu'elle se réjouissait d'être à la maison. Norma ne dit pas combien elle était heureuse de voir sa fille. Combien elle aimait sa nouvelle coiffure. Elles n'avaient jamais été très douées pour communiquer. Soudain, Norma remarqua les oreilles de Rowan et les pointa du doigt en s'écriant :

— Tu t'es fait percer les oreilles !

— Oui, acquiesça Rowan.

— Eh bien...

Norma se laissa tomber dans un fauteuil.

— Ma fille débarque en plein milieu de la nuit. Sans prévenir. Avec un bébé. Et les oreilles percées. Quoi d'autre ?

« C'est le moment de mentionner Elvis », songea Rowan. Mais peut-être pas... Mieux valait attendre un peu. Y aller graduellement.

— Je vais préparer du thé, annonça George.

Sortir de la pièce — cela semblait la meilleure chose à faire.

— Je vais chercher les affaires de Sadie dans la voiture, s'empressa de déclarer Rowan, qui avait bien envie de s'éclipser un moment, elle aussi.

Elle referma la porte d'entrée derrière elle. Prit une bonne bouffée d'air frais et se dit qu'après tout, les choses ne s'étaient pas passées aussi mal qu'elle l'avait craint. Il n'y avait pas eu de crise d'hystérie.

Une demi-heure plus tard, une fois son thé bu et Sadie nourrie et changée, Rowan entreprit de raconter son histoire.

— Elle a *quoi* ? s'exclama sa mère. Elle a pris ton

argent, comme ça, et elle est partie en te laissant le bébé? Je n'arrive pas à le croire.

Rowan haussa les épaules.

— C'est pourtant ce qui s'est passé, dit-elle avec une sorte de résignation.

— Mais...

Ce fut tout ce que sa mère parvint à articuler. Cette petite protestation, cependant, en disait plus que de longs discours.

— Mais, répéta le père de Rowan, un *bébé*... Tu ne peux pas prendre le bébé de quelqu'un comme ça!

— Que puis-je faire d'autre?

— Le remettre aux autorités.

— Et Eileen? Elle finira bien par réapparaître. Elle ne va pas abandonner sa fille. Quand elle reviendra, elle ne comprendra pas que j'aie laissé tomber Sadie. Et puis, je me suis attachée à ce bébé.

— Alors, tu as décidé de venir ici.

— J'ai pensé...

Rowan était à court de mots.

— J'ai pensé que vous pourriez m'aider.

Norma regardait Sadie. Elle aurait aimé faire une remarque sur le sans-gêne de Rowan, qui n'était même pas venue les voir pour leur dire au revoir avant de partir au bout du monde. Alors que son voyage risquait de durer des années et des années. Et qui arrivait comme une fleur dès que quelque chose n'allait pas. Mais il y avait ce bébé. Or, Norma adorait les bébés. Elle en avait toujours voulu un autre, après la naissance de Rowan; hélas, le destin en avait décidé autrement. D'autre part, cela faisait longtemps qu'elle avait abandonné tout espoir d'être un jour grand-mère. Et voilà que, tout à coup, elle se retrouvait avec un adorable bébé dans les bras. Un bébé avec des joues de pêche, de grands yeux bleus et des cheveux tout doux, tout blonds. Qui aurait pu lui résister? Elle se surprenait déjà à prier pour que cette Eileen reste absente longtemps, très longtemps. Aussi ne dit-elle rien.

— Mais, protestait toujours George, pourquoi n'as-tu pas pris contact avec les parents de ton amie? Ils pourraient s'occuper de leur petite-fille. C'est ça qu'il faudrait faire.

— Je n'ai pas réussi à les retrouver, dit Rowan avec un haussement d'épaules.

Elle avait honte d'avouer qu'elle s'était ainsi liée d'amitié — au point d'échanger des secrets et des confessions — avec quelqu'un dont elle savait si peu de choses. Cela semblait, sous le regard scrutateur de ses parents, bien immature.

— Mais...

C'était sa mère qui avait parlé, cette fois. Elle avait pensé à un problème. C'était son fort, ça : trouver le hic. Rowan sentait que Norma commençait à s'agiter; sa voix était montée d'un octave, elle devenait de plus en plus aiguë. Plus Norma était perturbée, plus sa voix était haut perchée. Il y avait quelque chose d'horriblement dérangeant dans la façon qu'avait l'anxiété de transformer sa voix. Sa détresse, lorsqu'elle était grande, avait le pouvoir de vider une pièce entière. Les gens se précipitaient dans la cuisine pour faire du thé, ou dans le jardin pour respirer profondément et calmer leurs nerfs malmenés.

— Mais, répéta-t-elle, comment allons-nous expliquer ça aux gens? Que vont dire les voisins? Ils vont s'imaginer que tu es partie et que tu t'es attiré des ennuis! Ou alors, ils croiront que tu as volé le bébé devant un supermarché ou quelque chose comme ça. On entend parfois des histoires de ce genre aux informations...

La panique montait en elle. Et si Rowan avait bel et bien volé le bébé? Si son histoire était inventée de toutes pièces? Cela causerait un scandale national. Les paparazzi viendraient les traquer. Puis la police. Quelle humiliation...

— Laisse-les dire, déclara Rowan, qui se moquait de ce que pouvaient raconter les voisins.

— Je ne peux pas !

En cet instant, la voix de Norma aurait pu vider une rame de métro aux heures de pointe.

— Je ne vais pas les laisser s'imaginer des horreurs. Je ne vais pas les laisser penser que tu t'es déshonorée. Comment osent-ils sous-entendre des choses pareilles ?

— Ils n'ont encore rien pensé, lui rappela Rowan en se penchant pour prendre Sadie, qui s'était mise à hurler.

Trop petite pour supporter cette pièce inconnue et ces gens inconnus qui parlaient avec des voix inconnues et pleines d'anxiété, Sadie avait craqué. Rowan entreprit d'arpenter la pièce en lui tapotant le dos, tant pour l'apaiser que pour se calmer elle-même.

— Les voisins ne savent rien, pour l'instant. Tu n'auras qu'à leur dire la vérité. C'est la fille d'une amie à moi ; nous nous occupons d'elle pendant quelque temps. Eileen finira par débarquer. J'ai dit à tous les gens que je connaissais à Londres où j'étais ; d'ici un jour ou deux, on va la voir remonter l'allée, frapper à la porte et réclamer son bébé. Vous verrez.

Ses va-et-vient dans la pièce étaient à présent aussi frénétiques et désespérés que la voix de sa mère. Sans cesser de tapoter le dos du bébé, elle traversa le salon, écarta le rideau et jeta un coup d'œil sur la rue, éclairée par les premières lumières de l'aube. Eileen viendrait. Elle était certaine qu'Eileen viendrait.

— Il y a autre chose, confessa-t-elle tout à coup. Je ne vous ai pas parlé d'Elvis.

— Elvis ? répéta Norma. Qui est Elvis ?

— Je vais aller le chercher.

Rowan donna Sadie à sa mère, quitta la pièce et revint quelques minutes plus tard, Elvis dans les bras.

— C'est un chat! s'exclama Norma. Pauvre petite chose! Il tremble.

Rowan le posa à terre. Elvis déguerpit sous une chaise, reprit sa position de poule constipée et promena un regard hostile autour de lui.

George et Norma, qui tenait toujours Sadie, s'approchèrent pour le regarder.

— Oh, il est adorable!

Norma était folle de joie.

— J'ai toujours rêvé d'avoir un chat. Surtout un noir.

— Tu ne voulais même pas que j'aie un poisson rouge, quand j'étais petite! protesta Rowan. Alors que j'en voulais un...

— Ç'aurait été une entrave, répondit Norma.

— Mais vous n'alliez jamais nulle part!

Norma la regarda, ne dit rien. Elles auraient cette discussion-là plus tard.

— Un chat noir! Quelle chance! préféra-t-elle s'exclamer avec enthousiasme.

La superstition de Norma était légendaire. Elle allait bien au-delà de la simple crainte de passer sous une échelle. « On ne lave pas ses vitres un vendredi, disait-elle. Ça porte malheur. » Régulièrement, elle rentrait chez elle avec un seul gant : elle avait laissé tomber l'autre et n'avait pas pu le ramasser. Ramasser soi-même un gant que l'on avait fait tomber, c'était chercher les ennuis. Elle restait donc plantée là, en pleine rue, une expression désespérée sur le visage, ne pouvant croire que des passants puissent la croiser sans deviner son dilemme et ramasser son gant pour elle. Inévitablement, elle finissait par abandonner le traître objet sur le trottoir. Au fil des ans, elle avait amassé une petite collection de gants uniques qu'elle se refusait à jeter. Sans doute cela portait-il malheur également. Si Norma enfilait un vêtement à l'envers, elle ne l'ôtait pas pour le remettre à l'endroit ; cela lui eût porté malheur. Tout comme de poser des chaussures neuves sur la table de la cuisine. Ou d'éternuer trois fois de suite. Ou de voir une pie solitaire.

Ce qui gênait Rowan, là-dedans, c'est qu'elle avait fini par être contaminée — même si, au fond d'elle-même, elle ne croyait en rien à tout cela. Quand Eileen avait posé ses chaussures de marche toutes neuves sur la table, elle avait paniqué.

— Ne fais pas ça. Ça porte malheur.

— Ne sois pas débile, avait répondu Eileen.

Cela dit, elle avait fixé un moment les chaussures sans rien ajouter.

— Vraiment? avait-elle demandé enfin, avant de les prendre et de les jeter à terre.

La superstition est contagieuse.

Tout à coup, les longues heures de veille de Rowan se firent sentir. Une vague d'épuisement la submergea.

— Il faut que je dorme, dit-elle. Je suis au volant depuis huit heures hier soir... Je dois m'allonger.

— Bien sûr, bien sûr! Va dormir.

Norma la chassa de la pièce d'un petit geste de la main. Elle avait hâte de se retrouver seule avec Sadie.

— Ton lit est fait.

— Ah bon? s'étonna Rowan.

— Il a toujours été prêt pour toi, lui dit George. Depuis ton départ.

Rowan monta à l'étage, dans la chambre qu'elle avait occupée enfant. C'était comme si elle n'était jamais partie. Mais, si le salon lui avait semblé petit, la chambre, elle, lui parut minuscule. Elle regarda ses livres d'école alignés sur l'étagère, à côté de ses exemplaires de *Bilbo le Hobbit*, de *Petit Déjeuner chez Tiffany* et des *Souris et des Hommes*. Ses cassettes de Wet Wet Wet posées près de son vieux magnétophone. Au mur, une photo d'un cheval galopant dans les vagues, des posters de Duran Duran et de Culture Club. Dans sa table de nuit elle trouva, bien empilés, tous ses anciens cahiers. Toutes ses rédactions, soigneusement conservées. Son porte-pyjama en forme d'épagneul se trouvait sur le lit et, dans le placard, elle retrouva toute son enfance. Tous ses jouets préférés étaient là — le petit téléphone à roues qu'elle avait eu à l'âge de dix-huit mois, une ou deux voitures miniatures, son Rubik's Cube, sa poupée Barbie, un Yo-Yo lumineux, une corde à sauter musicale, son éléphant en peluche adoré, Rodney. Pourquoi Rodney? Aucune idée. Cette chambre était le temple de sa mémoire.

Elle se déshabilla et se glissa sous sa vieille couette à rayures rose et blanc. Eut envie d'allumer une cigarette. Se souvint qu'elle ne le pouvait pas. La Rowan qui dormait dans cette chambre aurait toujours dix ans. Elle ne fumait pas, sans quoi elle se ferait sérieusement remonter les bretelles. Elle resta là, allongée, fixant le plafond. Si fatiguée qu'elle se demandait si elle parviendrait à dormir.

Six heures plus tard, elle se réveilla. Pendant un instant, elle se demanda ce que diable elle faisait dans cette chambre, tout en songeant qu'elle n'aurait jamais dû en partir. Ses vêtements, lavés, repassés et nettement pliés, étaient posés sur une chaise à côté du lit. Ses cigarettes trônaient bien en évidence sur la commode. A présent, sa mère savait tout d'elle. Enfin, presque. Elle se leva. Passa dans la salle de bains, se fit couler un bain. Un quart d'heure plus tard, elle descendait au rez-de-chaussée.

Son père promenait fièrement Sadie dans le jardin. Ils faisaient le tour de ses plantations, une à une, l'enfant se tortillant dans ses bras. Tous les petits vêtements de Sadie battaient au vent sur la corde à linge.

Elvis était roulé en boule devant le feu. Lorsque Rowan

entra dans le salon, il releva la tête d'un air ensommeillé. Elle passa dans la cuisine, où sa mère moulinait des carottes pour le dîner de Sadie. Sur le plan de travail étaient empilés des bavoirs tout neufs, des couches, un hochet et toutes sortes d'affaires pour bébé.

— Tu n'as pas chômé, observa Rowan.

— Nous avons fait les magasins, annonça sa mère d'un air ravi.

— Qui ça, nous?

— Sadie et moi. Nous sommes allées lui acheter du lait en poudre et une tasse neuve.

Norma brandit une petite tasse pour bébé en plastique jaune sous les yeux de sa fille.

— Oh, et des tas d'autres choses! continua-t-elle. J'ai passé un moment merveilleux. C'est une petite fille si mignonne! Elle sourit sans arrêt.

— Tu l'as emmenée au village?

— Oui. Elle a rencontré des tas de gens!

— Tu as parlé d'elle à tout le monde?

— Oh, oui! Les gens étaient si choqués d'apprendre qu'elle avait été abandonnée. C'est incroyable... Où va le monde?

— Tout le village est au courant, pour Sadie et moi? insista Rowan, contrariée.

— Ma foi, oui. Ça aurait bien fini par se savoir, non?

— Je sais. Mais il est encore si tôt! Tu n'aurais pas pu attendre un peu? Les commérages vont aller bon train.

— Au moins, ce seront des commérages positifs.

Rowan avait l'impression que tout allait trop vite, que sa vie lui échappait. Elvis entra dans la cuisine et se frotta aux jambes de Norma.

— Coucou, minet! le salua cette dernière. Ne t'inquiète pas, nous ne t'avons pas oublié. Ce soir, thon et saumon pour toi.

Elle se pencha pour caresser le chat.

— Il est adorable. Si facile à vivre! Je crois qu'il se plaît, ici.

— Tu n'as jamais voulu que j'aie un animal! protesta Rowan, en rogne.

Elle souleva Elvis et lui gratta la tête, afin de bien souligner qu'il était à elle.

— Tu parlais toujours de t'en aller, lui rappela sa mère. Tu l'aurais laissé derrière toi, et il aurait fallu que nous nous en occupions.

— J'aurais peut-être eu envie de rester, si j'avais eu un chat.

C'était de la mauvaise foi caractérisée, elle le savait.

— Tu aurais pu avoir envie de rester pour ton père et ta mère, pas pour une bestiole quelconque.

Rowan ne répondit rien et se mit à tripoter les nouveaux bavoirs. Sa mère se raidit, mais ne la regarda pas. Elle se concentra avec une énergie redoublée sur son moulinage et sur les côtelettes d'agneau qu'elle préparait pour le dîner.

— Tu ne vas pas m'infliger un de tes silences? soupira Rowan.

— Non, dit Norma d'une voix tendue, blessée.

— Bien, déclara Rowan.

Elle sortit dans le jardin et rejoignit George et Sadie.

— Eh bien, vous pouvez me féliciter! lança-t-elle avec amertume. Je viens d'échanger quelques mots avec Maman. Remarquez, ça ne m'a pas pris longtemps.

— De quoi avez-vous parlé? demanda George, qui tenait Sadie à bout de bras sur la pelouse. Tu vas marcher d'ici peu, pas vrai? Elle est brillante, cette petite, ajouta-t-il à l'adresse de Rowan.

— Nous avons parlé de chats. Et de mes voyages. Et du fait que je ne sois pas restée ici avec vous.

Rowan se tut et regarda autour d'elle.

— Le jardin est beau.

Puis, n'en pouvant plus, elle éclata :

— Pourquoi m'a-t-elle toujours empêchée d'avoir un chat? Elle prétend que c'était parce que je parlais toujours de m'en aller. Mais vous étiez là, vous. Ne me dis pas qu'elle avait l'intention de partir où que ce soit!

— Pour l'amour du ciel, Rowan, ne fais pas l'enfant! s'exclama George d'un ton irrité. Tu sais bien que ta mère est casanière, qu'elle n'a jamais éprouvé le besoin de parcourir le monde.

— Eh bien moi, si, dit Rowan. Il y a tant de choses fabuleuses à découvrir... Je voulais les voir. Et c'est toujours vrai. Je verrai le monde avant de mourir, je le jure.

George fixait son forsythia, réfléchissant à cela. Voir le monde avant de mourir. Etrange; jusqu'à cet instant, il ne lui était jamais venu à l'idée de « faire des choses avant de mourir ». Pourtant, il avait soixante ans bien sonnés, réalisait-il. Treize ans de plus que Norma. Si la mort venait à passer dans les parages, c'est à lui qu'elle rendrait visite en premier.

— Tu ne comprends pas, n'est-ce pas? dit-il calmement.

— Quoi? demanda Rowan.

— C'était toi, son monde. Elle n'avait besoin de rien d'autre.

Rowan jeta un coup d'œil sur la maison, derrière elle. Dans la cuisine, sa mère était debout devant l'évier et épluchait des pommes de terre en bavardant avec Elvis.

— Je ne savais pas, murmura Rowan. Elle ne me l'a jamais dit.

9

Deux jours après son retour chez elle, Rowan brava la grand-place. Elle poussa Sadie dans son landau jusqu'au pied de la colline, appréhendant les rencontres qu'elle pourrait faire, mais parfaitement consciente de ne pouvoir demeurer longtemps à Fretterton sans revoir tous ses anciens amis.

Elle connaissait la chanson. Pendant quelques semaines, elle serait la grande célébrité du village, et tout le monde ne parlerait que d'elle. Puis l'intérêt des gens s'estomperait. L'histoire de son arrivée impromptue, bébé au bras — un bébé qui n'était même pas le sien —, serait disséquée, et l'on prendrait parti; certains, dans les bars et les magasins, la considéreraient comme une sainte, d'autres comme une imbécile. Puis ils passeraient à autre chose. Les commérages reprendraient, mais sur un sujet différent; c'était une rivière incessante — parfois un torrent —, qui faisait toujours beaucoup d'éclaboussures. Rowan estimait que son retour l'alimenterait considérablement pendant quelque temps; après quoi l'intérêt des gens du village s'émousserait.

Le landau de Sadie glissait à vive allure le long du trottoir, et elles ne tardèrent pas à pénétrer sur la grand-place. Rowan regarda autour d'elle; personne. Soulagée, elle descendit la rue, s'arrêta pour observer avec un intérêt feint les bouteilles de désinfectant et les pansements alignés dans la vitrine de Jolly, le pharmacien. Puis elle continua sa route pour admirer les boîtes de Mars décolorées et les crayons exposés chez Dunbar, le marchand de journaux. Prochain arrêt : Chez Rossi. Elle regarda avec attendrissement le cône de glace géant en plastique qui décorait la vitrine de la friterie depuis plus de vingt ans. Comme il eût été terrible que cette chose hideuse ait été remplacée ! L'endroit ne serait plus le même, sans ce cône de glace. Elle lut le menu. *Poisson-frites, saucisses-frites, calamars frits-frites. Poulet tandoori-frites.* Tiens, ça, c'était nouveau. La vie continuait...

Claudia Rossi vit Rowan debout devant la porte, qui observait le cône de glace, le menu, et méditait sur le sens de la vie. Elle frappa frénétiquement contre la vitre et lui fit de grands signes. Elle était devenue grosse. A l'époque où Rowan et elle étaient « meilleures amies », Claudia était mince, superbe, la reine de la classe de terminale. Avec chaque vendredi soir un nouveau petit ami, un nouveau drame.

— Hé !

Claudia sortit de la friterie, ouvrit les bras, attira Rowan à elle et l'embrassa sur la joue.

— Je me demandais combien de temps il te faudrait pour venir me voir.

— Je m'installais, s'excusa Rowan.

— Je sais, je sais. Il faut un moment pour se réhabituer...

Rowan hocha la tête et elles restèrent là, debout, à se regarder. « Elle est trop grosse », songeait Rowan. « Elle est trop vieille pour cette coiffure, et ce jean est trop serré », pensait Claudia.

— Eh bien, laisse-moi te regarder !

Claudia recula d'un pas pour mieux l'observer.

— Tu es tellement... tu es tellement...

Il était clair qu'elle n'aimait pas la Rowan *new-look*, cheveux décolorés, oreilles percées, jean moulant et blouson de cuir noir.

— Sophistiquée? suggéra Rowan. Raffinée? Urbaine? Sublime?

— Euh... oui, répondit Claudia d'un air dubitatif.

— Dépravée?

— Ma foi... Non, je n'irais pas jusque-là.

— Et toi, fais voir... reprit Rowan.

— Ne m'en parle pas, s'empressa de couper Claudia, honteuse. J'ai trois enfants, et un mari qui adore manger.

Elle regarda Sadie.

— Et voilà le fameux bébé... Pauvre petite puce.

Sadie, qui avait été exhibée dans tout le village dès le jour de son arrivée, décocha à Claudia son plus charmant sourire.

— Elle est si mignonne! s'extasia Claudia. J'adore les bébés. J'en veux six — au moins. Alors, qu'est-ce qu'elle fait?

— Ce qu'elle fait? répéta Rowan. Eh bien, elle mange. Elle dort. Elle fait dans ses couches. C'est un bébé, que veux-tu qu'elle fasse?

— Est-ce qu'elle essaye d'attraper des objets? Où en est son développement moteur? J'ai lu des tas de livres sur le sujet. Mon petit Joey est tellement en avance!

— Ha!

Rowan s'empressa de relever le défi. En avance, vraiment? Pas question que Sadie soit en reste.

— Peut-être, mais sait-il faire du vélo?

Claudia la fixa avec stupeur. Du vélo? A cinq mois? C'était une blague, pas de doute là-dessus. Seigneur, cela faisait si longtemps qu'elle n'avait pas plaisanté... Elle prenait son rôle de mère tellement au sérieux!

— Seulement sans les mains, rétorqua-t-elle.
— Sadie joue du violon.
L'intéressée suçait ses doigts, illustrant son génie.
— Joey travaille sa troisième symphonie.
Les deux jeunes femmes échangèrent un sourire complice.
— Alors, comment vas-tu? demanda Claudia. Entre, prends un café. Que fais-tu de beau, ces derniers temps?
— Je mange. Je dors. Et, maintenant que j'y pense, je fais mes besoins, aussi.
— Comme Sadie.
— C'est mon âme sœur.
Claudia songea qu'à l'avenir il lui faudrait se montrer plus gaie et plus légère avec ses enfants.
A l'intérieur de la friterie, Rowan fut accueillie comme l'enfant prodigue. Toute la famille Rossi l'entoura aussitôt.
— Ah, Rowan!
Claudia senior se précipita vers elle, un large sourire aux lèvres, les bras tendus.
— Rowan! Nous sommes si contents que tu sois de retour!
Elle la serra fort contre son cœur, puis prit son visage entre ses mains aux ongles longs très rouges, parfaits, presque inquiétants.
— Tu n'as pas l'intention de nous laisser de nouveau, dis-moi?
— Non, répondit Rowan, n'osant admettre que si, en effet, elle avait envisagé de repartir.
— Et voilà ta petite fille!
Claudia mère regarda Sadie, puis Rowan, d'un air ravi.
— Elle est magnifique. Magnifique! Exactement comme toi.
— Ce n'est pas ma fille, lui rappela Rowan.

— Je sais, je sais, tout le monde est au courant. Mais tu as déteint sur elle. Elle a tes expressions.

— Je ne me mords pas les doigts, moi!

— Attends qu'elle soit adolescente, tu verras que tu t'y mettras!

Claudia junior observait la scène. Sa mère ne plaisantait jamais ainsi avec elle. Peut-être aurait-elle mieux fait de partir et de revenir à la maison au bout de quelques années, elle aussi? Sa mère la critiquait sans cesse. « Tu es trop grosse, Claudia. » « Tu es trop possessive avec tes enfants, Claudia. Laisse-les vivre. » « Tu penses vraiment que tu peux te permettre de porter ça, Claudia? » « Il faudrait que tu t'arranges un peu, Claudia. Va chez le coiffeur. Regarde tes ongles! Inscris-toi dans un club de sport. Pourquoi ne mets-tu pas de rouge à lèvres, Claudia? » Et voilà Rowan qui débarquait, l'air jeune — plus jeune qu'elle, en tout cas —, cool et, bon sang, *mince*. Et tout le monde s'extasiait. Ah! C'était facile, d'être mince, quand on n'avait pas porté d'enfant! Claudia était jalouse.

Le grand frère de Claudia, Paolo, ignorant les clients qui faisaient la queue avec leurs barres chocolatées et leurs bouteilles de lait, se dirigea à son tour vers Rowan. Il recula d'un pas pour mieux l'admirer. C'était un séducteur-né. Rowan se souvint de lui, dix ans plus tôt.

L'après-midi, Paolo s'asseyait sur le rebord de la fenêtre ouverte du premier étage et regardait son Alfa Romeo (sa voiture de l'époque, avant la BMW) garée le long du trottoir. Il écoutait toujours de la musique, Gerry Mulligan ou Stan Getz, un torrent de saxophone voilé qui déferlait sur lui et venait se mêler au bruit des voitures, des cars, et aux bavardages des passants. Il s'adressait quelquefois en italien à quelqu'un derrière lui, sans même prendre la peine de se retourner. A cette époque, il portait un col roulé en cachemire bleu ciel, les manches relevées sur ses bras musclés. Il était superbe et le savait. Parfois, il regardait les femmes qui passaient dans la rue au-dessous de lui et leur parlait doucement, un nuage de mots liquides, chantants, incompréhensibles pour la personne à qui il les adressait mais d'une sonorité si sensuelle qu'elle rougissait, se sentait mal à l'aise et regardait ses pieds pour se donner une contenance. Il suffisait aux femmes de lever les yeux vers lui pour douter d'elles-mêmes et de leur mari, de leur amant, de toute leur vie, et même du jambon ou des harengs qu'elles rapportaient à la maison pour le dîner.

C'était précisément l'effet que Paolo produisait sur Rowan en cet instant.

— Rowan! Tu es magnifique. Tu as grandi.

— Ce sont des choses qui arrivent, répondit-elle d'un ton acerbe, consciente des réactions irraisonnées de son corps face à Paolo et bien décidée à ne pas laisser ce dernier deviner le trouble absurde qu'il éveillait au plus profond de son intimité.

— Je t'emmènerai dîner, un de ces soirs, proposa-t-il.

Il l'invitait à dîner, là, devant tout le monde! Mais sa famille n'y prêta pas attention. Tous les Rossi étaient habitués à ses manières de séducteur.

— J'ai un bébé, maintenant, lui rappela Rowan. Je ne risque pas de beaucoup sortir le soir, pendant les quinze prochaines années.

— Bien répondu! intervint Claudia senior. Paolo est trop vieux pour se conduire ainsi. Il est temps qu'il s'installe, qu'il ait des enfants à lui. Dis-le-lui, toi.

— Je pourrais me résoudre à me caser, si c'était avec toi...

Rowan sourit. Rougit. Paolo avait gagné.

Claudia senior alla chercher à Rowan une tasse

d'expresso dans l'arrière-boutique. Une minuscule tasse dorée, contenant à peine deux gorgées du breuvage intense, très sucré, que les Rossi buvaient à longueur de journée. Rowan avait toujours l'impression qu'ils n'avaient pas vraiment besoin d'une maison et d'un restaurant pour vivre. Tout ce qui leur importait, c'était l'odeur constante du café Lavazza autour d'eux, et la présence de leur famille. Cela l'avait toujours fait rêver.

Claudia senior prit Sadie derrière le comptoir et lui donna une minuscule petite cuillère de glace à la vanille. L'enfant la prit dans sa bouche d'un air soupçonneux, la goûta, en suça le contenu, puis elle rouvrit la bouche, exhibant son palais tout rose. Encore!

— Tu l'as corrompue, protesta Rowan. Bientôt, je la retrouverai au Squelch en train de boire de la Guinness avec Jude et les habitués...

Elle réfléchit un instant puis demanda :

— Au fait, est-ce que Jude est encore ici? Est-ce qu'elle vit toujours sur la grand-place?

— Oui, au-dessus du marchand de journaux. Mamie habite toujours au-dessus du Rialto, et Mlle Porteous en face de chez elle. Tout est exactement pareil qu'avant ton départ, lui dit Claudia junior. A part pour le vieux Walter. Tu te souviens de lui?

— L'amoureux des oiseaux?

— C'est ça. Il est mort le mois dernier.

— Vraiment?

— Oui. Son appartement est vide, ajouta Claudia en désignant l'immeuble, de l'autre côté de la place. Personne ne veut habiter sur la grand-place; les gens préfèrent les nouvelles maisons, sur la colline.

— Je vois, acquiesça Rowan en hochant la tête.

Elle jeta un coup d'œil sur l'ancien appartement de Walter, au premier étage de l'immeuble rouge, en face d'eux.

— C'est intéressant.

Elle refusa de rester déjeuner, expliquant que sa mère devait déjà être en train de mouliner des légumes pour Sadie. Claudia junior soupira. Durant toutes les années où Rowan et elle étaient allées à l'école et avaient été amies, elle avait envié Rowan d'avoir une telle mère. Norma était si calme, si dévouée ! Elle ne piquait jamais de crise de rage. Elle ne disait rien quand Rowan ne voulait pas manger en famille. « Il y a un sandwich au réfrigérateur, si tu veux. » La mère de Claudia, elle, faisait toujours un scandale si quelqu'un ratait les repas familiaux.

— Les heures des repas nous sont réservées. La famille, c'est ce qu'il y a de plus important au monde. Qu'as-tu donc de mieux à faire que de nous voir ?

— J'avais juste envie de sortir en boîte avec mes amis, et nous avions prévu d'aller manger chinois avant, disait faiblement Claudia.

— Chinois ? Chinois ! s'exclamait sa mère en levant les yeux au ciel. On aura tout entendu !

La mère de Rowan s'était effacée en silence et avait laissé sa fille partir à Edimbourg. Puis à Londres. Pas de harcèlement, pas de crise d'hystérie. Claudia, elle, avait grandi dans la certitude qu'elle finirait un jour par travailler à la friterie. Pour elle, pas d'échappatoire. Rowan avait tellement de chance...

Rowan rentra chez elle en haut de la colline, le moral au beau fixe. Elle aurait tant voulu appartenir à une grande famille italienne ! Elle rêvait de repas animés, d'assiettes débordant de pâtes, de gens parlant avec les mains, se disputant, débattant pour un oui ou pour un non. Si elle se mariait — mais elle doutait que cela arrive un jour —, elle voulait un mariage comme celui du *Parrain* : de la musique, du vin, des invités dansant dans un immense jardin, se donnant l'accolade. Elle poussa un soupir. Claudia était heureuse et grosse. Elle ne savait pas la chance qu'elle avait.

L'ancien appartement de Walter Dean, situé au numéro 4 de la grand-place, était donc libre. Facteur à la retraite, Walter était venu s'installer au village vingt ans plus tôt, à la recherche d'une vie paisible. Il voulait marcher et observer les oiseaux. Cet homme tranquille allait et venait hiver comme été dans son manteau ciré vert, avec ses bottes de marche et ses pantalons en velours côtelé. Il s'était fait quelques amis, à Fretterton, avait assisté aux soirées du pub. Mais il partait toujours après deux ou trois bières, et parlait peu. Même son arrivée, il y a tant d'années, n'avait guère fait de vagues. Il était timide, et l'on ne savait pas grand-chose de lui; tout le monde partait du principe qu'il n'y avait pas grand-chose à savoir.

Sa fille vivait en Australie et n'était pas revenue pour l'enterrement. Son ex-femme n'avait pas exprimé le moindre intérêt à l'annonce de sa mort. Aussi, après avoir organisé la crémation de Walter, Rodger Snype, le notaire du village, avait-il fermé l'appartement.

Lorsqu'elle alla visiter l'appartement, deux semaines environ après que les Rossi lui en eurent parlé, Rowan trouva les vieilles chaussures de marche en cuir tout craquelé de Walter posées à côté du portemanteau, et un parapluie appuyé contre le mur derrière elles. L'appartement disposait de trois pièces. Le salon, assez grand, avec une cheminée Art déco et un haut plafond à corniche, contenait deux fauteuils rouges disposés de part et d'autre de la cheminée et un canapé gris aux accoudoirs en bois placé contre le mur. Dans l'alcôve formée par l'embrasure de la fenêtre étaient placés un bureau, une chaise et un petit meuble de rangement sur le côté duquel étaient gravées les lettres WD (*War Department*[1]). La moquette était d'un gris-bleu profond qui plut aussitôt à Rowan. La cuisine était spartiate, uniquement meublée d'un réfrigérateur ayant connu des jours meilleurs et d'une cuisinière à gaz immaculée : Walter la maintenait impeccable. Les éléments étaient peints en bleu. Il y avait deux petites chambres, l'une avec un lit double en bois à l'ancienne, l'autre avec un lit simple de même facture. La seconde donnait sur le jardin de derrière. Ce n'était d'ailleurs pas tant un jardin qu'un étroit carré de pelouse mal tondu, envahi de lupins, d'orties et de digitales, délimité par un mur. Un oiseau jaune, pépiant à gorge déployée, était posé sur une tige tremblante.

Rowan le regarda un moment, puis elle retourna dans le salon. Elle s'assit derrière le bureau devant la fenêtre et se balança sur sa chaise en regardant la grand-place. C'était un bon observatoire : de là, on pouvait suivre toutes les allées et venues. Puis elle se leva, ouvrit d'une main distraite les cinq tiroirs de l'armoire de rangement et jeta un coup d'œil à l'intérieur. Elle trouva un ou deux cahiers à couverture reliée et quelques vieilles photos. Une famille au bord de la mer, dans les années cinquante. Un homme avec son pantalon retroussé, pataugeant dans l'eau, qui tenait par la main des enfants en pleurs. La même famille dans un jardin, l'été, assise sur l'herbe piquée de marguerites et agitant des sandwichs à l'ancienne, guère appétissants, en direction de l'appareil photo. Pâté de poisson, décida Rowan en regardant le groupe de plus près. Devant eux, sur une nappe blanche, étaient disposés une théière, des tasses, un cake, des paquets de chips et une bouteille de limonade. Une femme aux formes généreuses et au visage large, ouvert, vêtue d'une grande robe à fleurs affreusement démodée,

1. Département de la Guerre. *(N.d.T.)*

souriait à l'objectif; à côté d'elle se tenait une petite fille aux cheveux retenus par de petits nœuds, qui, rayonnante, dévoilait ses gencives dépourvues de dents de devant. A sa droite, un homme de petite taille — Walter Dean, supposa Rowan —, bronzé, chauve, avec un nez en forme de bouton de culotte. Il ressemblait à un père Noël rasé de près. Il portait une chemise à carreaux au col ouvert et un pantalon large. C'était un tableau si familial, si chaleureux, que Rowan en eut le cœur serré. Comme elle aurait voulu en faire partie! Cela lui rappelait sa propre enfance.

Elle aimait bien Walter Dean. C'était un homme avec qui elle aurait pu parler, elle le sentait. Elle plaça les photographies sur le manteau de la cheminée et reporta son attention sur les cahiers. Ils ne contenaient pas, comme elle l'avait craint, le journal méticuleux d'une vie d'ennui. Elle n'avait pas envie de lire les inquiétudes et les confessions d'un homme qu'elle s'était soudain mise à admirer. Il risquait de la décevoir, de ne pas être, en fin de compte, le vieux monsieur calme, fort, plein d'humour qu'elle s'était imaginé. Non, ces cahiers recelaient les observations d'un passionné des oiseaux.

4 avril 1989, 16 h 40. Ferme Westhills, sur la route du Loch Gill, à cinq kilomètres du tournant principal. Cinq traquets : trois femelles (masque facial gris-brun), deux mâles (couronne grise, masque facial noir), volant vers le sud. Possible qu'ils ne fassent que passer, peu de chances qu'ils s'installent par ici.

10 avril 1989, 6 h 10. Bois de Gowan, côté sud, pivert (mâle) fouissant le sol à la recherche de fourmis. Exceptionnel. Reviendrai la semaine prochaine pour voir s'il a fait son nid.

12 avril 1989, 15 h 20. Deux colombes à collier sur la route principale après le bois de Gowan. Très élégants volatiles, couleur chamois clair, un peu rosée sur le dessous, et, bien sûr, collier noir très bien dessiné. On dirait des croque-morts de première classe. J'ai cru un moment qu'elles n'allaient pas bouger en entendant la voiture, mais à la dernière seconde, elles se sont envolées. J'aime bien les colombes à collier. Il semble y en avoir de plus en plus.

Avec le temps, on sentait Walter de plus en plus à l'aise avec ses notes; ses conversations avec lui-même se détendaient sensiblement.

10 mai 1990. Des pies au bois de Gowan. Je les observe depuis un moment. Elles se conduisent de façon incroyable. L'autre semaine, elles s'étaient réunies à plus de quarante, je n'ai pas réussi à les compter. Elles bavardaient, sautaient sur les branches, se couraient après. Exactement comme les gamins sur la grand-place. Je crois que la finalité de cette réunion est de permettre aux jeunes mâles de se pavaner devant les femelles.

20 mai 1990. Une petite grippe m'a empêché d'aller observer mes pies pendant une semaine. J'y suis retourné aujourd'hui; elles n'étaient plus que deux, en train de batifoler à qui mieux mieux. La fête est finie; tous les jeunes mâles sont partis. Ils doivent être en train de s'accoupler, de s'occuper des petits, de chercher de la nourriture. C'est à ces moments-là que la libido vous rattrape. Ces deux oiseaux m'ont fait envie. Ça ne me ferait pas de mal, à moi, de prendre un peu de bon temps... Le mâle volette à environ trente centimètres au-dessus de sa belle. C'est un spectacle ravissant. Que fait-il? Il s'exhibe? Il lui dit qu'il la protégera? Je ne sais pas. Ça me rappelle ma jeunesse. Quand Jean et moi on s'est connus, au début, quand on s'est mariés, je voulais la protéger. Je voulais l'entretenir et gagner assez d'argent pour lui donner tout ce qu'elle désirerait. Et j'avais tellement hâte de rentrer à la maison pour la retrouver! Je commençais le travail tôt, je finissais tôt. On passait des après-midi entiers au lit. J'adorais la regarder s'approcher de moi, se déplacer dans la pièce. Ses cheveux descendaient jusqu'à ses reins. Nous écoutions Frank Sinatra et Ella Fitzgerald. Quel bonheur... Je la faisais jouir, encore et encore. J'y arrivais encore, à l'époque.

Rowan referma le cahier d'un geste sec. Elle avait l'impression d'être une voyeuse. Elle regarda autour d'elle, craignant que Walter n'apparaisse subitement et ne la trouve en train de fouiller dans ses affaires. Elle resta un moment immobile, honteuse d'elle-même. Puis ne put résister à l'envie de jeter encore un coup d'œil.

21 mai 1990. Marie et les enfants viennent déjeuner dimanche. Je ferai un bon rôti et j'achèterai une tarte aux pommes. Puis jeudi il faudra que je m'occupe de ma pension et que j'aille faire le plein au supermarché. Ça m'étonnerait que je puisse aller voir mes pies avant le 25. Je suppose qu'elles se débrouilleront sans moi. En fait, elles ont sans doute besoin d'un peu d'intimité...

Rowan ouvrit le cahier un peu plus loin.

1er septembre 1990, 15 h 30. Forêt du Loch Gill. Un appel haut perché, un petit bruit très soudain. Oiseau minuscule, qui bouge constamment dans les conifères. J'ai d'abord cru à un roitelet huppé ; mais non, je l'ai bien regardé. Dos vert, ailes noires et tour de l'œil noir. Mon cœur s'est arrêté de battre ; enfin, un roitelet triple-bandeau ! Eh bien, depuis le temps que je rêve d'en apercevoir un. Sacré petit farceur. Marie est passée ce soir. Je ne l'avais pas vue depuis qu'elle m'avait amené les enfants pour le déjeuner en mai dernier. Elle me téléphone, cependant. Elle part habiter en Australie. Seigneur, elle est vraiment devenue très belle. Je l'ai regardée s'éloigner dans sa petite voiture rouge et je me suis dit : « C'est la dernière fois que je te vois, ma fille. » Il pleuvait des cordes. J'ai pensé à mon roitelet triple-bandeau dans les arbres. Je me suis demandé si le petit bonhomme avait assez chaud ou si cet hiver allait l'emporter. Les cœurs finissent toujours brisés.

Rowan n'avait pas envie d'en lire plus. Elle ne se sentait pas capable d'affronter davantage de tristesse. Elle trouva le stylo de Walter dans le tiroir du bureau. Un beau stylo, robuste, épais et noir, avec une plume en or. Exactement comme le stylo dont se servait le médecin pour écrire des ordonnances illisibles prescrivant des médicaments marron au goût infect, quand elle était petite. Elle dévissa le bouchon, ouvrit le dernier cahier de Walter et écrivit :

> *22 avril 1992. 18 h 45.* Oiseau jaune dans le jardin de derrière, qui se balance en chantant sans discontinuer.

Elle ne savait pas quelle sorte d'oiseau c'était, aussi ouvrit-elle l'un des ouvrages de référence trouvés dans l'armoire. *Bruant jaune,* trouva-t-elle. Non migrateur. *17 cm. Généralement observé perché sur les haies. Tête jaune vif, dessous noir. La femelle est moins jaune.* Rowan retourna au cahier.

> Bruant jaune. Probablement mâle, à en juger par son assurance. Bien trop arrogant. J'aime cet endroit. Je l'ai visité en pensant peut-être m'y installer. Je crois que je vais le faire. Ce sera mon chez-moi jusqu'à ce qu'Eileen réapparaisse. Il y a une bonne atmosphère, ici. Je pourrais y être heureuse — enfin, aussi heureuse que possible étant donné les circonstances.
>
> Sadie et moi prendrons la plus grande chambre jusqu'à ce qu'elle ait besoin d'une chambre rien que pour elle. Un de ces jours, j'irai dans la forêt du Loch Gill pour aller voir le roitelet triple-bandeau de Walter. A-t-il passé cet hiver mieux que moi? Les cœurs finissent toujours brisés.

Elle traversa la pièce et s'assit dans un des vieux fauteuils rouges près de l'âtre. Elle commençait déjà à se sentir chez elle. Ce qui la troublait. Elle avait peur d'être trop bien ici et de perdre le désir de partir à l'aventure. Elle alluma une cigarette.

La petite ville n'était plus la même : le cinéma avait été « dépouletisé ». Eh oui, autrefois, il y avait des poulets dans le cinéma... Jusqu'alors, elle ne s'était pas rendu compte de ce que cela avait d'ahurissant. Cela faisait partie de sa jeunesse; elle l'acceptait sans se poser de questions. Encore maintenant, elle se disait que le cinéma ne serait plus le même, sans ces poulets.

La semaine précédente, elle était tombée sur Mamie Garland, la propriétaire du Rialto. Rowan s'était raidie, attendant les remarques habituelles sur sa minceur et sa nouvelle coiffure. Mais Mamie s'était contentée d'un « Bonjour! » décontracté, comme si elle avait vu Rowan pour la dernière fois la veille, et non Dieu seul savait combien d'années auparavant. C'était un signe d'acceptation. La jeune femme commençait à ne plus être la célébrité numéro un du village. Mamie savait déjà tout sur elle, pas besoin d'en discuter davantage.

— Alors, avait dit Rowan, plus de poules au Rialto?

— Je sais, avait répondu Mamie. J'ai dû me résoudre à bloquer la porte de derrière. On n'arrête pas le progrès, que veux-tu! Une poule qui caquette pendant un film de Doris Day ou avec Rock Hudson, ça passe. Mais dans vos Coppola et vos Scorsese, pas de place pour les poules.

Là-dessus, elle avait plongé les mains dans les poches du pantalon de son tailleur rayé.

— En plus, poursuivit-elle, l'air endeuillée, les types de la Santé ont dit qu'elles étaient dangereuses. Pas que ça fasse une grosse différence, remarque, vu que personne ne vient voir mes films. Il y a tout un tas de gens nouveaux qui se sont installés au village. Le monde nous a rattrapés.

Puis elle s'était penchée, avait touché le bras de Rowan et déclaré à voix basse, en guise de conclusion :

— Nous ne sommes plus seuls.

Rowan savait ce qu'elle voulait dire. Les nouveaux venus n'étaient pas du coin. Elle si, en revanche. Elle pouvait aller jusqu'au bout du monde, elle demeurerait toujours « du coin ». C'était un sentiment d'appartenance rassurant.

La pièce était plongée dans l'obscurité, à présent. Elle entendait, de l'autre côté de la grand-place, les « yee-hah ! » qui s'échappaient du Squelch : la soirée était consacrée à de la musique country. Des voitures passaient lentement dans l'étroite rue au-dessous d'elle, et leurs phares illuminaient brièvement son plafond avant de s'éloigner. Cet endroit était bruyant, passant. Il y avait l'épaisse moquette gris-bleu sur laquelle s'allonger, un plafond travaillé à regarder. Elle pensa : « Cela fera l'affaire tant que j'attendrai Eileen. » Elle se leva. Le lendemain, en rapportant la clé à Snype, le notaire, elle lui dirait qu'elle voulait emménager. Entre-temps, il lui faudrait annoncer la nouvelle à sa mère.

— J'ai grandi, dit-elle à Norma.

— Ce n'est qu'un détail technique, rétorqua celle-ci.

Sa fille avait grandi en cachette, pendant que personne ne la surveillait. Cela avait pris Norma par surprise.

— Tu viens juste d'arriver ici, et déjà tu veux repartir !

— Je serai juste en bas de la rue, souligna Rowan. A cinq minutes, même pas. Comme je te l'ai dit, je ne peux pas rester ici éternellement.

— Oui, mais si ça se trouve, tu vas t'installer dans ton nouvel appartement et, deux jours plus tard, cette femme va débarquer, reprendre Sadie, et toi tu t'en iras de nouveau.

Norma ne faisait jamais référence à Eileen en l'appelant par son nom, comme si ce petit déni avait le pouvoir de la garder à distance.

— Ecoute, dit Rowan, j'ai besoin d'un endroit à moi. Je ne tarderai pas à être une gêne, pour vous. Nous finirions par nous disputer, tu le sais parfaitement. Je suis désordonnée, et tu as horreur de ça. Ne t'inquiète pas, tu verras quand même Sadie, tous les jours si tu veux.

— Ce n'est pas la même chose, protesta Norma. Que vont penser les gens ? Ils diront que nous ne nous entendons pas, voilà ce qu'ils diront.

Rowan ne savait que répondre. Elle ne voulait pas insulter sa mère ; elle voulait simplement pouvoir allumer une cigarette. Norma Campbell refusait que les effluves répugnants du tabac imprègnent sa maison. Aussi, chaque fois que Rowan avait envie de fumer, devait-elle se pencher par la fenêtre de sa chambre comme une adolescente désobéissante.

— Comment vas-tu faire pour payer le loyer ? s'enquit George.

— Il faudra que je trouve du travail, répondit Rowan. Tu pourras avoir Sadie toute la journée pendant que je gagnerai ma vie, ajouta-t-elle en se tournant vers sa mère. Tu ne peux pas m'obliger à rester ici.

— Et la caution ? demanda George, toujours pragmatique.

Rowan haussa les épaules, et il soupira, avant d'aller chercher son chéquier dans le salon.

— Combien ?

— George ! protesta Norma. Tu l'encourages. Si elle a son propre appartement, elle va fumer comme un pompier et se tuer. Je sais tout, dit-elle à Rowan. Je sais que tu fumes à la fenêtre. Tu as été vue. Par les voisins, ajouta-t-elle avant même que la jeune femme ait pu poser la question.

— Laisse-la partir, coupa George. Ce n'est qu'au pied

de la colline. Je te rappelle qu'elle était censée aller beaucoup plus loin que ça, au départ.

La semaine suivante, Sadie et Rowan emménagèrent dans l'ancien appartement de Walter Dean, avec ses fauteuils rouges, son vieux bureau et son armoire de rangement. Elle mit le berceau de Sadie dans la grande chambre.

Inévitablement, chaque soir, en allant au lit, Rowan prenait Sadie dans ses bras et la couchait près d'elle. Cela lui faisait du bien de pouvoir s'accrocher à la petite dormeuse, dans le noir.

La nuit, elle s'allongeait et écoutait les rires des buveurs attardés au Squelch après l'heure officielle de fermeture. Nuit après nuit, les mêmes gens se réunissaient autour du bar, exposant les mêmes griefs, riant des mêmes plaisanteries éculées. Des rêveurs, des bons à rien, songeait-elle. Puis elle s'asseyait. Voilà pourquoi les gens comme ses parents se moquaient de ses rêves : ils pensaient que tous les rêveurs finissaient dans les pubs, à boire jusqu'à des heures indues... Ils étaient convaincus qu'elle deviendrait comme les ratés du Squelch, et boirait du gin en cachette en racontant des blagues trop de fois entendues.

Elle entreprit de chercher du travail. Il y avait quatre places disponibles au village. Une de réceptionniste au cabinet médical, une de barmaid au Squelch, une à l'usine de boîtes de conserve et une à la *County Gazette* — il s'agissait de noter les petites annonces, d'aller chercher du thé pour tout le monde, et de prendre les messages. Rowan postula pour les quatre. Au cabinet médical, on lui déclara qu'elle ne faisait pas l'affaire parce qu'elle n'était pas assez rassurante; personne n'aurait eu envie de lui parler de ses maladies honteuses et de ses petits bobos au téléphone. Au Squelch, on la trouva trop sophistiquée. « Nous voulons quelqu'un d'entraînant, lui dit-on. Quelqu'un qui donne envie aux gens de continuer à boire. » Elle admit qu'elle n'était pas « entraînante ». Sadie vomit sur son chemisier le jour de l'entretien à la fabrique de conserves ; elle arriva en retard et n'obtint pas le poste. « Nous avons besoin de quelqu'un de ponctuel », lui dit-on.

Elle décrocha le job à la *County Gazette* parce que Nelson, le rédacteur en chef, aima son CV, sa coiffure et sa personnalité.

Se retrouver seule avec lui dans son bureau la mit mal à l'aise. Cet homme avait été son grand amour de jeunesse. Alors que ses copines, en classe de cinquième, se pâmaient toutes devant Paolo Rossi, Rowan se souvenait — avec horreur, dans la circonstance présente — d'avoir multiplié les rêves érotiques avec Nelson Hayes. Elle croisa les jambes et regarda par la fenêtre en s'efforçant de ne pas rougir.

Nelson était plus âgé, à présent. Ses cheveux bouclés commençaient à grisonner. Elle trouva cela absolument irrésistible. Il portait un jean et une veste grise. Tambourinait du bout des doigts en parlant. Ce n'était pas par impolitesse ; simplement, il pensait plus vite qu'il ne s'exprimait, et s'impatientait lui-même. Il portait toujours des chemises de rebelle. Celle d'aujourd'hui était noire, et ouverte au col. Irrésistible, songea-t-elle de nouveau.

— Que faisiez-vous, dans votre dernier travail ? demanda Nelson.

— Je tapais les lettres de M. Frobisher, ses mémos. Je faisais du classement. Mais j'avais horreur de ça. Il écrivait à des auteurs et à des illustrateurs, et rédigeait des rapports mensuels, des trucs comme ça. Je filtrais les appels des gens auxquels il n'avait pas envie de parler. Vous voyez à peu près.

Nelson hocha la tête.

— Et puis, je lui apportais son café. J'épongeais quand il le renversait. Et toutes les quatre semaines, c'était mon tour d'aller acheter des biscuits pour tout le monde.

Elle le regarda dans les yeux et poursuivit :

— Je prenais toujours ceux qu'il détestait. C'était terrible, ça. J'ai honte. Il s'est montré si gentil avec moi, en fin de compte !

— L'a-t-il jamais découvert ?

— Je le lui ai dit. Je me suis excusée pour les gâteaux à la noix de coco.

— Bien, dit Nelson. Vous m'avez l'air suffisamment pénible pour bien vous intégrer dans l'équipe. Vous commencez lundi en huit. A neuf heures.

Il aimait la façon qu'elle avait de laisser son regard vagabonder vers la fenêtre, de se mordiller la lèvre inférieure, de s'agiter sur son siège. Quand elle lui avait avoué cette histoire de gâteaux, elle avait esquissé un sourire penaud. Elle était différente des autres, et cela plaisait à Nelson.

— J'ai horreur des tuiles au gingembre, annonça-t-il, et je vous surveillerai.

— Des tuiles au gingembre ? répéta Rowan. Personne ne déteste les tuiles au gingembre !

S'il s'agissait d'un double bluff, elle était admirative.

Des quatre postes vacants, c'était le plus intéressant, offrant la meilleure paie, mais elle ne pouvait s'empêcher d'être déçue. Elle aurait aimé travailler à la fabrique de conserves. Elle imaginait une ambiance insouciante, pimpante, mais, en fait, elle n'avait aucune idée de ce qui s'y passait vraiment. Tous les étés, des camions remplis de framboises arrivaient d'un côté et repartaient de l'autre pleins de boîtes de conserve. L'usine dégageait en permanence une odeur écœurante de sucre bon marché. Elle imaginait de longs tapis roulants couverts de boîtes étincelantes, arrêtées dans leur course le temps d'être remplies d'une purée de fruits visqueuse, avant de repartir pour être scellées, étiquetées, emballées et envoyées de par le monde. Elle pensait que regarder ce spectacle jour après jour aurait un effet thérapeutique. Elle se voyait dans une grande blouse verte, une coiffe sur la tête, passant ses journées à regarder des petits pois — ou n'importe quoi d'autre — tomber dans les boîtes, en chantant des chansons du Top 50 et en criant des obscénités à tue-tête pour couvrir le vacarme incessant du tapis roulant.

Durant la semaine qui suivit son emménagement et précéda son premier jour de travail, elle passa son temps à prendre des décisions et à les rejeter successivement. Chaque jour, elle se promettait de nettoyer, de repeindre les murs ou de faire n'importe quoi d'autre pour être occupée...

— Ce que je dois éviter à tout prix, disait-elle à Sadie, c'est de penser.

Néanmoins, c'était ce qu'elle passait ses journées à faire.

— Ce n'est pas toi qui m'embêtes, affirmait-elle en soulevant Sadie et en faisant danser ses petits pieds sur le sol. Toi, je t'aime. Le problème, c'est moi.

Elle s'était imaginée voyageant de par le monde, découvrant toutes sortes d'endroits fascinants. Mais elle se trouvait là, revenue à son point de départ, et sur le point de s'embarquer une fois de plus dans ce qu'Eileen appelait « un affreux boulot à horaires fixes ». Elle se reprochait de ne pas avoir su deviner les intentions d'Eileen.

Par chance, elle adorait son nouvel appartement. Elle pouvait montrer à Sadie tout ce qui se passait sur la grand-place, sentir le souffle de l'enfant sur sa joue, regarder ses grands yeux qui enregistraient les informations avec avidité. Le matin, portant Sadie dans ses bras, elle allait jusqu'à la friterie acheter du lait et un paquet de cigarettes. Elle en profitait pour parler bébés avec Claudia junior et pour flirter avec Paolo. Il y avait toujours quelqu'un à qui dire bonjour. Elle commençait à se plaire, ici; simplement, elle n'était pas encore prête à l'admettre.

Elvis, l'opportuniste, s'accoutuma rapidement à sa nouvelle vie. Il ne lui fallut pas longtemps pour connaître le chemin de la friterie. Il s'installait confortablement sur l'appui de la fenêtre, à l'extérieur de la boutique, et travaillait son look famélique. Il se faisait ainsi offrir tout un tas de restes et de petits morceaux. Il se mit à grossir. Bientôt, une plaisanterie circula dans le village : Elvis était vivant, et avait été vu devant la friterie. Avec le temps, il n'eut plus assez de place sur son rebord de fenêtre; suralimenté et délirant de bonheur, il s'y allongeait, une patte pendant dans le vide. On finit par appeler la friterie *Chez Elvis.* Ce surnom devait lui rester bien après que l'intéressé eut rejoint le paradis des chats, bien après qu'on l'eut oublié.

Le dimanche qui précéda son premier jour de travail, Rowan réalisa tout à coup que cinq jours entiers s'écouleraient avant qu'elle ait une nouvelle journée de repos, et qu'elle venait d'en gâcher dix à tergiverser, alors qu'elle aurait pu faire quelque chose de constructif. Ou du moins, s'amuser. Seigneur... Quand s'était-elle amusée pour la dernière fois? S'était-elle jamais amusée? Comment faisait-on pour s'amuser, de toute façon? C'était quoi, exactement? Pour Eileen, s'amuser, c'était faire la folle dans les soirées. Trop sourire. Trop boire. Transformer de petits accrocs sentimentaux en drames interstellaires.

Rowan s'allongea sur le canapé, Sadie sur l'estomac.

— C'est quoi, s'amuser, Sadie? Tu devrais savoir ça, toi, tu as presque six mois maintenant. Alors, qu'est-ce que c'est ? Faire éclater des pétards ? Porter des chapeaux ridicules ? Pousser des cris hystériques ? Danser jusqu'au bout de la nuit ? S'exclamer : « On est vraiment dingues, non ? » Dis-moi.

Elle faisait danser les mains de Sadie au rythme d'une chanson de Madonna à la radio.

— Amusons-nous. Nous irons chercher le roitelet triple-bandeau du vieux Walter. Nous verrons si nous arrivons à repérer ses pies friponnes. Nous ferons un pique-nique. Nous raconterons des histoires. Ou plutôt, je raconterai des histoires et, toi, tu m'écouteras. Ce sera plus intéressant pour nous deux.

Elle plaça Sadie sur son siège à l'avant de la voiture et prit la route de la vallée. Fredonnant une vieille chanson de la Motown, battant le rythme sur le volant du bout des doigts, elle ressentait d'infimes tressautements de bonheur. De temps en temps, elle arrêtait la voiture et indiquait à Sadie le site d'un de ses souvenirs d'enfance. L'endroit où elle venait pique-niquer en famille, l'été, quand il faisait chaud, juste à côté du coude de la rivière auquel on accédait facilement depuis la route. Son père avait horreur de laisser la voiture hors de vue. Il faisait toute une histoire pour tourner le véhicule afin de ne pas avoir à faire marche arrière au moment de repartir. Puis il faisait toute une histoire à propos de son réchaud de camping. Il insistait pour avoir un vrai café. « Rien n'a bon goût, dans les Thermos. » Ils étalaient une couverture de voyage en tartan sur le sol et mangeaient immanquablement des sandwichs au saumon en boîte et au concombre — toujours détrempés —, que sa mère apportait dans une boîte en plastique. Après le repas, une fois qu'ils avaient tout rangé, son père et sa mère se partageaient le journal et lisaient. Puis ils faisaient semblant de lire alors qu'ils somnolaient. Et, enfin, ils dormaient franchement.

Rowan et Claudia Rossi allaient chercher des chenilles, qu'elles conservaient dans un pot.

— Nous rêvions de ramasser mille chenilles et de les garder jusqu'à ce qu'elles se transforment en mille papillons, que nous aurions libérés. Pour les voir emplir l'espace.

Elle sourit. Cela semblait si simple, alors.

— On pourrait peut-être trouver un million de chenilles, et alors un immense nuage d'un million de papillons s'élèverait au-dessus du village. Ils empliraient le ciel ! s'exclamait Claudia, ses yeux noirs brillant d'enthousiasme.

Elle était pleine d'enthousiasme alors. C'était bien avant qu'elle ne s'abandonne aux barres chocolatées, aux frites, à Stu MacGregor et au goût de Stu MacGregor pour la nourriture italienne.

— Bien sûr, si on était dimanche, Claudia n'avait pas le droit de venir, expliqua Rowan à Sadie. Les dimanches sont importants, chez les Rossi. C'est Mamma Claudia qui cuisine. Tu sais, elle cuisine *sérieusement.* Elle se lève à cinq heures du matin pour s'y mettre ; en fait, elle commence même la veille au soir. Ils sont très famille, chez les Rossi. Pas comme nous.

Sadie la regardait en faisant de petites bulles de salive.

Rowan reprit la route sur quelques kilomètres, et s'arrêta une nouvelle fois, près d'un chemin qui s'enfonçait dans une forêt de conifères très dense.

— Tu vois ce sentier ? Il conduit à une sorte de clairière herbeuse. C'est là que les gens se garent. Tu sais — pour faire l'amour. La moitié du village a été conçue là-bas. C'est là qu'on venait toujours, Duncan Willis et moi. On appelle ça « descendre le sentier ». Si quelqu'un dit que tu as descendu le sentier avec un mec, tout le monde sait exactement de quoi il est question.

Le soir, adolescente, elle roulait le long de ce sentier

avec son grand amour de la semaine. Des branches retombantes de mélèzes frôlaient le toit de la voiture. Ils se garaient entre les arbres, là où il faisait froid et humide, où l'air sentait la mousse, la cigarette et le cidre. Le sol était jonché de canettes vides, de mégots, de préservatifs et d'emballages de Snickers; la voix de Bono s'élevait des autoradios, *With or Without You oooh-ooh*, et se mêlait aux gémissements et aux murmures des jeunes gens à l'intérieur des voitures aux vitres rendues opaques par la vapeur.

Rowan repassa la première et fit vrombir le moteur en riant tout haut. Ce qui leur avait semblé si osé à l'époque lui paraissait désormais merveilleusement innocent.

— Eileen aurait eu un gros succès, sur le sentier. Elle allait toujours jusqu'au bout.

Elle reprit la route et prévint Sadie :

— Que je ne te prenne pas à descendre le sentier. Qu'est-ce que je raconte? Tu ne descendras pas le sentier. Le moment venu, tu ne seras plus ici — et moi non plus. Eileen viendra te chercher, t'emportera et, moi aussi, je m'en irai, pour voir le monde.

Soudain, un sentiment de tristesse l'envahit. Elle ne voulait pas qu'Eileen revienne. Elle ne voulait pas se séparer de Sadie. Elle se pencha sur le volant, scrutant les arbres. Y avait-il quelqu'un sur le sentier? Y faisait-on des bêtises?

— Il est trop tôt, dit-elle.

Puis elle ajouta :

— Je ne la laisserai pas t'emmener. Je me battrai pour toi.

Elle conduisit jusqu'au bout de la vallée, laissa la Coccinelle au parking du Drover's Inn et prit le chemin conduisant au bassin de pêche. Sadie dormait à poings fermés dans le porte-bébé placé sur son dos. C'était une journée de printemps très douce; toutes sortes de créatures minuscules voletaient dans les airs, célébrant le retour de la chaleur.

— Ces insectes sont idiots, dit Rowan, haletante, la montée étant plus raide que dans son souvenir. Ils sont sortis jouer trop tôt. Ils ne connaissent pas les dangers des gelées printanières. Une ou deux nuits glacées auront raison d'eux avant même qu'ils aient eu le temps de batifoler dans le sentier.

Le bassin de pêche était à cinq kilomètres du parking. Le chemin, bordé d'arbres d'un côté et s'ouvrant sur la vallée de l'autre, était à son début couvert de gravier et raide ; on voyait qu'il avait été parcouru en tous sens par des centaines de clients du Drover's Inn, soucieux de dépenser quelques calories après leur copieux repas. Au bout d'environ huit cents mètres, le chemin devenait plus plat et était envahi par les herbes, car rares étaient ceux qui grimpaient plus haut.

« Superbe vue », soufflaient-ils en se tapotant la poitrine et en regardant avec envie le toit du Drover's Inn, petite tache rouge tout en bas.

Puis ils se tournaient pour considérer avec un intérêt décroissant le chemin au-dessus d'eux. Après un faux plat d'une centaine de mètres, il s'élevait de nouveau cruellement.

« Il faut savoir s'arrêter », concluaient-ils.

Seuls quelques intrépides s'attaquaient à la montée très raide au-delà des pins écossais, pour descendre ensuite sur huit cents mètres environ dans la vallée, jusqu'au bassin de pêche.

C'est ce que fit Rowan, pressant ses mains sur ses cuisses pour calmer la douleur de ses muscles brutalement éveillés. Sa gorge la brûlait — trop de cigarettes —, et une salive amère, chargée de nicotine, baignait l'arrière de sa langue.

— Il faut que j'arrête, se jura-t-elle dans une quinte de toux.

Son cœur battait à tout rompre. Des perles de sueur

brillaient sur son front, sur sa lèvre supérieure. Elle écoutait le souffle paisible de l'enfant contre son cou, le martèlement de ses propres pieds sur le sol. L'air fleurait bon le printemps, une brise légère balayait la colline. Régulièrement, elle se retournait et marchait à reculons, soulageant quelques muscles, en malmenant d'autres. Au moins, dans ce sens-là, elle jouissait de la vue.

Enfin, elle atteignit le sommet. Elle resta un moment immobile, reprenant son souffle mais triomphante. En bas, elle voyait le petit lac. La rivière se déroulait au-delà, parfois profonde, parfois tumultueuse.

Elle s'était dit que la descente serait facile. Ce ne fut pas le cas. Ses chevilles lui faisaient mal. Elle se disait que, d'un moment à l'autre, elle allait glisser sur les fesses et tomber violemment, maladroitement, avant de rouler jusqu'en bas pour finir dans l'eau. Elle regardait fixement ses pieds ; ses précieuses chaussures de marche, ses chaussures de rêve, étaient toutes griffées.

Eileen, Rowan s'en souvenait, les avait regardées avec dédain.

— Tu fais vraiment fagotée, avec ça.

— Je m'en moque. Le but n'est pas d'être désirable. Au moins, si je suis fagotée, comme tu dis, je ne risquerai rien.

— Si tu veux être en sécurité, c'est des talons aiguilles pointus qu'il te faut.

— Parcourir le monde en talons aiguilles ? N'importe quoi !

Eileen avait haussé les épaules.

— Peu importe. C'est ton rêve — porte ce que tu veux. Mais moi, il faudrait me tuer pour me mettre des trucs pareils ! avait-elle conclu en montrant les chaussures de marche du doigt.

Rowan se demanda si, en cet instant précis, Eileen vacillait sur ses talons aiguilles le long d'une route poussiéreuse. Mais non, ce n'était pas son genre. Elle avait dû trouver quelqu'un pour la prendre en stop et était assise sur le siège passager d'une voiture de luxe. Elle laissait le conducteur apercevoir une cuisse qu'il ne caresserait jamais, passait sa langue sur ses lèvres qu'il n'embrasserait jamais, et lui parlait de sa voiture, du voyage, lui faisait présager des moments torrides en lui promettant mille choses impossibles... Le tour du monde d'une allumeuse.

En fait, plus elle y réfléchissait, moins Rowan parvenait à imaginer Eileen dans des contrées lointaines. C'était une fille de la ville. Peut-être faisait-elle un tour des grandes villes — Amsterdam, Rio, Tokyo? Bon sang, où diable était-elle donc?

Le bassin de pêche était l'endroit où Rowan et ses amis d'école venaient nager durant les longs étés de son adolescence. A cette époque, dont elle se souvenait avec émotion, les nuits étaient claires, et les journées toujours chaudes. La raison lui soufflait que c'était impossible; mais cette petite réécriture nostalgique du passé la réconfortait.

Cependant, lorsqu'elle l'atteignit, le bassin se révéla plus beau encore que dans ses souvenirs. Pourtant, il était tombé en désuétude. Les nouvelles générations de jeunes gens lui préféraient les pubs et les discothèques.

Elle se rappelait combien ses copines et elle-même étaient excitées et minaudaient lorsque Duncan Willis et ses acolytes couraient sur les rochers et se propulsaient en l'air avant de plonger, faisant naître des vagues gigantesques. Plus ils éclaboussaient, plus ils étaient forts...

Les filles s'asseyaient sur des serviettes, au bord du bassin, buvaient du Coca, fumaient et parlaient grand amour et vraies relations. Les garçons, eux, plastronnaient et criaient, discutant football et musique et roulant des épaules d'un air viril. Puis les garçons et les filles se regroupaient deux à deux et nageaient jusqu'à la rive opposée pour s'allonger sur l'herbe épaisse qui poussait sous les saules. Là, ils faisaient l'amour ou, du moins, se pelotaient sérieusement.

Aujourd'hui, n'ayant plus à souffrir de ces galipettes adolescentes, les lis qui poussaient autour du bassin s'étaient multipliés, et les branches des saules, de l'autre côté, effleuraient la surface de l'eau. Les arbres à feuilles caduques étaient, à cette époque de l'année, tendrement feuillus.

L'air était frais, apaisant. Encore tremblante de l'effort accompli, Rowan resta debout, embrassant le paysage du regard, reprenant son souffle. Au bout de quelques minutes passées à regarder au loin et à observer d'un œil distrait de petits oiseaux qui voletaient autour des saules, elle fit glisser le porte-bébé de ses épaules et l'adossa à une pierre. Sadie ne se réveilla pas. Rowan ôta ses chaussures et ses épaisses chaussettes de laine, roula le bas de son jean et longea doucement le bord de l'eau, soulageant ses pieds endoloris. Elle enleva son pull et le jeta sur la rive. Son tee-shirt suivit le même chemin. « Quelle importance », se dit-elle. Son jean et sa culotte rejoignirent la petite pile de vêtements. Un coup d'œil rapide lui permit de s'assurer que Sadie dormait toujours; elle plongea alors dans le bassin, nagea vigoureusement jusqu'à l'autre rive. Elle joua entre les lis, sans cesser de fixer la rive opposée. Sadie paraissait très loin, et minuscule, songea-t-elle avec inquiétude. Elle ferait mieux de la rejoindre. Mais c'était si agréable de nager ainsi, de suivre le soleil... Elle repartit en sens inverse en crawlant doucement, et s'arrêta à mi-chemin, nageant sur place, pour regarder autour d'elle. Elle avait oublié combien elle se sentait petite et vulnérable lorsqu'elle nageait dans le bassin de pêche; le paysage alentour — des montagnes recouvertes de conifères — était si grandiose... Elle plongea. Se mit sur le dos, à une quarantaine de centimètres sous la surface, les yeux ouverts, laissant l'air quitter ses poumons bulle après bulle jusqu'à ce qu'ils soient vides. Elle prolongea son apnée, les lèvres obstinément serrées. Elle commençait à avoir envie de remonter respirer, mais restait sous l'eau. Ses poumons la brûlaient. Elle se força à descendre plus bas encore. Le besoin de refaire surface pulsait en elle ; elle resta en bas, jusqu'au moment où son corps ne put plus défier la nature plus longtemps. Alors, elle jaillit à la surface, envoyant voler une myriade de gouttelettes autour d'elle, la bouche grande ouverte, haletante. Le monde était toujours là, toujours aussi calme. On n'entendait que les gazouillis des pouillots et des mésanges à longue queue qui passaient comme des virgules volantes entre les arbres, dans le lointain. Rowan fit la culbute et replongea sous l'eau, se propulsant jusqu'au fond. Elle se remémora trop tard la règle numéro un du bassin : il ne fallait jamais, jamais remuer la boue du fond. Comme elle descendait trop vite, ses bras se figèrent dans la vase. Des nuages de boue s'élevèrent autour d'elle, répugnants. Paniquée, elle s'agita en tous sens avant de resurgir à la surface en toussant et recrachant l'eau boueuse qu'elle avait avalée.

Des vagissements sonores retentissaient au-dessus du bassin. Rowan, émergeant des profondeurs, avait l'impression que ce bruit emplissait l'espace, occultait tout. Sadie, se réveillant abandonnée au milieu de cette étendue déserte et inconnue, hurlait sa peur et sa rage, le visage écarlate, les poings serrés. Un homme se tenait tout près d'elle. Rowan se dirigea vers la rive comme il posait son matériel de pêche sur le sol et se penchait vers l'enfant. Lorsqu'elle émergea, maculée de boue, elle vit que l'homme avait soulevé Sadie et qu'il la secouait légèrement, maladroitement. Sadie cessa de crier. L'homme se retourna pour observer Rowan, qui nageait frénétiquement vers la rive. C'était Nelson, le rédacteur en chef de la *County Gazette*, son nouveau patron.

— C'est vous, lui dit Rowan platement.

Il lui tendit Sadie.

— Votre bébé faisait un boucan de tous les diables.

Rowan ne prit pas la fillette.

— Je suis mouillée.

Elle regarda autour d'elle, à la recherche de quelque chose pour se sécher. Ramassa son tee-shirt abandonné et entreprit, bien inutilement, de le frotter sur son corps trempé.

— Le secret, quand on nage dans le bassin, lui dit Nelson, sans chercher à dissimuler son amusement, c'est de ne jamais toucher le fond.

Elle se frottait avec le tee-shirt humide. Puis il la regarda essayer désespérément d'enfiler son jean, en sautant sur place pour remonter le tissu rêche sur ses jambes mouillées.

— Je sais, dit-elle sans cesser de sauter. J'avais oublié.

Elle sauta une dernière fois, enfila son pull et lui prit Sadie.

— Merci.

— Pas de problème.

— J'ai dû déranger les poissons. Vous n'attraperez pas grand-chose à présent.

— Je n'avais pas l'intention de pêcher ici, répondit-il en ramassant son équipement. Je vais remonter la rivière. Il est trop tôt, de toute façon.

Lentement, il s'éloigna. Rowan esquissa une grimace derrière son dos.

— Si c'était arrivé quand j'avais treize ans, dit-elle à Sadie, j'aurais été dans un état! Bonne à ramasser à la petite cuillère. Mais en l'occurrence, je trouve que j'ai pas mal assuré. Je suis cool. Ça ne m'a pas dérangée qu'il me voie nue et dégoûtante. Oh, mon Dieu...

Elle enfila ses chaussettes et ses chaussures, remit Sadie dans le porte-bébé et prit la direction de la maison.

L'oiseau qui jaillit du bois était jaune. Jaune vif, avec des ailes noires. Il voletait d'arbre en arbre, paresseusement, lentement. Il se percha sur un piquet et, Rowan en était sûre, la regarda. Marvin Gaye chantait *Let's Get It On*. La jeune femme arrêta la voiture pour fixer l'oiseau à son tour. Il ne bougea pas, et elle songea qu'ils pourraient se regarder ainsi pendant des heures ; ce n'était pas elle qui remuerait la première. Sadie brisa l'enchantement. L'immobilité soudaine avait mis un terme à son assoupissement provoqué par le rythme du doux balancement. Elle hurla pour qu'on s'occupe d'elle, et l'oiseau s'envola. Plana de nouveau entre les arbres. Disparut. La route, les terres arables, encore brunes, l'herbe grise du bas-côté, les arbres, qui commençaient à bourgeonner — tout semblait soudain avoir perdu ses couleurs, sans lui.

Rowan avait l'intention de chercher l'oiseau dans le livre de Walter dès son retour chez elle, mais alors qu'elle sortait Sadie de l'arrière de la voiture, Mamie Garland, qui revenait à petits pas du supermarché, s'approcha.

— Du chardonnay italien, annonça-t-elle en montrant le sac qu'elle portait. L'avantage d'avoir des Italiens dans les parages, c'est que les magasins du coin vendent de la nourriture et du vin authentiquement italiens ! Viens donc fêter ton retour, ce soir.

— J'adorerais ça, mais je ne peux pas, s'excusa Rowan en souriant.

— Pourquoi donc ? demanda Mamie, qui n'aimait guère qu'on lui oppose un refus.

— Je dois m'occuper de cette demoiselle, dit Rowan en désignant Sadie. Je ne sors guère le soir, ces derniers temps.

— Tu n'as qu'à l'emmener. C'est juste au coin de la

rue. Nous regarderons un film, nous boirons un coup, nous mangerons quelques petites choses. Ce sera extra. Nous n'aurons même pas besoin de bavarder. Pas de lamentations, pas de récriminations.

— Je ne peux pas emmener Sadie. Elle se couche à six heures.

— Si, emmène-la. J'adore les bébés. Ils sont tout petits et câlins. Et ils n'ont pas honte de péter. Tu n'auras qu'à mettre son couffin sur l'un des divans dorés. Il n'est jamais trop tôt pour s'habituer au luxe. Tu dois penser à sa carrière cinématographique.

— Elle veut être avocate. Elle me l'a dit. Beaucoup d'argent à la clé.

— N'importe quoi !

Mamie approcha son visage de celui de l'enfant. Sadie lui décocha un sourire charmeur.

— Tu vois ? C'est une star. Tu viendras. La représentation commence à sept heures, une fois que Sadie sera bien endormie.

Mamie était arrivée en ville quarante ans plus tôt avec son amie. Pendant quelques années, elles avaient tenu le Squelch, qui s'appelait alors le Jubilee Arms.

— En ce temps-là...

Lorsqu'elle évoquait ses souvenirs, Mamie enfonçait ses mains dans ses poches et se balançait sur ses talons, affirmant son autorité. Elle était une experte sur « ce temps-là ».

— En ce temps-là, la bière était chaude, et tout le monde appréciait un bon sandwich au fromage et une petite chanson.

Les sandwichs au fromage de Mamie étaient une légende chez les vieux buveurs du village.

« Je n'ai jamais rien connu de tel. Du fromage, rien que du fromage. Parfois un peu d'oignon. Mais surtout du fromage... »

Telle était la description la plus précise dont on disposât. Les soirs de compétition de fléchettes, au pub, les gens suppliaient Mamie de leur refaire ses fameux sandwichs, mais elle refusait toujours. Les sandwichs nourrissaient les souvenirs, la nostalgie. Et mieux valait laisser la nostalgie à sa place, ne la visiter qu'en mémoire, sans en recréer. Parfois, dans ses moments sombres, elle s'avouait secrètement cette petite vérité :

— Ils étaient dégoûtants, ces sandwichs. Des cochonneries moisies, rien d'autre. Du pain rassis, du fromage jaune suintant.

Elle se regardait dans le miroir et imitait le sandwich au fromage moisi. Bien sûr, elle n'aurait jamais admis cela devant quiconque. La plupart du temps, elle embellissait le mythe.

— Pas de saletés entourées de Cellophane, chez nous. Nous gardions nos sandwichs sous une serviette en pur lin irlandais. Pour qu'ils aient de l'air. Un bon sandwich au fromage doit respirer.

A ces mots, certains fronçaient les sourcils, mais n'osaient rien dire. Lorsqu'elle était d'humeur autoritaire, Mamie savait se montrer fort impressionnante. Et puis, à quoi bon priver quelqu'un de la gloire qu'il tire de ses sandwichs au fromage?

— En ce temps-là, mon amie et moi, nous amusions les gars avec notre show.

Il s'agissait du spectacle qu'elles avaient monté, quand elles étaient dans le show-biz, pour les troupes stationnées à Gibraltar et en Afrique du Nord — un savant mélange de chansons de sir Noel Coward et de plaisanteries osées. Plus grivoises que vraiment cochonnes, en fait. L'amie de Mamie, Lavinia Hattersley, jouait du piano; Mamie s'appuyait contre l'instrument.

Au cours d'une soirée particulièrement animée, quelqu'un avait versé le reste de sa bière dans le piano.

Après cela, l'arrosage du piano était devenu une tradition. Quiconque gagnait aux fléchettes ou chantait une chanson de bout en bout sans oublier les paroles avait l'insigne honneur de régaler le piano. L'instrument avait été de si nombreuses fois détrempé qu'aujourd'hui seules deux ou trois touches sonnaient juste.

« Une pour moi, une pour toi, et une pour le piano ! » s'écriaient les ivrognes chanceux.

Et tout le monde se réunissait autour d'eux en les encourageant de la voix. Bientôt, le Jubilee Arms avait été connu sous le nom de Squelchy Piano[1], pour finalement répondre au surnom affectueux de Squelch.

— Eh oui, c'était le bon temps, soupirait Mamie d'un air béatement triste.

Puis, se penchant vers son interlocuteur, quel qu'il fût :

— Mon bonheur a pris le chemin de tous les bonheurs : pffuit, il s'est envolé, concluait-elle avec un geste de la main.

Lavinia s'était enfuie avec Rosie Carstairs, qui était plus jeune et plus jolie que Mamie, et avait été tuée dans un accident de voiture alors qu'elle se dirigeait vers Londres — « là où les gens comme elle sont plus à la mode », avait-elle écrit dans son mot d'adieu.

— C'était une fille de la ville, expliquait Mamie sans aucune amertume. Et voilà mon histoire. Et celle du Jubilee Arms, et de comment il devint le Squelch.

— Pourquoi vous êtes-vous installée ici? demanda Rowan, lorsque ce fut son tour d'entendre le récit de Mamie.

Elle avait alors seize ans.

— Eh bien, avait répondu Mamie en souriant, contente de cette question, c'est à cause de l'odeur.

1. « Le Piano détrempé ». *(N.d.T.)*

Elle avait levé le nez et reniflé, à la recherche de ce vieil arôme qui l'avait poussée à s'enraciner là.

— Les oranges... Je passais devant le magasin de fruits et légumes sur la venelle Robertson, et il y en avait énormément, alignées sur un grand plateau devant la boutique. L'air embaumait.

Elle avait pris une profonde inspiration, souri et secoué la tête, jouissant de ses souvenirs comme s'ils eussent été présents autour d'elle.

— Et il y avait l'odeur de quelqu'un qui préparait de la soupe. Jarret de porc. Et du linge qui séchait dans un jardin. On entendait les draps claquer au vent. Des voix derrière les fenêtres. La vie en marche. Mais ce sont surtout les oranges qui m'ont décidée. Elles me rappelaient Noël. « Vinnie, ai-je dit, Vinnie, c'est ici que je veux vivre. » Et elle a dit : « O.K., Mam. Si ça te fait plaisir, ça me fait plaisir aussi. » Mais ce n'était pas vrai. Dans sa tête, c'était une citadine... Enfin, on a quand même passé dix bonnes années.

— Vous ne lui en avez pas voulu, de s'être enfuie comme ça ? avait demandé Rowan.

— Non, je lui ai pardonné très vite. En revanche, je lui en ai affreusement voulu d'être morte. Je me réveillais la nuit et je criais dans le noir : « Pourquoi es-tu allée faire une chose pareille ? » J'étais tellement furieuse ! Mais il faut pardonner. Ça fait du bien, le pardon. Elle est ici, dans le cimetière, maintenant. Nous l'avons enterrée dans sa robe à la Rita Hayworth — tu sais, dans *Gilda* ? Même si, pour moi, elle a toujours été davantage Ava Gardner. Elle, elle préférait Rita.

La pierre tombale de Lavinia était rose pâle. *Ci-gît Lavinia Hattersley (1910-1956). Elle mourut dans sa quête du plaisir. Encore un glorieux scandale. Fonce, Vinnie.*

— J'espère qu'elle les choque tous, là-haut, avait conclu Mamie en montrant le ciel.

Le Rialto, lorsque Rowan y pénétra ce soir-là, n'avait pas changé du tout. Les murs du vestibule étaient toujours couverts d'immenses photos de stars encadrées.

— De vraies stars de cinéma, dit Mamie en l'accueillant et en prenant la bouteille de vin australien que lui apportait la jeune femme. Avec un vrai charisme.

Il y avait là James Stewart, Robert Mitchum, Kirk Douglas, Rita Hayworth, Kim Novak, Elizabeth Taylor, Sean Connery et Burt (d'après Burt Lancaster), le jeune coq primé de Mamie. D'autres stars vous accompagnaient le long du grand escalier conduisant au balcon — Jerry Lewis, Elke Sommer, Jayne Mansfield, Bing Crosby, Gene Kelly et une autre photo de Burt, cette fois avec sa poule préférée, Ingrid (d'après Ingrid Bergman).

Pour la première fois, Rowan réalisa que la superbe jeune femme aux épaules nues qui souriait entre Clark Gable et Dean Martin n'était pas une vraie star de cinéma.

— C'est elle? demanda-t-elle avec admiration. Votre Lavinia? Elle était superbe.

— Je te l'avais bien dit. Oui, c'est elle.

— Mon Dieu, dit Rowan. Les gens ne disaient rien? Dans un village aussi petit... Lavinia et vous... vous savez... deux femmes?

— Un couple de gouines, résuma Mamie, non sans une certaine fierté. Oh, ç'a été un merveilleux scandale, crois-moi. C'était génial. Vinnie était aux anges, mais cela n'a rien d'étonnant : les scandales, c'était son grand bonheur. Elle mettait exprès des robes scandaleuses. Mais ça a fini par passer. Les gens se sont habitués à nous. Il y en avait quelques-uns qui refusaient de m'adresser la parole. Encore maintenant, d'ailleurs. Mais la plupart se sont lassés de notre scandale et sont passés à autre chose. Il y a toujours des événements nouveaux à commenter. Des gamines de quatorze ans qui tombent enceintes, des gens qui s'enfuient avec d'autres gens. Des maris qui battent leur femme. Des femmes qui battent leur mari. Des histoires d'inceste. Des morts. Mais il n'y a plus de beaux vrais scandales, de nos jours. Que de la boue remuée. Tu es bien placée pour savoir de quoi je parle...

— *Moi?* s'exclama Rowan.

— Tu as causé un joli petit scandale, en débarquant comme ça avec un bébé qui n'était pas à toi. Un merveilleux scandale, dirais-je. Tu es une femme courageuse, Rowan Campbell.

— Je ne me sens pas courageuse, soupira Rowan. Je crois même que je suis un peu idiote, pour tout vous dire.

— Absurde. Tu as débarqué ici, tu es tombée comme un pavé bien équarri dans notre petite mare... Tu vas faire changer les choses, Rowan. Il y aura des vagues, tu verras.

Elles burent du vin dans de hauts verres à pied. Mangèrent du saucisson napolitain et du *pecorino*. Sadie dormait entre elles deux. Le cinéma était vide. Des grains de poussière dansaient dans la lumière de la salle de projection. Elles regardèrent le film préféré de Mamie, *Marqué par la haine*.

« Hé, dit Paul Newman, tout roué de coups, quelqu'un m'aime bien, là-haut. »

Et Rowan éclata en sanglots.

— Voilà, acquiesça Mamie. C'est l'effet que doivent produire les bons films.

Rowan pleura de plus belle.

— Pour l'amour du ciel, s'exclama Mamie, qu'est-ce qui ne va pas?

— C'est le film, balbutia Rowan. C'est tout. Nelson m'a vue toute nue, cet après-midi. Il n'a même pas réagi.

— Blasé, pas vrai? Il est toujours comme ça. C'est de la comédie. En fait, il était carrément troublé, crois-moi.

— Il n’a même pas regardé ! Moi, j’étais troublée. Oh, oui, j’étais troublée comme tout.

Elle renifla. Et continua à énumérer toutes les raisons qu’elle avait de pleurer :

— C’est de m’être fait voler tout mon argent... D’être revenue ici... Je voulais voyager de par le monde. J’avais des rêves.

— Tu ne te plais pas, ici ?

— Si. Mais je ne veux pas.

Mamie leva les yeux au ciel.

— Vous autres, les jeunes, vous avez un tel don pour vous compliquer la vie ! Tu vois, parfois, je me réjouis d’être une vieille gouine toute ridée.

10

La routine s'installa. Rowan se levait, nourrissait Sadie et Elvis et emmenait l'enfant passer la journée chez ses parents. Poussant Sadie dans son landau, elle remontait la venelle Robertson, passait devant la boutique du marchand de primeurs et devant le salon de thé de Pamela, dont l'enseigne ancienne formant le mot *THÉS* se balançait en grinçant dans la brise. Puis elle grimpait la colline jusqu'à la rangée de maisons victoriennes où ses parents vivaient depuis leur mariage, qui avait eu lieu trente ans plus tôt.

George et Norma les attendaient toujours assis à la table du petit déjeuner, George dissimulé derrière son *Telegraph*, Norma une tasse de thé à la main, écoutant la radio et commentant les nouvelles et la météo.

— Ils annoncent qu'il va pleuvoir. Nous ne pourrons pas conduire Sadie au parc, s'il pleut.

Quoi qu'elle dise, George répondait invariablement :

— Mmh. Je suppose.

Il ne pouvait endurer une conversation avant dix heures du matin.

A moins, bien sûr, qu'il ne s'agisse de son dialogue à sens unique avec Sadie. Un lien particulier s'était formé entre le bébé et lui.

Au début, Norma avait trouvé épuisant de s'occuper de l'enfant. Le premier jour, Rowan avait appelé plusieurs fois, pour vérifier que tout se passait bien. « Installe-la sur le dos. » « Il faut lui mettre son manteau, il fait froid. » Sadie faisait désormais partie de la vie de Norma et George. Norma s'en réjouissait parfois. Et parfois, cela lui pesait. Pourquoi se retrouvait-elle ainsi, avec sur les bras un bébé qui n'était même pas celui de sa fille ? Pourquoi sa vie était-elle bouleversée à ce point par l'égoïsme d'une inconnue ? Il ne fallait pas que Rowan s'imagine que George et elle seraient toujours disponibles pour s'occuper de l'enfant... Cela dit, c'était agréable, oui, bien agréable, d'avoir de nouveau un petit dans la maison.

Aussitôt la fillette arrivée, George et Norma se levaient d'un bond et traversaient en hâte le salon et le vestibule, les bras tendus.

— La voilà, petite chérie !

C'était toujours George qui atteignait l'enfant le premier. Il soulevait Sadie de son landau et, l'attirant à lui, il mettait son visage tout près du sien avant de chantonner :

— Comment vas-tu, aujourd'hui ? Tu as dormi sagement toute la nuit ?

Puis il murmurait d'affectueux mots sans suite, « Poussinette... Ma petite paupiette préférée... », avant de l'amener à la table du petit déjeuner. Il se rasseyait derrière son journal, Sadie sur les genoux, et commentait avec elle les résultats boursiers. Rowan ne parvenait pas à dissimuler sa jalousie. Elle ne se rappelait pas avoir jamais été admise dans le saint des saints de son père, derrière le *Telegraph*, et moins encore avoir été qualifiée de « petite paupiette préférée ». Avant que Sadie n'entre dans leur vie, Rowan n'aurait jamais cru que le mot « poussinette » fît partie du vocabulaire de George. A plusieurs reprises, sa mère, remarquant l'air pincé de Rowan, lui avait pris le bras et avait chuchoté à son oreille :

— Moi non plus, il ne m'a jamais appelée poussinette.

Après avoir laissé Sadie à ses parents, Rowan empruntait un chemin ridiculement long et détourné pour retourner sur la grand-place, où se trouvaient les bureaux de la *County Gazette*. Elle mettait un point d'honneur à éviter tous les lieux fétiches de son enfance ; elle estimait être trop jeune pour la nostalgie. De plus, visiter le théâtre de ses sottises de jeunesse la mettait mal à l'aise ; elle n'en gardait pas un souvenir ému. Elle avait beau savoir que son enfance n'avait pas été malheureuse, elle n'arrivait pas à se remémorer quoi que ce fût d'agréable à son sujet. Elle craignait également de rencontrer les gens avec qui elle était allée à l'école ; elle n'avait pas envie de parler de ce qu'elle avait fait depuis. La légende voulait qu'elle ait vécu la grande vie à Londres, qu'elle soit allée de discothèques en soirées et ait fréquenté des célébrités. Elle n'était pas prête à avouer qu'elle avait passé l'essentiel de ses soirées chez elle, à écouter la radio en lisant des récits de voyages. Elle aimait bien sa nouvelle image de citadine sophistiquée.

Dans la journée, Rowan était assise au bureau de la réception de la *County Gazette*. Elle répondait au téléphone, notait les petites annonces, les nouvelles paroissiales et rédigeait des brèves ayant trait à l'actualité locale à partir des informations que diverses organisations envoyaient régulièrement au journal. La réunion mensuelle de l'Institut des femmes avait eu lieu le 30 avril. Erica Nisbit avait gagné la compétition organisée par la boulangerie dans la section « pâtisserie » avec son gâteau aux framboises, Sonia Hetherington l'avait emporté dans la section « chutneys » avec ses cornichons aux noisettes, et Jean Watson avait une nouvelle fois reçu le premier prix dans la section « fleurs » avec son arrangement de fleurs séchées et de pensées précoces intitulé *Prière pour la Bosnie...*

Rowan aimait bien les petites annonces. Elle avait remarqué que, dans la région, il semblait y avoir des réserves inépuisables de guitares, de patins à glace, de canapés convertibles, de chaussures de danse, de cages à perruches et d'aquariums à vendre. Elle trouvait tout cela absurdement fascinant.

Les lundis après-midi, elle allait chercher les horoscopes chez Mlle Porteous. Celle-ci les laissait toujours, scellés dans une enveloppe en papier kraft, sur son porche. Mlle Porteous avait horreur d'être dérangée. Rowan retournait au bureau par le chemin des écoliers ; elle descendait la colline, contournait le parc, puis remontait vers la grand-place par les petites rues. Roulant légèrement des hanches avec ses bottes à hauts talons, elle regardait autour d'elle et jetait un coup d'œil dans les jardins vides, les pouces dans les poches arrière de son jean. Une fois, dans la venelle Robertson, elle surprit son reflet dans la vitrine vide d'une ancienne cordonnerie. Elle avait l'air émaciée et très jeune, avec ses cheveux décolorés aux racines visibles et ses longues boucles d'oreilles pendantes en argent. Elle portait une chemise blanche et une veste en lin rose qu'Eileen avait choisies pour elle.

Trois semaines après l'arrivée de Rowan à Londres, Eileen avait décidé qu'elle avait besoin d'un nouveau look.

— Je vais te réinventer. Te rendre plus intéressante.

— Je n'ai aucune envie d'être réinventée, avait protesté Rowan d'un ton boudeur.

— Bien sûr que si. Tout le monde en a envie. C'est ce qui rend la vie digne d'être vécue.

Au terme d'un samedi éreintant, Rowan était rentrée à la maison « réinventée ». Ses cheveux étaient décolorés et coupés plus court encore qu'à son arrivée — c'est-à-dire très, très court. Elle s'était fait percer les oreilles. Elle passa la soirée à faire tourner les boucles, comme le lui avait recommandé le bijoutier.

— Laisse tes oreilles tranquilles, la gourmanda Eileen. Ce n'est pas cool de les tripoter tout le temps.

— Eh bien moi, j'ai envie de les tripoter. Ça fait bizarre.

Elle portait ses bottes à hauts talons, un jean plus moulant que tous ceux qu'elle avait osé porter auparavant, et une chemise blanche toute simple qui lui avait coûté les yeux de la tête. Dans sa chambre étaient pendus la veste en lin rose — une affaire, prix cassé, reste des soldes d'automne — et son blouson en cuir noir.

— J'ai trop dépensé. C'était l'argent que je mettais de côté pour voyager.

— On ne dépense jamais trop, affirma Eileen. En plus, tu auras besoin de tout ça en chemin. Un blouson en cuir : on ne peut pas se tromper, avec ça. Une veste en lin ? Parfait en été. Je le sais, je bossais dans la mode, avant.

— Vraiment ? Qu'est-ce que tu faisais ?

— Je couvrais Paris et Londres pour un magazine américain. C'est un milieu complètement dément ! Une fois, ils n'ont pas voulu me laisser entrer pour un défilé Vivienne Westwood. Il a fallu que je pleure et que je trépigne. A la fin, j'ai fait une telle histoire que les videurs n'ont pas osé me laisser dehors.

— Quel magazine ? Je ne savais pas que tu avais écrit pour des journaux.

— Oh, je n'ai pas fait ça très longtemps. Je ne me souviens même plus du nom du magazine pour lequel je travaillais.

Elle regarda en l'air, réfléchissant — ou faisant semblant de réfléchir? En fin de compte, elle balaya la question d'un revers de main las.

— C'est sans importance.

Rowan ne se rendait pas compte de l'émotion qu'elle avait provoquée en revenant au village en Coccinelle, avec une coiffure aussi osée et un enfant. Maintenant, alors qu'elle se dirigeait vers la grand-place, l'enveloppe en papier kraft de Mlle Porteous sous le bras, elle se retrouvait nez à nez avec elle-même. Une fille, plus jeune qu'elle, s'avançait dans sa direction, vêtue d'un jean moulant, d'une chemise blanche et d'une veste en lin. Ses cheveux étaient décolorés et coupés à la garçonne, des boucles d'oreilles en argent de style inca pendaient à ses oreilles. Rowan la regarda passer. Puis recula de quelques pas. « C'est moi... songea-t-elle. J'espère qu'elle sera plus douée que moi pour être moi. »

En chemin, elle s'arrêtait toujours à la friterie pour prendre un expresso et bavarder quelques minutes avant de rentrer au bureau. Seuls les membres de la famille Rossi, et quelques rares amis triés sur le volet, avaient droit à la minuscule tasse dorée en provenance de l'arrière-cuisine. Rowan serrait la tasse entre ses mains, sirotait son café et regardait la grand-place, les gens qui passaient. Claudia lui racontait des vétilles, des anecdotes sans importance qu'elle avait le don de transformer en histoires épiques d'amour et de mort, de haine et de trahison.

— Mary Reynolds est tombée sur le trottoir, hier. Elle a déchiré son collant. Elle pourrait porter plainte contre la mairie, et gagner des milliers de livres. Des milliers et des milliers. Elle pourrait plaquer son mari et aller vivre à Monte-Carlo.

Claudia savait également transformer des histoires fascinantes en anecdotes sans importance.

— Tu sais, cette Jean Gibbs qui est morte la semaine

dernière? Eh bien, quand sa famille a classé ses affaires, on a trouvé vingt-cinq mille livres entassées dans trois boîtes de chocolat. Tu sais, ces grosses boîtes assez chères avec des reproductions de tableaux sur le dessus?

Dans le fond, le Nuns' Chorus chantait une chanson.

— Et toi, demanda Rowan, les yeux toujours fixés sur la grand-place, comment vas-tu?

— Des *Milk Tray* de Cadbury, voilà ce que c'était! l'informa Claudia.

Les détails. Tout était dans les détails.

— Que veux-tu dire, comment je vais?

— Je ne sais pas, répondit Rowan. C'est juste une question en passant. Une formule. « Comment ça va? Tu as passé une bonne journée? Tu es heureuse? »

— Tout va bien. Qu'est-ce que ça veut dire, est-ce que je suis heureuse? Quelle drôle de question!

— C'est une question de tous les jours, très banale, souligna Rowan en reposant sa tasse.

— Et toi, tu es heureuse? contre-attaqua Claudia.

— Oui, tant que Sadie est réveillée. Mais une fois qu'elle est au lit, je me retrouve toute seule, et il m'arrive de me sentir vraiment mal, quand je pense à l'argent qu'on m'a volé. Parfois, je shoote dans la chaise et je tape du pied.

La veille, après avoir passé toute la soirée à penser à Eileen et à ce qu'elle pouvait bien faire avec son argent, Rowan s'était préparée pour la nuit. Alors qu'elle se lavait les dents — activité neutre entre toutes — des images d'Eileen s'étaient imposées à son esprit. Cette fois, cependant, elle ne l'avait pas vue en jeune femme enjouée se faisant l'avocat de la méchanceté. Non, elle l'avait retrouvée dans un de ces moments d'ennui presque palpable qu'elle transformait toujours en malice.

— Et si on faisait quelque chose de mal? Juste pour le plaisir?

— Pas le courage, avait répondu Rowan.

— Oh, allez, viens ! Ne sois pas nulle !

— Je ne suis pas nulle. D'abord, je suis méchante plus souvent que tu ne l'imagines. Et toi, moins souvent que tu ne le prétends.

— Oh, toi ! Tu as tout planifié, hein ? Tu sais exactement ce que sera ta vie... Eh bien, fais attention, ma petite Rowan. Veau, vache, cochon, couvées... tu connais la suite.

Deux semaines plus tard, elle avait disparu.

Rowan avait craché son dentifrice et observé son reflet embué dans le miroir. Pour la première fois, elle se rendait compte du désespoir, de la tristesse profonde d'Eileen.

« Elle échoue tout le temps, avait-elle dit à son reflet en agitant sa brosse à dents. La pauvre. »

En cet instant, Rowan avait décidé qu'elle en avait fini avec Eileen. La pitié avait toujours cet effet-là, sur elle.

Revenant au présent, Rowan demanda à Claudia :

— Il n'y a rien qui te donne envie de donner des coups de pied dans le canapé ou de trépigner ?

— Non, affirma Claudia.

— Tu devrais. Ça fait du bien, de temps en temps.

Claudia ne répondit pas. Rowan haussa les épaules, s'excusa auprès de son amie — elle n'avait pas voulu la contrarier — et s'en alla.

Paolo lui courut après.

— Je t'ai entendue... Il ne faut pas que tu broies du noir, le soir. Sors avec moi.

— Non, répondit Rowan sans hésitation.

— Pourquoi ?

— Tu le sais très bien.

— Non, je ne le sais pas.

— Tu as couché avec toutes les femmes de la ville.

— Faux. Il reste Mamie Garland et Mlle Porteous.

— Oh, arrête! Tu sais très bien ce que je veux dire.

Ils regardèrent une camionnette fatiguée, couverte de boue et toute rouillée, débouler sur la grand-place à toute vitesse en klaxonnant. Elle s'immobilisa dans un grincement devant le bureau de la *County Gazette*; deux labradors débonnaires assis sur le siège arrière se précipitèrent vers l'avant, écrasèrent leurs truffes sur le pare-brise, puis retournèrent tristement reprendre leur poste en bâillant. Ils avaient l'habitude... Lord Dorran sortit du véhicule, quelques feuilles de format A4 à la main — son éditorial. Laissant la portière de la camionnette grande ouverte et le moteur en train de tourner, il fit quelques pas jusqu'au milieu de la route avant de s'immobiliser, les mains sur les hanches, les jambes écartées. Petit homme furieux, dont les cheveux se raréfiaient, vêtu d'un pantalon usé et d'une chemise à carreaux vieille de deux générations dont les pans claquaient dans les courants d'air qui sifflaient entre les vieux immeubles, il toisa la friterie d'un air mauvais.

Paolo rit, glissa l'ongle de son pouce derrière une de ses dents de devant et le fit claquer d'un air moqueur, la lèvre supérieure retroussée.

— Vieux schnock!

Il aurait pu choisir n'importe quelle insulte, mais Paolo, avec ses petites fesses musclées et sa coiffure coûteuse, estimait que « vieux » était la pire qui fût.

Lord Dorran devint écarlate, se raidit, mais ne bougea pas d'un pouce.

— Saletés d'étrangers!

Ses chiens penchèrent la tête sur le côté, observèrent la confrontation avec indifférence et bâillèrent de nouveau.

— Oncle Bruno? demanda Rowan.

— Oncle Bruno, confirma Paolo.

Des années plus tôt, Bruno, l'oncle de Paolo, venu de Sicile rendre visite à sa famille, avait été surpris sur les terres de lord Dorran avec un fusil. Dans son sac, on avait trouvé un faisan, une grouse, trois vanneaux et une crécerelle. Oncle Bruno avait reçu une lourde amende, et refusait depuis de revenir en Ecosse. Ce qui ne dérangeait guère les Rossi : Oncle Bruno restait toujours plus longtemps qu'il n'était convié, il mangeait trop et buvait plus encore. Sans parler des oiseaux abattus qu'on retrouvait dans le congélateur... Cependant, l'honneur de la famille avait été entaché. Paolo estimait donc de son devoir de retourner son regard furibond à lord Dorran et de lui faire face.

Enfin, lord Dorran se décida à bouger. Avec de grands gestes de bras destinés à bien faire sentir son importance et à chasser tous les êtres insignifiants qui auraient pu se trouver sur son chemin — bien qu'il n'y eût personne aux alentours —, il se dirigea vers l'immeuble de la *County Gazette* et pénétra à l'intérieur.

— Votre satanée réceptionniste est dehors avec un de ces voyous de la friterie ! cria-t-il en faisant irruption dans le bureau de Nelson et en lui lançant son article d'un geste sec. Voilà mon éditorial. Assurez-vous que le chèque parte aujourd'hui même.

— Pas de problème, soupira Nelson.

Il rêvait de se débarrasser de l'éditorial mensuel désuet de lord Dorran et de le remplacer par quelque chose d'un peu plus moderne, mais comment faire ? Le vieil irascible était son beau-père...

Lorsque Rowan réapparut, Nelson la fit venir dans son bureau.

— Comment se fait-il qu'il vous faille trois quarts d'heure pour aller chercher les horoscopes au coin de la rue ?

— J'ai marché doucement ? suggéra-t-elle.

— Vous êtes allée à la friterie.

— Qui vous l'a dit ?

— Lord Dorran.
— Vieux rapporteur.
— Vous parlez de mon beau-père.
— Désolée.
— Et tant que nous y sommes, arrêtez de fumer dans les locaux du journal. J'ai horreur de ça.
— Pardon.
Elle se tourna pour partir. Une fois arrivée à la porte, elle leva les bras en un geste plein de défi.
— Pardon, pardon, pardon.
— Si vous vous décidez à adopter une telle attitude, je vais me méfier.
— De quoi?
— Des tuiles au gingembre.
— J'avoue que je suis tentée d'y avoir recours.
Nelson grommela quelque chose dans sa barbe.
Rowan retourna à son bureau. Ce type était, décida-t-elle, le roi des grincheux. Mais bon, elle savait pourquoi. Tout le monde savait pourquoi. L'histoire de Nelson était bien plus qu'un ragot de première classe; c'était une véritable légende, que l'on racontait inlassablement dans les pubs et les bars de tout le comté.

Douze ans plus tôt, alors que Rowan habitait encore à Fretterton, Nelson avait épousé la fille de lord Dorran, Justine. Tout le monde les comparait à des héros de conte de fées; Norma parlait de « couple idéal ». Lui, si beau, si talentueux. Rédacteur en chef du journal local à trente-deux ans tout juste. « Rien ne pourra arrêter ce jeune homme », prédisait la mère de Rowan, enthousiaste. Et elle, si riche, si belle! Rowan n'était pas de cet avis, naturellement. Elle avait treize ans, elle était folle de Nelson, et elle était persuadée que Justine lui briserait le cœur. Les autres filles de sa classe imitaient la coiffure et la façon de s'habiller de Justine, elles se pavanaient sur la grand-place en tenue de Justine junior. Pas Rowan.

Exquise, pâle, les cheveux sombres, Justine donnait l'impression d'être toujours en mouvement. Un soir de décembre glacial, alors que Rowan rentrait chez elle après avoir participé à la pièce de théâtre de l'école, vers vingt-deux heures, elle l'avait vue danser seule devant le County Hotel, seulement vêtue d'une fine robe soyeuse que le vent plaquait contre son corps mince. Elle semblait flotter sur les pavés, les bras écartés, chantant une chanson fragile. *La-la-la*. Rowan, tremblante, s'était immobilisée sous le porche d'entrée du marchand de journaux. Elle était tellement fascinée par la danse de Justine qu'il lui avait fallu quelques minutes pour remarquer Nelson à la porte du County Arms Hotel, qui regardait lui aussi ce spectacle. Il paraissait désespéré. « Je le savais, avait pensé Rowan. Elle lui brise le cœur. »

Tout le monde au village savait que Nelson s'éveillait dans un lit vide. Le matin, Justine avait été vue par le facteur et le laitier dans son jardin, en train de danser seule sur la pelouse. Sa chemise de nuit couleur crème épousant ses moindres mouvements, elle chantait ce même air : *la-la-la*. Jamais de paroles — c'était la musique de sa danse. Même en février, quand la neige recouvrait tout d'une couche de sucre glace, elle ne semblait pas sentir le froid. Dans les bars et les restaurants, elle s'agitait sur sa chaise, jouait avec ses manches, posait sur les gens un regard étrange.

— Est-ce que je t'ennuie? demandait Nelson.

— Non, répondait-elle sans se tourner vers lui.

Il voulait des enfants; il l'avait dit aux gens avec qui il travaillait, aux habitués du Squelch. La rumeur s'était propagée. Ce n'était pas un couple heureux.

Nelson et Justine avaient emménagé dans une maison à l'extérieur du village. Nelson rêvait d'emmener les enfants qu'ils auraient au château des Dorran, de faire avec eux de longues promenades sur les pelouses les soirs d'été, jusqu'à la rivière, pour aller observer les poissons, de leur parler du mouvement de l'eau, de la lumière. Justine ne voulait rien de tout cela. Parfois, alors qu'ils rentraient chez eux en voiture, il lui arrivait d'immobiliser le véhicule au beau milieu de la rue pour s'extasier sur une vieille chanson d'Echo and the Bunnymen.

— *The Killing Moon*, écoute ça. Ça ne te donne pas envie de pleurer?

— Non, répondait-il d'une voix sans expression.

Cela ne l'intéressait pas. Lui vibrait pour Mozart.

Lorsqu'ils allaient dîner en ville, Justine repoussait son assiette pleine, allumait une cigarette et chantonnait les airs fragiles qui se bousculaient en permanence dans sa tête. *La-la-la.*

— Je ne porte pas de culotte, lui arrivait-il de dire à table.

Certains prenaient une mine embarrassée, d'autres riaient, d'autres encore — les femmes, surtout — ripostaient :

— Pourquoi donc, ma chérie? Tu n'as pas les moyens de t'en acheter, ou elles sont toutes sales?

Justine se contentait de sourire.

— Je n'aime pas en porter, c'est tout. Je les trouve trop gênantes.

Nelson attendait toujours qu'ils soient rentrés chez eux pour lui faire une scène.

— Es-tu vraiment obligée de te conduire ainsi? De dire des choses pareilles?

— Oui.

Et la chanson reprenait. *La-la-la.* La discussion était close. Il se demandait comment il avait pu ne pas remarquer l'étrange attitude de sa femme, avant leur mariage. L'amour était-il vraiment aveugle? Il allait travailler le matin fou d'inquiétude, se demandant ce qu'il découvrirait le soir en rentrant chez lui. Une fois, elle avait peint la chambre à coucher en rouge. Ou du moins avait-elle commencé, fait un mur et demi, puis elle avait abandonné et laissé le reste de la pièce comme il était, blanc. Elle s'était ensuite attaquée aux meubles. Elle avait donné toutes les chemises de Nelson à Oxfam; il avait été obligé d'aller les racheter.

Tout le monde au village savait, bien sûr, que Justine avait été une enfant difficile. Certaines choses étaient impossibles à cacher, dans une petite communauté comme celle-là. Justine avait été renvoyée de quatre écoles. Avait laissé tomber ses études à seize ans. Etait allée de travail en travail. Elle avait été vendeuse dans une boutique, puis avait décroché un job dans la publicité. Son père avait financé la création d'un studio de design. Cela n'avait pas duré. Rien ne durait. A vingt-deux ans, elle s'était allongée dans la baignoire de son appartement, avait ouvert le robinet et s'était ouvert les veines — sans succès. Lord Dorran l'avait rapatriée à la maison. La vie simple de la campagne, le grand air lui feraient du bien, pensait-il. Il était sincèrement persuadé que c'étaient là des remèdes efficaces à tous les maux, grippe aussi bien que schizophrénie.

Lorsque sa fille était sortie avec Nelson, lord Dorran avait cru tous ses problèmes résolus. Il pardonna à Nelson son origine odieusement humble parce qu'ils s'entendaient bien. Nelson lui plaisait : il pêchait, appréciait le whisky et ne parlait pas beaucoup.

Bien sûr, tout le monde savait pourquoi Justine était tellement, tellement... nul ne trouvait l'adjectif adéquat.

— Cinglée? suggérait Mamie Garland.

— Légèrement dérangée, corrigeait George, du County Arms Hotel.

Personne n'aimait parler de folie. C'était une folie si belle, si gracieuse...

La mère de Justine, Lisa, s'était tuée vingt ans avant le

mariage de Justine avec Nelson. Elle avait conduit sa Land Rover jusqu'au cœur de la forêt de la propriété, l'avait garée, avait mis le bout d'un tuyau autour du pot d'échappement, l'autre à l'intérieur de la voiture, et avait scellé le tout avec des kilomètres de ruban adhésif. Puis elle avait mis le contact. Elle avait toujours eu tendance à disparaître et à réapparaître sans prévenir ; on était en août, toute la propriété bourdonnait d'activité. Le pavillon de chasse était plein. Jim, le garde-chasse, et les employés du domaine étaient tous occupés par le tir à la grouse, sur la colline. Personne ne s'était inquiété outre mesure de son absence.

— Elle reviendra, avait grommelé lord Dorran. Comme si de rien n'était, à son habitude.

En réalité, lorsqu'il avait prononcé ces mots, elle était déjà morte depuis trois jours. On l'avait retrouvée le lendemain. Près d'elle était posé un petit mot : *Tout est si intolérable.*

— Qu'est-ce qui est intolérable ? avait demandé lord Dorran au garde-chasse, qui avait haussé les épaules.

Il n'en savait rien.

Fou de chagrin, lord Dorran avait considéré son château, son domaine — ses jardins clos de hauts murs, ses pelouses, sa forêt, ses landes à grouses, ses fermes, qui appartenaient à sa famille depuis plus d'un siècle. Comment cela pouvait-il paraître intolérable ? Il adorait chaque centimètre carré de sa propriété... Alors, il s'était mis à boire. Et enfin, il avait décidé de faire de son mieux pour rendre tolérables les choses intolérables.

Chaque année, au printemps, il confectionnait des bombes de terre de la taille du poing, dans lesquelles il enfonçait des graines de toutes sortes, liées avec du yaourt. Il se promenait en voiture dans la campagne et les lançait sur le bord des routes. Au bout de quelque temps, il y eut de vibrants bosquets de fleurs sauvages — coquelicots, silènes — sur toutes les routes partant de son domaine. Il les appelait ses « bouquets à Lisa ». Cela fait, il agrandit son territoire. Il y avait des « bouquets à Lisa » aux croisements, aux ronds-points et dans tous les tournants à des kilomètres à la ronde. A présent, ses raids le conduisaient à entreprendre des voyages de plus de cent cinquante kilomètres, tant le long des autoroutes que sur de minuscules routes abandonnées. En envoyant ses grenades florales par le toit ouvrant de sa Jaguar, il criait : « Tolérable ! Je rendrai tout cela tolérable ! »

Au fil du temps, l'état de Justine avait empiré. Elle se badigeonnait le visage de rouge à lèvres et courait en tenue légère dans les rues. Billy Watson, le sergent de police, insistait chaque fois pour la ramener chez elle lui-même, quelle que soit l'heure, qu'il fût en service ou non. Nelson savait désormais que sa femme était malade. Qu'elle souffrait d'une maladie que ni lui, ni le père de Justine ne savaient décrire, et encore moins gérer. Côte à côte devant le feu, au château, se rôtissant les fesses, ils disaient « Bon » ou « Que voulez-vous y faire ? » et « C'est ainsi ».

Un jour qu'elle était en voiture avec Nelson et que celui-ci conduisait, sur l'autoroute, Justine avait ouvert la portière. Lorsque Nelson avait ralenti en lui criant de la refermer, elle avait sauté en marche et s'était mise à courir en se déshabillant et en lançant ses vêtements aux voitures qui arrivaient derrière eux. Après cela, elle avait passé deux mois à l'hôpital. Elle en était ressortie calme — la Justine qu'il avait épousée. Cela avait duré trois semaines. Justine avait tempêté, affirmant qu'elle détestait cette paix. L'extase de sa folie lui manquait. « Je veux retourner là-bas, je veux retrouver ma poésie. » Elle pensait que tout ce qu'elle disait lorsqu'elle ne prenait pas ses médicaments était exquis. Elle trouvait la raison sinistre. Sa voix était triste.

Un jour, elle avait disparu. Et était revenue une semaine plus tard avec un groupe de musiciens de blues, qui se promenaient dans les longs corridors du château en disant : « La vache, regarde cet endroit... C'est dingue. » Ils avaient bu le porto de cinquante ans d'âge de lord Dorran et ses purs malts d'Islay. Justine s'était mis dans la tête d'organiser un concert dans la propriété. Les musiciens avaient posé des affiches au Squelch et au County Arms Hotel, et tous les gosses du village étaient venus. Le bruit s'entendait à des kilomètres, et avait expédié lord Dorran, les oreilles bouchées avec du coton et l'esprit apaisé par une demi-bouteille de Bowmore, au lit dès huit heures et demie du soir. Lorsqu'il s'était éveillé, à quatre heures du matin, il était sorti du château. On était en juillet, il faisait beau, l'aube commençait à poindre. Les pelouses étaient jonchées de canettes et de bouteilles, de paquets de chips et de « Dieu sait quoi d'autre ». Ses serres avaient été vandalisées et l'on avait arraché ses poivrons et ses tomates. Ses légumes avaient été déterrés et jetés de tous côtés. Les barrières de ses champs avaient été ouvertes, et son troupeau de bœufs des Highlands primé au concours agricole était déjà à mi-chemin du village. « Si vous voulez de l'intolérable, voilà de l'intolérable ! » avait-il hurlé. Il avait grimpé dans sa camionnette et était descendu au village pour arpenter les rues en klaxonnant furieusement, encore et encore, jusqu'à ce que tout le monde soit éveillé. Il voulait les coupables. Ne les trouva pas. Justine souriait de sa fureur ; rien ne pouvait plus la toucher, à présent. Elle était amoureuse.

Mark Harrison avait quinze ans. Il était grand, blond, avec des cheveux longs. Il voulait devenir une star du rock et écrivait lui-même les paroles de ses chansons ; il les avait lues à Justine. Elle avait été éblouie. Pourquoi personne à part elle ne se rendait-il compte de son génie ?

Tous les matins, elle attendait Mark à sa porte pour le suivre jusqu'à l'école. A seize heures, elle le suivait de nouveau jusque chez lui. Elle lui envoyait des petits mots, lui téléphonait à toutes les heures du jour et de la nuit. Elle trouvait qu'il ressemblait à lord Byron, bien qu'elle n'eût jamais vu de portrait de ce dernier. Simplement, Mark correspondait à l'idée intime que se faisait Justine du poète. Le jeune homme était flatté, sa mère furieuse. Elle avait accusé Justine de harceler son fils.

— N'importe quoi, avait répondu Justine. Je le comprends. Je veux l'encourager. J'ai des relations dans le milieu de la musique.

Elle semblait à peu près raisonnable, jusqu'au moment où elle avait décidé que la conversation était terminée, et s'était mise à regarder dans le vide en chantant sa sempiternelle chansonnette. *La-la-la.*

Nelson se disait souvent que la douleur et la honte auraient été plus supportables si ç'avait été lui qui avait découvert Justine et Mark ensemble. Mais ce fut la femme de ménage. A quatre heures de l'après-midi, elle croyait Justine au village, en train de filer son grand amour; aussi était-elle entrée sans frapper dans la chambre pour la nettoyer. C'est ainsi qu'elle avait découvert que Justine avait enfin réussi à conquérir le jeune homme. Il était au lit avec elle, et visiblement très occupé. Avant six heures, tout le monde était au courant, tant au Squelch qu'au County Arms Hotel. C'était un scandale. Pas un merveilleux scandale, selon Mamie Garland. Mais pas un horrible scandale non plus, étant donné la beauté des personnes impliquées.

Le sergent Watson avait tambouriné du bout des doigts sur son bureau. Mark Harrison était mineur. La femme, cependant, était la fille de lord Dorran... Il n'aimait pas causer d'ennuis à l'aristocratie. Nelson était rentré chez lui plus tôt qu'à l'accoutumée, mais Justine et

Mark s'étaient déjà enfuis tous les deux. Nelson ne devait plus jamais revoir Justine. Ils avaient été mariés trois ans.

Justine lui avait envoyé une carte postale d'Amsterdam, puis, quelques semaines plus tard, une autre, de Milan, où elle lui annonçait qu'elle partait en Inde. Elle disait qu'elle allait bien. *Des anges bordent mon chemin, rien ne peut m'arriver.* Au début, les cartes arrivaient toutes les semaines; Justine y griffonnait toujours ses poèmes. *Bienvenue dans mon désespoir, dit la vieille / Réchauffe tes mains à ma douleur / Elle veut que le monde la trouve allongée là / Il fait froid, froid ici. Ne t'inquiète pas, Nelson. Les anges sont toujours avec moi.* Nelson s'inquiétait, précisément. Une semaine passait, une autre carte postale arrivait. *Des chérubins et des licornes m'ont guidée dans les rues de Delhi. La-la-la.* Nelson ne savait pas quoi faire; il enrageait. Il avait été fait cocu par un écolier. Il se sentait ridicule. Et, dans le même temps, il paniquait à l'idée que sa femme connaisse une fin horrible, toute seule, à moitié nue dans quelque impasse sinistre d'une ville quelconque. Amsterdam? Milan? Delhi? Où était-elle? Il voulait aller la chercher.

Mark avait fini par rentrer chez lui, la tête basse. Après quelques jours de disgrâce passés à se terrer chez lui, il était retourné à l'école. A la longue, ses méfaits avaient été pardonnés, et certains de ses camarades l'avaient même considéré comme un héros. Mamie trouvait cette fois le scandale somptueux. « Douceur amère, disait-elle. Qu'avons-nous fait pour mériter un prétexte à ragots aussi juteux? Quelqu'un là-haut... », ajoutait-elle en pointant le ciel, et les habitués du Squelch répondaient en chœur, paraphrasant Paul Newman : « ... nous aime bien! »

Nelson faisait l'aller-retour entre son bureau et sa maison. Pendant six mois, il n'avait pas mis les pieds au bar du County Arms Hotel; il craignait que tout le village ne se moque de lui. Il avait envie de déchirer les cartes postales de Justine et de les jeter dans le feu, mais il y avait quelque chose de si fragile en elles... Il entendait presque sa voix frêle chantonner ses poèmes déments, *la-la-la*. Au bout de deux mois, les cartes s'espacèrent. Une arriva quatre mois après la précédente. Une autre au bout d'un an. Puis plus rien. Il les avait mises dans une boîte et ne les regardait jamais. Leur vue lui était intolérable. Il aimait Justine, il le savait. A présent, il se demandait pourquoi. Certes, elle était belle; mais elle avait toujours eu les nerfs fragiles. Il s'était flatté en se croyant capable de l'arracher à ses démons. Il s'était vu en sauveur, en chevalier en blue-jean. Il y avait eu une forme d'arrogance dans son amour. Et il trouvait cela intolérable aussi.

Il avait fini par quitter la maison que Justine et lui avaient habitée pour un cottage dans la vallée. Il pêchait. Il buvait du whisky, dos au feu. Il survivait. Il râlait.

Ce soir-là, Claudia réfléchit longuement aux paroles de Rowan. Elles tournaient encore et encore dans sa tête. « Comment vas-tu? » Qu'est-ce que cela signifiait exactement? Es-tu en forme? Es-tu heureuse? Voulait-elle dire : « Comment peux-tu être en forme et heureuse alors que tu as passé toute ta vie dans un village, à travailler pour ta famille dans une friterie — et que tu es grosse? » Rowan était si sophistiquée, désormais... Elle était partie, était allée Ailleurs, avait fait toutes sortes de choses.

Quand il rentra chez lui après le travail, Stu trouva Claudia en train de bouder.

— Quoi de neuf? demanda-t-il en prenant son journal. Où est le dîner?

— Pas encore prêt.

— Pourquoi ça?

— J'ai réfléchi. Je ne suis pas heureuse.

Claudia shoota dans une petite voiture et l'envoya valser au milieu des Lego étalés par terre.

— Bien sûr que si, tu es heureuse. Ne dis pas de bêtises.

— Non ! C'est Rowan. Tu sais ce qu'elle m'a dit ? Elle m'a dit : « Comment vas-tu ? »

— Et alors, quel est le problème ? s'enquit Stu.

— Elle ne voulait pas dire : « Comment vas-tu ? » Elle voulait dire : « Tu es grosse, Claudia. » Et elle a raison. Je suis grosse. J'ai horreur de ça. Je me déteste.

— Mais non, voyons.

— Si. Je commence un régime.

— Ne fais pas ça !

Stu craignait, si Claudia faisait un régime, qu'il ne soit obligé de l'imiter. Adieu, merveilleuse nourriture...

— Je t'aime. Je te trouve très belle.

Il s'approcha d'elle et la prit dans ses bras.

— Je t'en prie, ne fais pas de régime.

— Oh, si. Je travaille dans une friterie ! Regarde Rowan. Elle est allée à Londres. Elle a fait Dieu sait quoi. Elle est mince. Elle a une coiffure à la mode. Elle se balade avec cette petite fille et tout le monde dit « Hello, Rowan ! » et « Hello, Sadie ! » Personne ne me dit jamais ça. Je suis restée ici. J'ai fait ce qu'on attendait de moi. J'ai des enfants adorables. Mais personne ne me remarque.

Elle était jalouse.

Stu fronça les sourcils, inquiet. Il aimait regarder Claudia déposer un petit monticule de farine sur sa planche de cuisine, faire un puits au centre, casser un œuf dedans, verser un peu d'eau, de l'huile d'olive, et pétrir la mixture pour en faire une boule parfaite, luisante. Cela l'émerveillait. Combien d'hommes pouvaient se targuer d'avoir une femme qui préparait des pâtes fraîches elle-même ? Pour Stu, cela tenait du miracle.

— Je ne suis pas heureuse, geignit Claudia.

— Dans ce cas, il faut le devenir, suggéra-t-il. Qu'est-ce qui te rendrait heureuse ?

— C'est bien ça le problème, se lamenta-t-elle. Je n'en sais rien...

11

Rowan poussa un soupir.

— On soupire, Rowan? observa Nelson. Il n'est que neuf heures vingt.

— Je sais, je sais. J'en ai marre, c'est tout.

— Marre de quoi?

— D'être une femme.

— Ouh là là! Je n'ai pas l'intention d'aller plus loin dans cette conversation, annonça-t-il en reculant d'un pas.

— Dans ce cas, il ne fallait pas poser la question, fit-elle valoir. Dans ma prochaine vie, je veux me réincarner en autre chose.

— Un homme?

— Non, oh non! Trop compétitif, trop logique. Et je n'aime pas vraiment la bière. Non, je serai un paresseux. Je passerai mes journées pendu la tête en bas dans je ne sais quelle forêt tropicale sud-américaine. Je ne bougerai pas; lorsque j'aurai envie de manger, je tendrai juste le bras vers une feuille à mâcher. Ça m'a l'air d'une vie parfaite. Pas de vaisselle. Pas besoin d'acheter des bougies pour la voiture. Pas de factures. Pas de jeux télévisés débiles.

— Présenté comme ça, souligna Nelson, je crois que je me joindrai à vous.

— Pas question que vous partagiez ma branche si vous êtes grincheux et grognon.

— Pas question que vous partagiez la mienne si vous fumez et disparaissez à la friterie au lieu de pendre sérieusement la tête en bas toute la journée.

— Oh, s'exclama-t-elle, quel râleur!

— Je suis un patron râleur, acquiesça-t-il. Ça fait des années que je m'y applique.

— Très bien, vous l'aurez voulu : tuiles au gingembre. Ou alors, pas de tuiles au gingembre? Je vous soupçonne de m'avoir fait un double bluff, à propos de cette histoire de tuiles au gingembre.

Nelson sourit. Il aimait bien Rowan. Les conversations avec elle n'étaient jamais banales.

C'était une journée comme les autres, à la *County Gazette*, Billy Gibbs avait cru tenir un scoop en entendant quelqu'un dire au Squelch que seize jeunes mères étaient allées voir le directeur de la maternelle locale pour protester contre l'admission en CP, à la rentrée suivante, d'un enfant porteur du virus du sida. « Une superbe petite histoire, avait-il dit à Nelson. Nous pourrions faire un article très humain sur le sida, et puis recueillir le point de vue des mères, celui du directeur d'école et l'avis officiel de... de la personne officielle concernée. »

En fin de compte, l'histoire n'avait débouché sur rien. L'enfant concerné était partiellement sourd et avait un appareil auditif — pas le sida. Et, naturellement, personne ne s'opposait à son entrée au CP.

Rowan lisait des lettres de lecteurs. Il y était question des horaires des bus, de la monstrueuse décision prise par la municipalité d'enlever les pavés de la venelle Robertson et de l'état répugnant des pieds des soldats américains durant la Seconde Guerre mondiale. *Nos garçons, eux, savaient combien il est important d'avoir des chaussettes propres.* Billy Gibbs et Freddy MacKenzie décidèrent de téléphoner à une radio pour demander à écouter des chansons de leur choix. Billy voulait *Dancing in the Dark* de Bruce Springsteen, et Freddy *Desire* de U2.

— C'est nul, décréta Billy avec hauteur. Ils ne choisiront jamais un truc pareil.

— Au moins, c'est un peu plus moderne que Bruce Springsteen. Il est complètement dépassé.

Ils commencèrent à s'échauffer et Nelson leur cria de se taire. Rowan souhaitait entendre *Brass in Pocket*, des Pretenders. Lorsqu'elle le leur dit, les deux belligérants s'unirent contre elle.

— Nous n'irons nulle part, avec une liste pareille, se plaignit Billy.

Quelqu'un vint leur remettre les résultats de la compétition de fléchettes du Squelch. L'Institut des femmes téléphona pour dicter le compte rendu d'une conférence qui avait eu lieu dans ses murs à propos de la cuisine au wok. Le docteur Barnes passa déposer sa chronique médicale hebdomadaire, intitulée cette fois *Les Dangers de l'insomnie.* Rowan reçut un sombre coup de fil de quelqu'un du village qui souhaitait vendre des accessoires sadomasochistes par l'intermédiaire des petites annonces.

— Je ne crois pas que ce soit une bonne idée, vous devriez vous adresser à un magazine spécialisé, lui dit-elle.

Billy et Freddy se disputèrent sur l'identité du mystérieux correspondant. Puis Freddy suggéra à Nelson de créer une rubrique « Rencontres ». A dix-sept heures, Billy Gibbs n'avait toujours pas d'article pour la une. Freddy était fâché à cause de la liste de chansons pour la radio. Et Rowan avait décidé qu'en fin de compte, dans sa prochaine vie, elle ne serait pas un paresseux.

— Un hippopotame, c'est mieux, décréta-t-elle. Toute

la journée allongé dans de la boue tiède. Et je ne crois pas que les hippos se fassent manger par qui que ce soit.

Nelson grommela que les lions mangeaient sûrement les hippopotames, et que lui préférait toujours être un paresseux. Et pourquoi ne faxaient-ils pas tout simplement une liste avec toutes sortes de chansons à la radio pour que le disc-jockey en choisisse une lui-même? En tout cas, ils feraient mieux de travailler davantage le lendemain, sans quoi le journal ne sortirait pas. Là-dessus, il alla au County Arms Hotel prendre une bière. Il la sirota lentement en songeant au bonheur d'être un paresseux, pendu la tête en bas toute la journée, à écouter les bruits de la jungle et à tendre la main vers la feuille la plus proche lorsque la faim se fait sentir. Vraiment, Rowan n'avait pas tort.

Rowan alla chercher Sadie chez ses parents, puis redescendit la colline. On était déjà en mai, et les hirondelles, arrivées en force, passaient à tire-d'aile au-dessus de la grand-place. Elle inclina le landau de Sadie et se pencha vers elle; celle-ci lui décocha un grand sourire.

— Alors, comment vas-tu? As-tu passé une bonne journée? Moi, ça va. Je n'ai pas pensé à Eileen une seule fois.

Elle pénétra sur la grand-place. Des effluves de poisson frit et de frites flottaient dans l'air. Elle rencontra Mlle Porteous, vêtue de sa robe Laura Ashley en velours noir, des chaussures rouge vif aux pieds, qui traversait la grand-place à toute vitesse pour rentrer chez elle après ses courses au supermarché.

Mlle Porteous s'immobilisa et posa sur Rowan un regard perçant. Un regard si pénétrant que Rowan s'excusa, bien qu'elle n'eût rien fait de mal.

— Désolée.

— Ne vous excusez pas. C'est déplaisant, de la part d'une jeune personne indépendante.

— Désolée, répéta Rowan.

Mlle Porteous se pencha vers elle, prenant son air de diseuse de bonne aventure.

— Un de vos vœux va se réaliser, annonça-t-elle.

— Vraiment? Quand?

— Ah, fit Mlle Porteous, je ne peux pas exactement vous dire quand. Je ne donne pas toujours de moment précis. Je ne prédis pas le futur; je ne fais qu'analyser le présent, ce qui se passe en ce moment. Et pour vous, Rowan, l'alignement de Mars et de Vénus est très positif. Aussi puis-je affirmer avec confiance qu'un de vos vœux va se réaliser.

Mlle Porteous hocha la tête, sûre d'elle. Puis elle repartit, zigzagua entre les petits groupes de jeunes réunis sur la grand-place et disparut.

Rowan sourit. Elle regarda la vieille dame s'éloigner et sourit encore et encore. Un de ses vœux allait se réaliser! Que rêver de mieux, par une douce soirée de printemps, alors que les hirondelles criaient au-dessus de sa tête et qu'elle voyait la friterie se profiler au loin? Elle serra les poings, ferma les yeux et se demanda quel vœu faire. Que voulait-elle? De l'argent? Une vie merveilleuse? L'amour? Nelson? La paix dans le monde? Non, non, pas ça. Elle n'allait pas perdre son vœu pour quelque chose d'irréalisable!

Mais peut-être son vœu était-il déjà en train de se réaliser? Peut-être Eileen était-elle en chemin, lui rapportant l'argent volé... Alors, Rowan pourrait partir et voyager de par le monde. Mais il y avait Sadie. Rowan n'avait pas envie de partir voir le monde en laissant Sadie derrière elle. Sadie était un problème. Son amour pour Sadie était un problème.

Rowan resta là un moment, à se poser mille questions, puis elle secoua la tête. Tout cela était idiot. Un vœu!

Qu'était-ce qu'un vœu ? Rien du tout. Mieux valait ne plus y penser. Elle mangerait du poisson, pour le dîner.

— Je n'ai pas le courage de cuisiner, annonça-t-elle à Sadie. Tu vas pouvoir déguster ta première frite. A sept mois, un bébé devrait manger des frites et boire de la bière. Je suis sûre d'avoir lu ça quelque part, dit-elle en tirant Sadie de son landau. Tu es une petite veinarde, tu sais ça ? Tout est une première, pour toi. Ton premier été arrive. Ta première frite.

Une abeille passa près d'elles en bourdonnant lourdement dans l'air tiède. Sadie la regarda avec intérêt.

— Première abeille, acquiesça Rowan. Et il y aura encore des tas d'autres choses. Ta première danse. Ton premier vœu. Ta première cigarette. Oh, tu essaieras, toi aussi, et tu détesteras ça, comme tout le monde.

Sans cesser de faire la liste des premières fois de Sadie, Rowan pénétra dans la friterie.

— La première fois que tu entendras du blues. Howlin' Wolf en train de hurler à la mort. Tu verras, ton cœur s'arrêtera... La première paire de jeans qui ne te fera pas de grosses fesses. Ton premier chocolat.

Elle s'échauffait de plus en plus en parlant.

— Tu n'as jamais rien lu d'Auden, n'est-ce pas ? Et voilà ! Ton premier poème.

S'adressant à Jim Rossi, elle ajouta :

— Un menu poisson, s'il te plaît.

— Sel ? Vinaigre ? Petits oignons ?

— Tout, répondit-elle avant de reporter son attention sur Sadie. Voilà un mot qui risque de te causer des ennuis. Tout. Je veux tout.

Elle revint à son discours d'origine :

— Premier chocolat. Premier lever de soleil. Mon Dieu, Sadie, je suis jalouse. Ça va être super, pour toi.

— Qu'est-ce que tu lui racontes ? demanda Jim.

— Je fais la liste de toutes les choses qu'elle a encore à

vivre. Elle vient tout juste de voir sa première abeille. Imagine tout ce qu'elle n'a encore jamais vu et que nous ne remarquons même plus, nous !

— Ouais, répondit Jim, je suppose que tu as raison.

Claudia senior sortit de l'arrière-boutique. Elle portait un haut légèrement décolleté en soie noire. Un collier d'ambre. Ses cheveux étaient tirés en arrière en chignon serré. Ses ongles et ses lèvres étaient écarlates.

— J'avais bien cru reconnaître ta voix. Qu'est-ce que tu fais ici, à acheter du poisson frit et des frites ? Ce n'est pas bon pour toi.

— Si ! se défendit Rowan. Il y a du fer, de la vitamine C... plein de bonnes choses.

— Tu devrais manger des produits frais, insista Claudia. Des légumes frais. Tu travailles, tu t'occupes d'un bébé, tu dois mal dormir, il te faut manger correctement.

Rowan voyait son menu poisson lui échapper.

— Mais le poisson et les frites, j'aime ça, moi ! protesta-t-elle.

— Tu montes dîner avec nous, décréta Claudia. J'ai fait des spaghettis avec des moules.

Personne ne pouvait résister à Mamma Claudia. Elle ne se contentait jamais de conseiller aux gens de faire certaines choses ; elle donnait des ordres. Elle poussa Rowan, qui tenait Sadie dans ses bras, jusqu'à l'arrière-boutique. Dans la cour, derrière, des pots en terre remplis de lavande et de géraniums embaumaient l'air.

— Le landau de Sadie est resté sur le trottoir, protesta Rowan.

— Jim, cria Mamma Claudia, rentre le landau !

Pas de discussion possible.

Rowan était l'une des rares personnes du village à être déjà montées chez les Rossi. Giorgio, le mari de Claudia senior, répugnait à ce que des clients de la friterie viennent chez lui. Il ne voulait pas que quiconque vît dans quelle opulence vivait la famille — les meubles, les tapisseries murales, les tableaux originaux, les antiquités... Il se disait que, si les gens savaient qu'il possédait tout cela, ils comprendraient combien il s'était enrichi à force de leur vendre du poisson et des frites. Ils décideraient qu'il avait trop d'argent et cesseraient de fréquenter son restaurant.

— Rowan! s'exclama-t-il en traversant le salon pour venir l'embrasser.

Paolo, assis à l'autre bout de la pièce, sourit. Un petit sourire seulement; il n'avait pas encore pardonné à la jeune femme son refus de sortir avec lui. Sans quitter sa place près du feu, Claudia junior salua son amie. Elle s'était assise quand Rowan était entrée dans le salon, persuadée de paraître plus mince ainsi : dans un fauteuil, on voyait moins ses bourrelets. Elle regarda Rowan avec envie; corps mince, pas de seins. Elle aurait aimé pouvoir se déplacer avec autant d'assurance que Rowan. En souriant, en tendant les mains... Claudia, elle, se glissait dans les pièces en priant pour qu'on ne la remarque pas. Chaque fois qu'elle sortait dîner ou allait à une réunion de parents d'élèves, elle espérait qu'il y aurait un autre « gros » dans la salle. Si possible, plus gros qu'elle.

— Cela fait plaisir de te voir! s'exclama Giorgio.

— J'ai reçu ordre de monter dîner avec vous. Ta femme est redoutable!

— Je sais, soupira Giorgio. Ça fait trente ans qu'elle me mène à la baguette.

— C'est que tu en as besoin, rétorqua l'intéressée. Asseyez-vous, asseyez-vous.

Tout le monde s'installa autour de la grande table ronde. Personne n'osait tenir tête à la *mamma*. Claudia junior s'assit aussi loin de Rowan qu'elle le put. Elle garda son plus jeune enfant sur ses genoux; les deux autres s'assirent à ses côtés.

— Où est Stu? s'enquit Rowan.

— Il travaille tard, ce soir. Quand ça arrive, je viens manger ici.

Rowan avait vu Stu sortir de sa voiture quelques jours plus tôt. Il commençait à avoir des poignées d'amour et perdait ses cheveux. Une fois le choc passé, elle s'était dit que cela ne lui allait pas mal, en définitive. Il s'était laissé pousser une épaisse moustache, très fournie, comme pour compenser sa calvitie naissante. Claudia et Stu formaient un couple fétiche, à l'école. Tous deux étaient si jeunes, si beaux! Rowan se rappelait la fascination que Claudia junior exerçait sur les garçons, au collège. Elle était exquise, alors — longs cheveux bruns, yeux sombres, peau mate. Aux bals de l'école, les jeunes gens jouaient des coudes pour l'inviter à danser. Rowan avait toujours l'impression d'être la bonne copine, moche mais fiable. Celle qui se retrouvait avec le type à boutons fan de hard rock, lors des sorties à quatre. Et maintenant... Tout le corps de Claudia, le moindre de ses gestes, le plus infime mouvement — sa façon de se pencher pour prendre un morceau de pain, de faire tourner son verre inlassablement entre ses doigts —, révélait son insatisfaction. Rowan songea que son ancienne meilleure amie était plus que triste; elle était complètement, horriblement malheureuse.

Claudia senior apporta les plats de pâtes garnies de moules. Emplit les verres de vin frais.

— Vous mangez comme ça tous les soirs? demanda Rowan, émerveillée.

— Bien sûr, répondit Paolo. Pourquoi? Ce n'est pas le cas de tout le monde?

— Tu sais bien que non.

— Tu avais un petit ami, à Londres, Rowan? voulut savoir Claudia senior.

La bouche pleine, Rowan secoua la tête.

— Non? Pourquoi?

— Je n'ai jamais rencontré personne. Peut-être que je n'ai plu à personne.

— Impossible! affirma son interlocutrice.

Paolo pointa un index plein de reproche vers Rowan.

— Elle n'est pas facile, dit-il. Elle n'a pas voulu sortir avec moi.

— Pourquoi ça? demanda Claudia, choquée qu'on ait pu dire non à son fils adoré.

— Eh bien, vous savez...

Rowan se tortilla sur son siège, embarrassée. Elle n'avait pas envie de dire que cela l'ennuyait de sortir avec un garçon qui avait couché avec toutes les jeunes femmes à des kilomètres à la ronde.

— C'est juste que... J'avais besoin de m'installer, ici, de retrouver mes marques.

— Bien sûr, acquiesça Claudia, compréhensive. Mais maintenant, ça y est, tu es bien installée. Tu peux sortir avec lui.

Paolo esquissa un large sourire. Il savait que personne ne discutait avec sa mère.

— Il y a Sadie, souligna Rowan. Je ne peux pas la laisser...

— Oh, si, tu peux — tu devrais, même, ordonna Claudia. Tu as ta propre vie. Laisse donc ta mère faire un peu de baby-sitting. Ou moi, d'ailleurs. Ou Claudia. Pas d'excuses. Tu sors avec Paolo.

— Il ne peut pas sortir samedi, protesta Claudia junior. Il est censé travailler.

— Tu n'as qu'à le remplacer, rétorqua sa mère.

— Et si je ne pouvais pas? Je suis peut-être occupée, samedi.

— A quoi faire? voulut savoir sa mère.

— Rien, reconnut Claudia junior.

— Ah, tu vois! C'est réglé. Paolo, tu prends ta soirée.

Claudia, tu le remplaces. Toi, Paolo, tu travailleras un jour de plus la semaine prochaine pour libérer Claudia.

Rowan hocha la tête et adressa un faible sourire à Paolo.

— O.K.

— Paolo, ordonna Claudia, tu emmènes Rowan dans un restaurant bien, classe. Au Greenlands Hotel, tiens. C'est un endroit fabuleux. Et pas de bêtises.

Elle se tourna vers Rowan et lui tapota la main.

— Si mon garçon ne se conduit pas bien avec toi, n'hésite pas à me le dire. S'il est vilain — tu vois ce que je veux dire —, viens me trouver.

Elle posa un regard autoritaire sur Paolo.

— Samedi soir. Tu sors avec Rowan. C'est décidé.

Paolo rougit. C'était son tour de se tortiller sur sa chaise. Sa mère venait de lui arranger un rendez-vous avec une fille ! La honte absolue.

Pendant que Claudia senior regardait ailleurs, sa fille, elle, la fixait avec une sorte de rage contenue. Ce n'était pas juste...

Il était temps de changer de sujet, songea Rowan.

— C'est délicieux, dit-elle à son hôtesse. Tu es tellement douée ! Pourquoi ne cuisines-tu pas comme ça pour tout le monde ? Tu pourrais servir ça dans un vrai restaurant, tu sais, et tu aurais un succès fou. Personne n'a idée de ton talent.

A neuf heures, elle retraversa la grand-place pour rentrer chez elle. La lune brillait, pleine, aussi jaune qu'en été dans le ciel indigo, annonçant de belles journées. Rowan leva la tête et montra l'astre à Sadie.

— Tu devrais dormir, Sadie. Si tu te couches trop tard, tu vas avoir des poches sous les yeux. Mais regarde cette lune... Et voilà ! Ta première lune.

Elvis sauta de la vitrine de la friterie et les suivit jusqu'à l'appartement. Des hirondelles tardives jouaient dans le ciel. Des bruits étouffés de rires et de conversations s'échappaient du bar du County Arms Hotel : les rumeurs infusaient.

Rowan changea Sadie et lui donna son biberon. L'enfant pleurait, épuisée. Rowan la tint dans ses bras jusqu'à ce qu'elle s'endorme, puis la mit doucement dans son berceau.

— Ç'a été un grand jour, pour toi. Première lune. Premier dîner en ville. Première abeille.

Rowan prit un bain, puis enfila le tee-shirt géant qui lui faisait office de chemise de nuit. Elle souleva Sadie de son berceau, grimpa dans le vieux lit double et s'endormit, Elvis roulé en boule sur la couette à ses pieds.

La grosse lune glissait au-dessus du village. Paolo était allongé dans son lit, encore mal à l'aise. Rowan allait penser qu'il était un gamin, incapable de rompre le cordon ombilical. Peut-être que c'était vrai. A vingt-neuf ans, il vivait encore chez ses parents...

Dans la pièce voisine, Claudia senior regardait les rayons de lune caresser sa moquette, illuminer ses draps en lin irlandais. Rowan avait raison — elle gâchait son talent. Tout le monde s'imaginait qu'elle ne savait cuisiner que le poisson et les frites. Il faudrait qu'elle leur montre. Qu'elle cuisine pour tout le monde.

Claudia junior n'arrivait pas à trouver le sommeil, elle non plus. La nuit était si belle, la lune aussi... C'était le genre de lune qui vous mettait mal à l'aise. « Tout le monde me trouve grosse, songeait-elle. Grosse et ennuyeuse. Rowan me trouve grosse. Elle est revenue au village, et se dit que je me suis laissée aller. Il faut que je maigrisse. Il faut que je fasse des choses, comme elle. »

Allongé au côté de Norma qui ronflotait doucement, George pensait lui aussi que Rowan avait raison. Elle voulait voir le monde. « Et si je mourais ? se disait-il. Je ne suis jamais allé à Venise. Je n'ai jamais bu de vin dans un café parisien. Je ne suis jamais monté dans un taxi jaune new-yorkais. Je devrais faire toutes ces choses. Je devrais emmener Norma. Nous devrions vivre un peu. »

Nelson était assis dans son lit, un verre de whisky à la main. Cette lune était dérangeante. Elle vous faisait frissonner, douter de vous-même. Il avait tort de boire du whisky au lit ; il aurait mal au crâne, demain, au réveil. Il entendit une chouette dehors lancer son appel inquiétant. Un paresseux, avait dit Rowan. Pendu là, tout simplement, dans un coin reculé et humide de la jungle amazonienne. « Cool », aurait-elle pu ajouter — c'était le genre de mots qu'elle employait. Quelle drôle de fille. A peine trois semaines qu'elle travaillait pour lui et, déjà, elle se chamaillait avec Billy et Freddy. Riait. Lui, il ne riait jamais. Il ferait mieux de se détendre, de lâcher prise. D'arrêter de râler. Il était vieux avant l'âge. Un paresseux... Il devait penser en paresseux, se dit-il.

Depuis son arrivée dans le village, Rowan faisait ce qu'elle croyait être des remarques anodines, sans intérêt. Mais, pour les gens, elle n'était plus la Rowan d'autrefois, familière et sans surprise. C'était une jeune femme neuve, riche de toute la sagesse citadine. Sans s'en rendre compte, elle était tombée dans leur petite mare. Faisait des vagues.

La grosse lune avançait inexorablement vers le matin. Rowan dormait, aussi innocente que le bébé blotti dans ses bras.

12

Judith Hanson, dite Judy-jambes-en-l'air, aimait s'envoyer en l'air. On lui avait donné ce surnom, en rapport avec son activité préférée, lorsqu'elle était tombée enceinte pour la première fois, à l'âge de quatorze ans. Le père de son enfant était Paolo Rossi mais, à l'époque, Judy avait choisi de garder son identité secrète. A chaque fois qu'on lui posait la question, elle récitait un célèbre poème paillard :

Mary, la bonne de la vallée,
S'est baisée avec un stylo.
On a appelé le bâtard Steven,
C'était le nom de l'encre.

Dans la version originale, le prénom était « Stephen », mais elle l'avait changé en Steven parce que c'était le nom qu'elle avait choisi pour son enfant.

Judy était une rebelle. Son attitude pleine de défi, son refus de manifester la moindre honte choquaient les gens ; et elle aimait ça. Cela lui remontait le moral quand, dans le secret de son cœur, elle se sentait mal vis-à-vis d'elle-même. Aujourd'hui, elle frissonnait de honte lorsqu'elle se revoyait en train de réciter ces « vers » odieux dans la cour de l'école, les cheveux coupés court et teints en roux flamboyant, un faux tatouage sur la joue, les yeux maquillés à outrance.

Les filles de sa classe chuchotaient dans son dos : « Jude l'a fait. » Mais, à l'époque, elle se moquait vraiment de ce que les gens pensaient d'elle. De plus, elle n'avait pas idée, avant la naissance de son fils, de l'amour qu'elle éprouverait pour lui. A présent, ce que ses enfants pensaient d'elle lui importait. Ainsi que ce que pensaient les amis de ses enfants.

Les amis de Steven étaient... ma foi, c'était le genre d'amis que pouvait avoir le fils d'une femme comme elle. Delia, sa fille, d'un an plus jeune que Steven, ramenait rarement qui que ce soit à la maison ; il était même peu fréquent qu'elle mentionne des amis à l'école.

Jude s'était fait une réputation de traînée qui lui collait à la peau. *Judy-jambes-en-l'air...* On la connaissait sous ce surnom depuis tellement longtemps que c'était quasiment ainsi qu'elle se présentait elle-même lorsqu'elle rencontrait quelqu'un ; il fallait qu'elle se concentre pour ne pas signer ainsi les reçus de carte de crédit ou les chèques. Judith Hanson — ce nom ne voulait plus rien dire, pour elle.

Elle vivait au-dessus de chez Dunbar, le marchand de journaux. Elle avait quatre enfants et en voulait sept ; c'était, selon elle, un chiffre porte-bonheur. « J'adore être enceinte, expliquait-elle à quiconque exprimait son étonnement. Je suis douée pour ça. »

Paolo Rossi était le père de son premier enfant, Steven. Ce dernier était né exactement neuf mois et dix jours après une soirée de passion sur le canapé en velours gris des Hanson, alors qu'Ella et Bruce, les parents de Judy, étaient allés animer une soirée spéciale « country et western » au Squelch. Ella à l'accordéon, Bruce à la guitare, tous deux vêtus de la même chemise à carreaux, d'un jean, de bottes de cow-boy et d'un chapeau. Ils chantaient des chansons de Jim Reeves — *Put Your Sweet Lips a Little Closer to the Phone* — et de Patsy Cline, sans se douter des activités coquines de leur petite Judith, chez eux.

Jusqu'à la naissance de son quatrième enfant, Sonia, Judy avait vécu chez ses parents, sur la grand-rue. Mais, après cela, il était devenu clair qu'elle allait devoir se trouver une maison à elle.

Le jour où Ella avait décidé que Judy et sa progéniture devaient partir, elle s'était laissée tomber sur le canapé, au bord de la pâmoison, et avait porté une main lasse à son front. La ménopause était suffisamment pénible, avec ces bouffées de chaleur, sans qu'elle eût en plus à supporter tous ces petits qui couraient sans arrêt dans la maison, avait-elle annoncé.

Au moment où elle prononçait ces mots, la petite Sonia dormait dans le tiroir du bas de la commode de la chambre, Charmaine arpentait le couloir en tricycle, Delia testait des ciseaux à cranter sur les rideaux du salon et Steven était assis sur le toit avec les cigares de son grand-père Bruce et un briquet Zippo.

Ella quitta la maison comme une furie. Demeura quelques instants sur le pas de la porte, à secouer le tee-shirt d'Iron Maiden dont elle avait hérité lorsque Judy avait cessé d'écouter du hard rock, éventant son corps surchauffé en criant : « Trop ! C'est trop ! » Puis elle alla trouver Jolly, le pharmacien, et lui demanda s'il avait quelque chose pour, vous savez (hochement de tête penaud), le changement. Réticente à payer le prix de l'huile d'onagre qu'il lui proposait, elle s'était rabattue sur une barre chocolatée chez Rossi. Là, elle s'était plainte à Claudia senior de la difficulté d'être grand-mère lorsqu'on avait des centaines de petits-enfants dans les pattes toute la journée.

Deux ou trois semaines plus tard, Judy avait emménagé au numéro 2 de la grand-place. Dans l'appartement qu'elle occupait encore aujourd'hui.

— Pratique, pour les clopes, disait-elle.

Elle avait loué l'appartement par l'intermédiaire du cabinet notarial, qui œuvrait pour le compte des Rossi. Au fil des ans, ces derniers avaient peu à peu acheté tous les immeubles de la grand-place. Devant la détresse d'Ella, craignant que Judy ne soit contrainte de quitter le village, Mamma Claudia avait insisté pour que l'appartement lui soit loué. « Ce garçon ! avait-elle dit au cours du déjeuner dominical, ce garçon... », en regardant Paolo, qui avait soudain trouvé le papier mural fascinant.

Durant toute la grossesse de Judy et l'année qui avait suivi l'accouchement, les Rossi avaient nié véhémentement tout lien entre l'enfant et Paolo — bien que ce dernier fût toujours demeuré étrangement silencieux sur le sujet. Mais Steven avait grandi, et il était vite devenu évident que Judy avait été traitée injustement. A deux ans, avec sa peau mate, sa petite fossette au menton, ses yeux sombres et pénétrants et ses boucles brunes, le petit garçon était un clone de son père. Alors, afin de se faire un peu pardonner, sans pour autant admettre publiquement la culpabilité de Paolo, les Rossi s'étaient assurés que Judy obtiendrait l'appartement de la grand-place pour un loyer dérisoire.

— Dix livres par semaine ? Incroyable !

— Le loyer est fixe, avait menti Rodger Snype. Le propriétaire ne peut pas l'augmenter.

— Je prends !

Mamma Claudia pouvait ainsi garder un œil sur son petit-fils. Il avait quinze ans et devenait chaque jour plus grand et plus sauvage, semblait-il. A l'époque où il avait emménagé dans l'appartement, à trois portes de la friterie, il avait déjà été arrêté pour possession de cannabis et d'amphétamines. Il fumait. Il buvait du cidre les vendredis et samedis soir, assis sur le trottoir, appuyé contre la cabine téléphonique. Il avait pénétré par effraction au County Arms Hotel, volé des cigarettes et vingt livres. Il avait brisé les vitres de son école et conduit la voiture de son professeur dans la cour à l'heure de la récréation.

Mamma Claudia, cependant, le regardait agir avec ses sœurs. Les relever quand elles tombaient. Les ramener à la maison lorsqu'elles sortaient dans la rue le matin, criant après les voitures des gens qui se rendaient à leur bureau. Elle le voyait les conduire dans sa boutique pour déguster des frites ou des glaces, en les tenant par la main. C'était, estimait-elle, un bon garçon.

Les enfants de Jude — des filles, à l'exception de Steven — se déversaient sur la grand-place chaque matin. Encore vêtues de leur pyjama à l'effigie de Spiderman, les gamines prenaient possession du trottoir, sur leur tricycle et leurs rollers, piaillant et criant des insultes aux automobilistes. « Hé, m'sieur, hurlait une petite voix aiguë, ta voiture, c'est de la crotte ! » Judy-jambes-en-l'air ne tardait pas à apparaître, vêtue d'une vieille robe de chambre rose en maille fatiguée, des mules à plumes aux pieds, sa première cigarette de la journée à la bouche. La voix qui jaillissait de sa gorge maltraitée était rauque : « Rentrez immédiatement ! Qu'est-ce que je vous ai déjà dit ? » Elle fendait l'air de ses bras, mimant des coups que ses enfants avaient l'habitude d'esquiver. Quand elle ne parvenait pas à les pousser à l'intérieur, Steven émergeait de l'appartement, ramassait les plus petites de ses sœurs et faisait signe à la grande de rentrer.

Une fois les enfants rassemblés, Judy faisait de grands signes à Rowan, qui avait assisté à toute la scène depuis sa fenêtre. « Salut, Rowan ! » Rowan ne savait jamais s'il s'agissait d'un geste amical ou d'une petite moquerie matinale de Judy, qui se sentait espionnée. Quoi qu'il en soit, le même scénario se reproduisait chaque matin.

Chaque fois que Judy croisait Rowan et Sadie, elle examinait la fillette avec attention.

— Elle ressemble à son père, non?

Rowan se contentait de grommeler une sorte de « Oui, oui » hâtif. Elle n'aimait pas qu'on lui parle des ressemblances de Sadie. Elle n'avait pas envie d'évoquer Eileen, ni d'avouer qu'elle ignorait à quoi pouvait ressembler le père de l'enfant.

— Tu as raté le meilleur, lui disait Judy. La grossesse, c'est super. Moi, c'est les gosses qui me tapent sur les nerfs.

Elle faisait un geste de sa main, qui tenait toujours une cigarette, en direction de Sadie endormie; la fumée s'enroulait autour de l'enfant.

— A cet âge-là, ça va. Ils ne bougent pas et ils ne répondent pas. C'est après qu'ils vous bouffent.

Elle inhalait profondément et fronçait les sourcils, réfléchissant.

— S'ils arrivaient à inventer un bébé qui ne grandisse pas, ça, ce serait top.

Depuis la projection privée de *Marqué par la haine*, Rowan avait coutume de retrouver au moins une fois par semaine Mamie Garland au Squelch pour le déjeuner. En général, elle choisissait le jour où Norma et George allaient faire leurs courses hebdomadaires en emmenant Sadie avec eux.

Mamie était une cliente privilégiée du Squelch. Le propriétaire lui apportait toujours une tasse de thé; elle ne buvait de l'alcool que rarement. Elle s'asseyait dans son fauteuil préféré, près du feu, et tricotait, la théière en aluminium et la tasse en porcelaine fleurie posées devant elle. Elle parlait cinéma.

Elle ne se levait pas avant onze heures et ne se montrait quasiment jamais avant midi; c'était ce que faisaient les stars de cinéma. Or n'avait-elle pas des relations dans le show-biz?

— J'adore cet endroit, je l'a-do-re, dit-elle à Rowan cette semaine-là. Il suffit de remonter la venelle Robertson pour sentir les gens vivre autour de soi. Je trouve qu'il y a quelque chose de rassurant à savoir tout ce qui se passe. Pas pour juger — juste pour savoir. Arôme... C'est mon mot préféré. Quel est le tien?

Rowan réfléchit un moment avant de répondre.

— Avant, c'était « ailleurs ». C'était l'endroit où j'avais envie d'être. Maintenant, ce pourrait être « biscotte » ou « couche-culotte ». Ce sont des mots que j'utilise beaucoup. Ou « un jour ». J'aime bien l'optimisme qui se dégage de cette expression.

Rowan porta sa Guinness à ses lèvres, tandis que Mamie mettait deux morceaux de sucre dans son thé.

— Devinez quoi? reprit Rowan. J'ai rendez-vous avec Paolo Rossi, samedi.

— Vraiment? Cela m'étonne de ta part. Il est un peu m'as-tu-vu, non?

— Peut-être. De toute façon, c'est sa mère qui m'a forcé la main. Vous savez comment elle est — on ne peut pas lui dire non.

— Paolo Rossi et toi... dit Mamie. Intéressant. Les vagues enflent plus tôt que je ne l'avais escompté. Allez-vous nous fournir un petit scandale, tous les deux? Quelque chose de gentiment juteux?

— Non, répondit Rowan. Absolument pas.

— Pourtant, souligna Mamie, ce pourrait être amusant.

— Ouais, amusant, soupira Rowan. J'aurais bien besoin d'un peu d'amusement, dans ma vie.

Ce soir-là, quand Rowan alla chercher Sadie, elle

demanda à sa mère si cela l'ennuierait de garder la fillette le samedi soir suivant.

— J'ai rendez-vous avec Paolo Rossi, expliqua-t-elle.

— Paolo Rossi! s'exclama Norma. Quelle drôle d'idée! C'est un dragueur invétéré.

— Je sais, acquiesça Rowan. J'ai précisément envie de me faire draguer. Ça me remontera le moral.

Rowan s'en alla, et Norma resta un moment à la porte à la regarder s'éloigner. Que voulait-elle dire par « J'ai envie de me faire draguer »? Ce n'était pas bien. Norma passa dans la cuisine et entreprit de préparer le dîner. Elle alla chercher un oignon dans le panier à légumes du placard, le posa sur sa planche à découper, en cisailla la queue. Elle n'acheva pas son geste; son regard se perdit dans le vague.

— Qu'est-ce que tu fais? demanda George, qui arrivait derrière elle.

— Je prépare le dîner, répondit Norma sans bouger.

— Bien. Qu'est-ce qu'on mange?

— Je ne sais pas. Un oignon.

— Que t'arrive-t-il? Tu es toute bizarre.

— Il ne m'arrive rien. Je ne suis pas bizarre du tout.

— Oh si.

— Pas du tout. Je pourrais te demander ce qui t'arrive, à toi. Tu as écouté tes vieux disques de Frank Sinatra toute la journée.

— J'aime bien Frank Sinatra. Hier soir, j'étais allongé dans le lit, je regardais la lune, et je me suis dit que cela faisait bien longtemps que je n'avais pas fait quelque chose d'agréable, simplement par plaisir.

— Alors tu as décidé de passer *Come Fly With Me* toute la journée et de me rendre folle.

— C'est ça qui te contrarie?

— Non. C'est Rowan. Tu sais ce qu'elle a dit? Elle m'a demandé si nous pouvions garder Sadie samedi soir.

Et ensuite, elle a expliqué qu'elle sortait avec Paolo Rossi. Alors je lui ai dit que c'était un dragueur invétéré, et elle a répondu : « J'ai précisément besoin de me faire draguer un peu. » Vraiment. Ça m'a laissée baba, c'est tout.

— Pourquoi?

— Parce que moi aussi, j'en aurais bien besoin. Je n'ai jamais pensé à me faire draguer quand j'étais jeune. Je regrette de ne pas avoir un peu goûté à ça avant de me marier et de m'installer. Cela me paraît injuste, c'est tout.

Elle donna un coup de couteau fatal à l'oignon.

— J'ai raté tant de choses...

George plongea ses mains dans ses poches, regarda par la fenêtre d'un air absent.

— Tu as vu la lune, hier soir?

Norma poursuivait sa destruction méthodique du malheureux bulbe.

— Non.

— C'était, reprit George, une lune à faire rêver. Moi aussi, je me suis surpris à regretter de ne pas avoir vécu davantage.

De retour chez elle, Rowan nourrit Sadie et dîna. Puis elle attaqua sa routine quotidienne : elle lava Sadie, joua avec Sadie, raconta sa journée à Sadie — combien de vieux VTT et de guitares étaient à vendre dans les petites annonces cette semaine, ce qu'avait dit Billy au bureau, où en étaient les chemises de rebelle de Nelson. Elle dansa avec Sadie dans le salon au rythme des chansons qui passaient à la radio, retardant le moment où il lui faudrait mettre l'enfant au lit et où elle se retrouverait seule. Elle détestait ses soirées solitaires. Une fois Sadie couchée, elle ramassait les jouets étalés par terre, les jetait dans le coffre en bois placé dans le coin de la pièce. Mettait les bavoirs et les vêtements sales dans la machine. Lavait la vaisselle du dîner. Ce qui l'amenait jusqu'à huit heures. Après, elle écoutait la radio, assise dans le fauteuil rouge. Revenait sur sa décision de ne pas acheter de téléviseur. Se rasseyait dans le fauteuil, en travers cette fois, les pieds pendant au-dessus de l'accoudoir. Elle soupirait. Lisait. En avait marre de lire. Soupirait de nouveau. Elle essayait de ne pas penser à fumer; elle avait arrêté. Les cigarettes lui pourrissaient la vie. Elle mourait d'envie d'en allumer une. Elle se tortillait sur son siège. Allumait des mégots imaginaires. Les muscles de son cou lui faisaient mal, elle avait envie de hurler sur des gens. Elle se grattait les cuisses, se rongeait les ongles. La nuit, elle rêvait de cigarettes.

Enfin, quand elle ne trouvait plus rien pour la distraire de son besoin de nicotine, elle ouvrait le journal de Walter Dean.

20 juin. Je garde un œil sur une famille de cygnes du Loch Gill. Un mâle, une femelle et deux petits. Joli couple, casanier. L'un des deux bébés cygnes est un rebelle, il part toujours de son côté, comme ma Marie. J'ai un cancer, les médecins veulent opérer — je ne les laisserai pas faire. A quoi bon? Je suis presque fini. J'ai vu deux ou trois buses, en descendant la colline. Je déteste les buses — de sales bestioles belliqueuses. Il faut que je parle de ce cancer à Marie. Je n'en ai pas le courage.

Rowan releva la tête, les yeux embués de larmes. Seigneur, elle avait besoin d'une cigarette. C'était trop affreux.

29 juin. Grande tristesse : le petit cygne rebelle est mort. Il a dû se faire avoir par le renard. La vie est cruelle, injuste. Je suis presque sûr que c'était une renarde, je l'ai entendue aboyer. Peut-on parler d'aboiement? Disons plutôt un hurlement, un cri perçant. Les cygnes restent au milieu du loch, maintenant, avec le petit cygne entre eux. Il est brun-gris. Il y a plein de poissons qui sautent autour d'eux. Je tousse du sang. J'observe mon corps, en quête de signes avant-coureurs.

Un peu de vent fait onduler l'eau. Le loch fait trois kilomètres de long, il y a des conifères — mélèzes, pins, pins écossais — sur tout le flanc de la montagne, depuis la rive jusqu'en haut, tout se fond dans un même vert. Quand le vent balaye la forêt, elle ondule. Pas arbre par arbre ; on a l'impression qu'elle bouge entièrement, d'un seul mouvement. Les petits oiseaux, les chardonnerets, s'envolent en protestant, puis se reposent, pour recommencer de nouveau au coup de vent suivant. Ça les occupe.

J'ai marché le long de la rive, dans la boue détrempée qui semblait vouloir aspirer mes bottes. J'ai vu des grenouilles. Me suis assis sur une grosse pierre. J'ai écouté le loch et les canards, près de la rive, qui s'envolaient à grands coups d'ailes, éclaboussant tout autour d'eux. J'ai bu du thé, mangé du cake, et j'ai essayé de ne pas penser. Le truc, c'est de faire partie du paysage, de ne faire plus qu'un avec les pierres, les arbres, l'herbe humide et l'eau. J'aimerais savoir ce que seuls les cygnes savent. Connaître le vent, la profondeur de l'eau. Il y a des bruants dans les roseaux. Des pinsons.

Je ne m'étais pas senti aussi triste depuis des années. J'étais juste sur le point de me lever quand j'ai entendu ce cri, un peu comme « he-ha-heeya ». Et là, loin au-dessus de moi, suivant les courants thermiques en décrivant de grands cercles lents, typiques, j'ai vu un milan. Un milan rouge, pas de doute là-dessus. Cette queue fourchue, ces manières paresseuses, ces ailes un peu ployées... Cet oiseau ne ressemble à aucun autre. Oh, mon Dieu... J'ai levé la tête vers lui. Le soleil me brûlait les yeux, je pleurais. La dernière fois que j'ai fait ça, j'avais huit ans. Mon père m'avait donné une gifle.

Rowan ferma le cahier d'un coup sec. Le jeta à terre. Elle ne voulait pas en lire davantage. Le soupir qu'elle poussa vida entièrement ses poumons. Oh, mon Dieu. Elle éteignit la lumière et alla se coucher. Elle rêva de cigarettes.

13

Le lendemain, samedi, le jour de son rendez-vous avec Paolo, Rowan amena Sadie passer la nuit chez Norma et George. Comme elle retournait chez elle, elle croisa Mlle Porteous, vêtue ce jour-là d'une robe Laura Ashley verte assortie de chaussures bleues.

— Vous aviez dit qu'un de mes vœux se réaliserait, lui dit Rowan d'un ton de reproche, vexée d'avoir espéré en vain.

— Et cela ne s'est pas produit?

— Non.

— Vous ne désiriez rien, et c'est ce que vous avez obtenu... Vous êtes sûre qu'il ne s'est rien produit que vous ayez souhaité?

— Non, répondit Rowan, rien. Je n'ai rien eu depuis quelques jours, pas même une cigarette.

— Ah! Vous avez arrêté de fumer. Aviez-vous envie d'arrêter de fumer? demanda impérieusement Mlle Porteous.

— Oui, répondit prudemment Rowan, qui n'aimait guère la tournure que prenait cette conversation.

— Eh bien, voilà un vœu qui s'est réalisé.

— Mais ce n'était pas un vrai vœu! Ce n'est pas comme de tenir quelque chose entre mes mains, dit-elle en faisant le geste d'attraper un objet dans les airs. Un cadeau. Quelque chose d'inattendu.

— Vous autres jeunes gens êtes si matérialistes ! Vous aviez envie d'arrêter de fumer et vous avez arrêté de fumer. J'avais raison. Un vœu s'est réalisé.

Rowan haussa les épaules. Elle ne pouvait pas discuter. Avant qu'elle ne s'éloigne, Mlle Porteous la retint par le bras.

— Il va y avoir des développements inattendus dans votre vie amoureuse.

— Oh, ne dites pas de bêtises ! Je n'ai pas de vie amoureuse.

— Eh bien, ça ne saurait tarder, affirma Mlle Porteous. Attendez, et vous verrez.

Rowan ne la croyait pas. Et s'efforça de contrôler ses lèvres, de peur qu'elles n'esquissent malgré elle une moue cynique. Mlle Porteous s'éloigna de sa démarche flottante. Rowan se retourna et se dirigea vers la friterie, traversant la foule de jeunes garçons réunis devant la boutique. Ils s'arrêtèrent de bavarder pour la regarder passer ; en cet instant, il n'y avait rien de plus intéressant à faire, sur la grand-place.

— Hé, Rowan !

Elle se retourna. Judy-jambes-en-l'air était penchée à sa fenêtre, au-dessus de la papeterie, et l'appelait en faisant de grands signes. Craignant qu'elle ne dégringole la tête la première sur le trottoir, Rowan s'approcha.

— Tu m'as à peine adressé la parole depuis ton retour, lui reprocha Judy.

— Désolée, dit Rowan. Je ne t'ai pas beaucoup vue... Salut, Jude, je suis de retour.

— Salut, Rowan, c'est cool de te revoir. Alors, elle te faisait des prédictions ? demanda Judy avec un signe du menton en direction de Mlle Porteous.

— Elle a dit qu'un de mes vœux se réaliserait.

— Et c'est vrai?

— J'ai arrêté de fumer.

— Incroyable!

Avant la fin de la journée, on ne parlerait plus que de cela, au Squelch : Mlle Porteous avait aidé Rowan à arrêter de fumer!

— Qu'a-t-elle dit d'autre?

— Elle a dit qu'il y aurait des événements inattendus dans ma vie amoureuse.

— Ce doit être en rapport avec ton rendez-vous avec Paolo Rossi.

Jude avait utilisé le nom complet, sans rien laisser transparaître de leur ancienne intimité. Elle ne lui avait jamais pardonné de l'avoir abandonnée et laissée élever Steven toute seule.

— Tu es au courant de ça? s'étonna Rowan.

— Tu sais, le village n'est pas bien grand. Tout le monde est au courant.

— Bien sûr, j'avais oublié, soupira Rowan. Vas-tu me conseiller toi aussi de faire attention? Parce que c'est un dragueur invétéré et tout ça?

— Oh non! dit Jude. Sortir avec lui n'aurait aucun intérêt si tu faisais attention. Il n'est bon que pour une chose.

— Et tu sais de quoi tu parles, observa Rowan.

— Absolument.

— Il t'arrive de le voir, ces temps-ci?

— Non, pas depuis Steven et il va bientôt avoir seize ans. Paolo me parle à peine, maintenant. Je suis une femme déchue, vois-tu.

— Mais c'est sa faute! C'est horrible.

— Non, pas du tout. J'adore être une femme déchue. Je peux faire tout ce que je veux.

Des cris retentirent dans son dos.

— Il faut que j'y aille, dit Judy. On dirait que quelqu'un est en train de se faire assassiner... A plus !

Elle referma la fenêtre.

Paolo passa chercher Rowan à huit heures.

— Tu es superbe, ne put s'empêcher de s'exclamer Rowan. C'est un Armani ?

— Oui.

Paolo écarta les bras pour bien exhiber son costume et fit un petit tour sur lui-même.

— Fantastique, affirma Rowan.

N'était-il pas censé lui dire quelque chose de flatteur en retour ? Elle portait une robe. *La* robe. Sa seule robe élégante. Un fourreau tout simple, court, sans manches. Rien de spécial.

Il lui sourit.

— Tu es jolie, comme ça.

Oui, songea Rowan, elle était bel et bien « jolie ». Mais c'était Paolo qui tournerait les têtes, ce soir-là.

La clientèle du samedi soir se pressait dans la salle à manger du Greenlands Hotel. Rowan entendait le murmure des conversations tout autour d'elle. Les vacances, la nouvelle voiture, ce qu'Alice avait dit à Dee-Dee au club de gym. Cela ne valait guère la peine de tendre l'oreille. La pièce était richement décorée, les nappes roses, les sets de table bordeaux. Les serveuses — qui, selon Rowan, semblaient avoir soit seize ans soit quatre-vingt-dix ans — s'inclinaient poliment. « Bon appétit, monsieur. » Leurs visages lui étaient familiers. C'étaient des filles du coin. Les plus jeunes échangèrent des coups de coude lorsque Paolo entra.

— Tu as probablement couché avec toutes ces filles. Ou avec leurs mères.

Paolo sourit.

— J'en doute.

Elle mangea de la soupe d'asperges avec une lourde

cuillère tout en se demandant ce qu'Eileen aurait fait à sa place. Elle se serait lancée, estima Rowan, dans une conversation pleine de sous-entendus coquins. Ou même carrément cochons. En souriant.

Rowan comprenait son attrait pour le mal. Les endroits comme celui-ci y invitaient. Elle imaginait Eileen ôtant discrètement sa chaussure et glissant son pied entre les jambes de Paolo pour caresser son entrejambe avec ses orteils aux ongles peints. Elle se vanterait ensuite de l'avoir obligé à rester sur place, incapable de bouger jusqu'à ce que son ardeur se soit calmée. Contraint de penser à ses impôts ou à sa mère pour reprendre contenance. Ou bien elle continuerait à le caresser jusqu'au bout, pour se pencher ensuite au-dessus de la table et susurrer d'un air sensuel : « Ah, ça, c'est de l'éjaculation précoce... »

— Pourquoi souris-tu? demanda Paolo.

— Oh, pour rien, affirma Rowan. Dis, est-ce que c'est vrai que ton père met une partie de ses profits en liquide dans un compartiment secret de la Rolls Royce et les fait passer en Italie chaque année?

C'était une des rumeurs préférées de Rowan. Le père de Paolo avait dans sa cour une Rolls Royce de 1967, qui faisait sa fierté et son bonheur. Tous les ans en octobre, il partait du village avec, descendait jusqu'à Douvres, prenait le ferry, puis traversait la France et l'Italie pour aller en Sicile, où il avait de la famille. La légende voulait qu'il empilât avant de partir des milliers de billets graisseux non déclarés aux impôts dans une cache sous le siège arrière.

— Qui t'a dit ça?

— Je ne sais pas, je ne me souviens plus. Ça fait partie des mythes locaux. C'est comme si tu me demandais qui m'a dit de ne pas marcher sur les joints du trottoir.

— Ma foi, voilà une rumeur amusante, dit Paolo, appréciateur. Elle me plaît.

En fait, c'était la vérité, mais jamais il ne l'aurait avoué.

Rowan s'interrogeait. S'autoriserait-elle à être une femme déchue, ce soir? Selon Jude, cela n'avait pas que des inconvénients...

A onze heures moins le quart, ils étaient de retour sur la grand-place. Paolo manœuvra entre les groupes de jeunes en vêtements surdimensionnés, casquettes de base-ball vissées sur la tête, lacets défaits, et se gara devant chez Rowan.

— Tu vas m'inviter à entrer? demanda-t-il en passant le bras derrière le siège de Rowan et en se tournant vers elle, son visage tout près du sien.

Les adolescents les observaient fixement.

— Tu as envie que je t'invite à entrer?

— Bien sûr.

— Bon. Tu veux entrer? Je t'invite.

— Merci. Avec plaisir.

— Est-ce qu'il t'arrive de considérer ça comme une malédiction? D'être aussi beau, je veux dire?

Elle regretta aussitôt ces paroles. Elle n'avait pas eu l'intention de les prononcer. Mais le visage de Paolo était si près du sien... Et c'était un si beau visage qu'elle tendit la main malgré elle et lui caressa la joue.

— Tu veux dire que je suis si mignon que les gens risquent de s'imaginer que je suis idiot? Non, je n'ai pas l'impression que ce soit le cas. Et toi?

— Moi, je ne suis pas mignonne.

— Qui t'a dit ça?

— Moi. Moi, je me dis ça.

— Eh bien, tu devrais te remonter les bretelles. Tu te trompes.

— Je te préviens, si tu montes, tu n'aimeras pas mon café. C'est de l'instantané.

Rowan commençait à se sentir « draguée », et elle aimait ça. Tout en se reprochant d'aimer ça. Cet homme était bien plus doué qu'elle pour le flirt.

— Je ne veux pas de café, dit-il.

— Moi non plus. J'ai du whisky. Mon père m'a apporté une demi-bouteille de Glenfiddich pour fêter mon emménagement.

— Du whisky, très bien.

Ils montèrent, et il s'installa dans un des fauteuils rouges pendant qu'elle remplissait les verres.

— Ton appart est chouette, dit-il.

— Pas vraiment. Pas comparé au tien.

— Ma foi... dit-il en souriant. Mais au moins, c'est chez toi.

Il posa son verre.

— Vas-tu rester assise là-bas toute la nuit?

— Vas-tu rester assis là-bas toute la nuit?

Il traversa la pièce pour la rejoindre. L'embrassa. Dehors, la grand-place vibrait au rythme du samedi soir. On entendait résonner les basses sur les stéréos trafiquées des voitures aux moteurs gonflés. Des cris, des appels. Des bruits de verre cassé sur le macadam. Des petits rebelles. Affamés de vie. Et la vie, à Fretterton, n'avait rien d'autre à leur offrir qu'une friterie et un lampadaire sous lequel se réunir. Alors ils s'interpellaient à tue-tête et se regroupaient sous le lampadaire, prêts à attaquer la nuit comme s'il se fût agi d'une chose tangible. Rowan rendit son baiser à Paolo. Se rapprocha de lui, se laissa aller. L'air qui passait par les fenêtres ouvertes était doux. C'était une nuit faite pour la frénésie.

— Ecoute-les, dehors. Qu'ont-ils pris?

— Du LSD, de l'ecstasy... Je ne sais pas.

— Où trouvent-ils des trucs comme ça par ici?

— Ils rassemblent leur argent et quelqu'un va faire les courses à Perth.

— Seigneur!

— Ils n'ont rien à faire, par ici.

La foule dégingandée sous la fenêtre semblait cruellement dénuée de passion.

— Ne t'occupe pas d'eux, dit Paolo.

Rowan pensa à Jude. Elle n'en avait pas envie, mais son image ne cessait de s'imposer à son esprit.

— Pourquoi ne parles-tu jamais à Jude?

— Elle ne me parle jamais non plus, souligna-t-il en entreprenant de lui ôter sa robe.

Elle déboutonna sa chemise et embrassa chaque centimètre de peau qu'elle dévoilait. Il fleurait bon le savon et Hugo Boss. Elle devait sentir la purée pour bébé, la sueur et le shampooing de Sadie, qu'elle avait utilisé avant de sortir.

— Oui, mais tu es le père de Steven — tout le monde le sait. Bon Dieu, il suffit de le regarder!

— Elle ne veut pas de moi.

Il la repoussa.

— Pourquoi maintenant? Pourquoi veux-tu tout à coup me parler d'elle?

— Ça m'est juste passé par la tête.

— Je n'ai pas envie d'en discuter.

— Pardon.

— C'était il y a longtemps.

— Mais tu ne lui donnes pas d'argent? Elle doit galérer...

Il se tourna vers elle.

— Tu crois que je ne lui en ai pas proposé? Tu crois que je n'ai pas essayé? Ses parents lui interdisaient de m'adresser la parole.

Il entreprit de reboutonner sa chemise.

— Je croyais que c'étaient tes parents qui ne voulaient pas qu'elle te parle.

— Oui. Il y avait ça aussi... Nous étions des gamins,

dit-il en remettant sa veste. Je n'ai plus envie... plus maintenant. Pas après que tu m'as parlé de Jude. Ça m'a refroidi.

— Elle n'est pas si mal. En fait, elle est même plutôt jolie. Je trouve.

— Moi aussi, dit-il avant de sortir en claquant la porte.

Rowan alla se coucher. S'agita dans son lit. Dit « Oh, mon Dieu ! » et « Pourquoi ai-je dit ça ? » plusieurs fois.

Des coups frappés à la porte la réveillèrent en sursaut. Elle jeta un coup d'œil dans le noir au cadran lumineux de son réveil. Deux heures moins le quart.

— Allez, Rowan. Ouvre la porte.

C'était Paolo.

— Non. Va-t'en.

— Je veux entrer. Je veux te voir. Je veux t'expliquer, pour Jude. Te raconter. Ce n'était pas ce que tu crois. Je ne suis pas si affreux que ça.

— Je n'ai jamais pensé que tu étais affreux, répondit-elle en allant à la porte, mais sans l'ouvrir.

— Il y a plus que tu n'imagines. Je ne suis pas le salaud que tout le monde s'imagine.

— Je ne pense pas que tu es un salaud, Paolo. Juste un homme à femmes. Un dragueur invétéré, comme dirait ma mère.

— Je ne suis pas comme ça, dit-il. Tu ne comprends pas.

— Non, admit Rowan, très fatiguée. Va te coucher, Paolo. J'ai besoin de sommeil. Laisse-moi tranquille.

Elle l'entendit descendre l'escalier d'un pas lourd. S'allongea, puis ressortit de son lit pour le regarder traverser la grand-place. Il se retourna, la vit. Demeura un moment immobile à la regarder. Au même instant, ils eurent l'impression d'être observés ; ils aperçurent tous les deux en même temps la silhouette de Claudia senior à sa fenêtre, au-dessus de la friterie. Tous deux la saluèrent d'un même geste. Puis, sous son regard, ils se saluèrent l'un l'autre. Comment faisait-elle? Il lui suffisait d'un regard pour qu'ils se sentent fautifs et se conduisent comme deux enfants sages.

A dix heures, le lendemain matin, Norma et George ramenèrent Sadie chez elle. Les coups insistants frappés à la porte éveillèrent Rowan. Elle enfila un jean et fit entrer ses parents d'un geste irrité. Sadie hurlait. Norma la lui tendit dès qu'elle eut passé la porte.

— A-t-elle été sage? demanda Rowan.

— Non, répondit Norma sans ambages. Elle a pleuré toute la nuit. Je crois qu'elle fait ses dents.

— Ta mère est épuisée, ajouta George.

Il traversa le salon et se laissa tomber sur le fauteuil.

— Moi aussi, ajouta-t-il. Nous sommes trop vieux pour rester debout toute la nuit comme ça.

— Désolée, dit Rowan.

— Pendant que toi tu t'amuses et fais la folle.

Elle ne répondit rien.

— Oui, pendant que tu faisais Dieu sait quoi, nous, nous arpentions toute la maison en essayant de calmer ton enfant. Il était quatre heures du matin quand j'ai enfin pu m'allonger un peu. Je ne tiens plus le coup, Rowan. Je ne tiens plus le coup, c'est tout.

— Désolée, répéta Rowan.

Elle passa dans la cuisine pour mettre la bouilloire à chauffer.

— Ah, oui, reprit George, nous aurons bien mérité nos vacances.

— Des vacances? s'étonna Rowan avant de se tourner vers Sadie. Hé, ils t'ont parlé de vacances, à toi?

Sadie lui donna une petite tape de sa paume ouverte et s'agita dans ses bras.

— Oui, dit George, nous partons en croisière.

Rowan recula jusqu'à la porte de la cuisine.

— Il m'a annoncé ça hier soir, intervint Norma. Il nous a réservé une croisière en Méditerranée : Espagne, France, Italie, Afrique du Nord. Rien que tous les deux.

— Tous les deux? Une croisière?

Rowan aurait voulu crier. *Et moi? Et Sadie?*

— C'est merveilleux, dit-elle faiblement.

— Oui, dit George. J'ai retiré une partie de nos économies. « Pourquoi est-ce que je garde cet argent de côté? » me suis-je demandé. Pour quand je serai vieux? Si ça se trouve, je ne serai plus là pour en profiter. Alors, j'en ai pris un peu et ai réservé ces vacances.

Il était rentré à la maison le samedi soir, les billets à la main.

— Qu'est-ce que c'est? avait demandé Norma.

— Une croisière. Nous allons voir le monde!

— Je ne veux pas voir le monde, avait protesté Norma. Je suis heureuse ici.

— Bien sûr que tu es heureuse ici. Mais ici sera toujours là à notre retour, et tu l'aimeras d'autant plus que nous serons partis un moment. Réfléchis. Rien que toi et moi, sur le pont d'un paquebot de luxe, en train de siroter des cocktails... Descendant aux escales pour visiter les endroits intéressants...

Il avait glissé son bras autour d'elle.

— Je pourrai te draguer.

— Je vais préparer le dîner, avait dit Norma. Des côtes de porc.

George l'avait suivie dans la cuisine.

— Ça m'est venu à cause d'un truc que Rowan a dit à propos des voyages. J'ai pensé, bon sang, je veux vivre un peu, moi aussi. Je veux voir le monde avant de passer l'arme à gauche. Et je veux que tu sois avec moi. Ce ne serait pas pareil, sans toi.

— Et Rowan? Et Sadie?

— Elles se débrouilleront. Les gens s'en sortent. Nous

nous en sortions, toi et moi. N'oublie pas que tu dis tout le temps qu'elle ne devrait pas considérer notre présence et notre aide comme des acquis.

— Se plaindre, c'est différent, avait souligné Norma. Ce n'est pas pareil que de faire réellement quelque chose, que de partir quelque part. Et puis, je ne me plains qu'à toi. Jamais je ne dirais quoi que ce soit à Rowan...

La bouilloire émit un sifflement et Rowan alla l'ôter de la plaque.

— Ne t'embête pas à nous préparer quoi que ce soit, dit Norma. Nous partons à Edimbourg, les boutiques y sont ouvertes le dimanche, et je veux m'acheter quelques petites choses pour le voyage.

George se leva de son fauteuil et repartit en direction du vestibule en criant au revoir. Norma s'attarda.

— Il m'a annoncé ça de but en blanc, chuchota-t-elle. Il dit qu'il veut voir le monde, vivre un peu avant de mourir.

Elle prit le bras de Rowan, le visage rouge d'excitation.

— Il dit qu'il veut me draguer, souffla-t-elle.

Puis elle suivit George, courant presque dans l'entrée.

Rowan fit du café et se laissa tomber dans le fauteuil, Sadie sur ses genoux. Sa mère partait voir le monde et se faire draguer. C'était ce qu'elle voulait, *elle.* Par tous les démons de l'enfer, ce n'était pas juste !

14

— Bon week-end? demanda Nelson, le lundi matin. Votre rendez-vous galant s'est bien passé, samedi soir?

Rowan suspendit sa veste à la patère, derrière la porte.

— Vous êtes au courant de ça?

— Ce village n'est pas grand. Tout le monde sait tout. Où êtes-vous allés?

— Au Greenlands.

— Bel endroit.

— Pas mal, répondit-elle en haussant les épaules. Ce n'est pas ma tasse de thé, cela dit. J'avais l'impression que Paolo avait couché avec toutes les femmes présentes. Ou, si elles étaient trop jeunes, avec leurs mères. Ou avec leurs filles si elles étaient trop vieilles.

— Je ne pensais pas que quiconque était trop vieux ou trop jeune pour Paolo.

Il la regarda; elle soutint son regard.

— Non, je ne l'ai pas fait, dit-elle.

— Fait quoi?

— Vous savez — coucher avec lui. C'est à ça que vous pensiez.

— Non, pas du tout.

Il se dirigea vers son bureau.

— Si! cria-t-elle derrière lui.

— Pas du tout, affirma-t-il, bien qu'elle eût raison.

— Si! cria-t-elle, plus fort encore.

De l'autre côté de la grand-place, à la friterie, Claudia junior se querellait avec sa mère.

— Ce n'est pas juste. J'ai été obligée de travailler samedi soir pour que Paolo puisse aller s'amuser.

— Il a besoin de sortir un peu de temps en temps.

— Il a les lundis et les mercredis. Ça a toujours été comme ça.

— Eh bien, cette fois, il a eu son samedi.

— Il a eu son samedi pour inviter Rowan à sortir. Ce n'est pas juste. Rowan, Rowan, Rowan... Tu ne parles que d'elle. Je pense que tu la préfères à moi.

— Comment peux-tu dire une chose pareille? Rowan est toute seule, avec un bébé. Nous devrions l'aider. Regarde-toi. Tu as des enfants magnifiques, une belle maison, un bon mari. Que voudrais-tu de plus?

— Une vie, grommela Claudia.

— Qu'est-ce que tu as dit? demanda sa mère, de cette voix impérieuse que personne n'osait défier.

— Rien, soupira Claudia.

Elle passa dans l'arrière-boutique pour aller chercher une nouvelle boîte de chips goût barbecue. Elle avait mal partout, à tous les muscles.

« Salut! avait lancé Cher à Claudia junior à cinq heures trente ce matin-là, alors que toute la maisonnée était encore endormie. J'ai un cadeau pour vous! »

Cher souriait. La vidéo tournait. La pièce était seulement éclairée par la lueur de la télévision.

Les rideaux tirés, Claudia, en culotte, baskets et avec un grand gilet appartenant à Stu, avait commencé les exercices. Cher était toute en noir. Claudia ne possédait pas de step, aussi avait-elle empilé six gros livres de cuisine reliés et poussé la table basse. Steppenwolf criait *Born to Be Wild*; Claudia junior grimpait sur la pile de livres et redescendait en cadence. Elle rejetait les coudes en arrière, levait les bras, les doigts écartés. Elle donnait des coups de pied, montait les genoux. Elle soufflait, elle haletait. A mi-programme, Cher estima que le moment était venu de prendre son pouls ; le cœur de Claudia battait à tout rompre, de grosses gouttes de sueur roulaient dans son cou. Ses cheveux étaient trempés. Robert Palmer chantait *Addicted to Love*. « Allez, on reprend. Comme si vous en vouliez ! » criait la star-entraîneuse. « J'en veux, j'en veux », haletait Claudia. Cher ne semblait guère troublée par toute cette débauche d'activité. Claudia, elle, avait l'impression qu'elle allait mourir.

Dans son appartement au-dessus du Rialto, Mamie était assise dans son lit, un cardigan multicolore sur les épaules. Elle buvait du thé tout en relisant son relevé bancaire. « Ce n'est pas bon, soupira-t-elle, le regard levé vers le plafond. Ça va mal, Lavinia. Dix mille livres de découvert... Il faut faire quelque chose. »

Jude était allongée sur son canapé. Elle souleva un pied et le regarda longuement. La vie était nulle. Elle avait mal à la tête. Elle avait trop bu de... de ce qu'elle avait bu la veille. Vodka ? Oui, sans aucun doute. Bière ? Très certainement. Whisky ? Gin ? Elle ne s'en souvenait plus. « Il faut que ça s'arrête, dit-elle. Le whisky, ça vous tue. » Elle tendit le bras, attrapa le téléphone et composa le numéro de la fabrique de conserves.

— Je ne me sens pas bien, dit-elle à son patron.

— C'est le quatrième lundi d'affilée.

La voix de stentor à l'autre bout du fil résonnait dans toute la pièce. Steven et Delia baissèrent le son de la télévision pour écouter.

— J'ai la grippe, gémit Jude, s'improvisant une voix grippée.

— Vous aviez déjà la grippe la semaine dernière.

— Eh bien elle est revenue. Je suis retournée travailler trop tôt. J'aurais dû rester au lit plus longtemps.

— Apportez un certificat médical, sans quoi vous êtes virée, Jude.

La voix était sans appel.

— Je ne peux pas aller chez le médecin, je me sens vraiment mal, protesta-t-elle.

— Un certificat médical, Jude.

— Seigneur !

Elle reposa le récepteur. Steven et Delia la regardèrent.

— Tu as merdé, cette fois, observa Delia.

— Emmène Charmaine à l'école, Delia. Et toi, Steven, va déposer Sonia à la crèche.

— Non, répondit Steven. Je vais être en retard.

— Je ne peux pas y aller moi-même. Et si on me voit ? Ils sauront que je ne suis pas malade et je perdrai mon travail.

— Tu l'as perdu, de toute façon.

Steven enfila son anorak et sortit.

Jude alluma une cigarette.

— Merde, j'aurais pas dû faire ça, dit-elle.

Rowan tapait les petites annonces et les brèves. Des chatons cherchaient une famille aimante. Mme Winton avait gagné la compétition de pâtisserie de l'Institut des femmes avec son gâteau au fromage et au caramel. La Société d'art lyrique montait *Oklahoma* à la salle polyvalente de la mairie. Le County Arms Hotel organisait une grande soirée d'inauguration : *Le New Raffles. Le bar a été restauré dans le style du fameux bar de Singapour. Happy hour de 20 h à 21 h.*

Mlle Porteous, assise à la table de sa cuisine, mit une feuille de papier dans sa vieille Olivetti portable.

Bélier (21 mars-20 avril). La période de la pleine lune pourrait vous voir agité. Vous avez envie de sortir, de rencontrer des gens. Ne faites rien que vous risquiez de regretter plus tard. Jeudi, risque de panne d'un appareil électrique ou mécanique. Soyez prévoyant. Ce week-end, vous serez en grande forme. Vous rencontrerez quelqu'un qui vous enthousiasmera.

Rowan mit deux tuiles au gingembre sur une soustasse, remplit une tasse de café et alla poser le tout sur le bureau de Nelson.

— Si, c'est à ça que vous pensiez, dit-elle.

Nelson prit une tuile au gingembre. La trempa dans le café. La mangea.

— Je *savais* que c'était un double bluff quand vous disiez que vous ne les aimiez pas ! s'exclama Rowan, piquée.

— Eh oui, j'ai menti. Je n'allais tout de même pas me mettre à la merci d'un maître chanteur de votre espèce ! Et ce n'est pas à ça que je pensais.

Mamma Claudia regardait la pâte à beignets de la journée d'un air mécontent.

— Trop épaisse.

— Les gens l'aiment épaisse, protesta Claudia junior.

— Pas moi, rétorqua sa mère, et c'est *ma* pâte à beignets. Au fait, Rowan a des ennuis. Son père et sa mère partent faire une croisière de six semaines. Qui va s'occuper de Sadie quand elle sera au bureau ?

— Comment est-ce que tu sais ça ? demanda Claudia en relevant la tête, son premier sourire de la journée aux lèvres.

Mamma Claudia esquissa une grimace.

— Comment est-ce que je sais ça ! Ici, tout le monde sait tout. Il n'y a pas de secrets.

Elle approcha son visage de celui de sa fille.

— Serais-tu en train de jubiler ? Oui, tu jubiles. Ça ne te va pas.

— Je ne jubile pas. Je vais diluer la pâte.

Mamie Garland sortit de son lit et traversa la pièce à

petits pas. « Ça craque, ça craque... Je vieillis. Je suis levée, mais mon corps dort encore. »

Cinq ans plus tôt, un spéculateur lui avait proposé une grosse somme d'argent pour le Rialto. Il voulait le convertir en appartements de luxe. Elle l'avait envoyé paître sans ménagements. « C'était idiot, songeait-elle à présent. Les gens vont au cinéma, mais pas dans mon cinéma. Ils veulent des sièges confortables, du pop-corn, des explosions, de grands écrans, du Coca-Cola. Que fait-on quand on est dans la merde jusqu'au cou? On se tire une balle? On s'enfuit à Rio? Je vais aller faire un petit pipi et réfléchir. »

Taureau (21 avril-21 mai), tapa Mlle Porteous. *Oh, là là! Mars est en conflit avec Neptune dans votre septième maison.* Elle regarda le mur. Qu'est-ce que cela signifiait, exactement? Elle ne se souciait pas de donner des détails précis. *Les choses risquent de se compliquer légèrement. Ne prenez pas de décisions hâtives. Surveillez votre argent. Et essayez de tenir votre langue : vous pourriez dire des choses que vous regretteriez ensuite. La situation s'améliore dimanche. Bon moment pour se détendre.*

Chaque semaine, elle aimait s'acharner un peu sur un signe. Cette fois, c'était le tour du Taureau.

La journée avançait. Chaque fois que Rowan croisait Nelson, elle soufflait : « Si! » Elle détestait les gens qui croyaient tout savoir sur elle. Surtout quand ils se trompaient. En fin de compte, Nelson se pencha au-dessus du bureau et déclara avec emphase que non, il ne s'était pas demandé si elle avait couché avec Paolo Sa vie sexuelle ne l'intéressait pas. Il ne supportait pas les gens qui croyaient tout savoir sur lui. Surtout quand ils avaient raison.

Mamma Claudia enguirlandait sa fille, lui reprochant d'avoir jubilé.

Mamie s'inquiétait. Elle vieillissait.

— Je vieillis ? répéta-t-elle tout haut. N'importe quoi ! Je *suis* vieille. Et c'est loin d'être rose.

Elle n'avait pas d'économies. Pas de retraite... Le visage figé d'horreur, elle regarda droit devant elle. Elle s'imaginait en maison de retraite, assise sur une chaise en plastique vert au fond d'une pièce caverneuse pompeusement appelée salon, en train de reprendre en chœur les refrains entonnés par de jeunes âmes charitables. Elle ferait du play-back sur *Yellow Submarine,* et un lent filet de bave coulerait au coin de sa bouche, dans l'indifférence générale.

— Jésus, siffla-t-elle, je hais la vieillesse.

La vieillesse faisait peur ; la grande vieillesse, elle, était tout simplement terrifiante.

Mlle Porteous continuait à préparer les horoscopes que Rowan devait passer chercher. La semaine prochaine, elle s'en prendrait aux Vierge. Des gens trop logiques, trop pointilleux, ça, les Vierge.

Rowan était assise à son bureau, le regard perdu dans le vague. Pour la première fois depuis des semaines, elle pensait à Eileen. Regardait-elle le soleil se coucher sur des paysages inconnus ? Sirotait-elle une boisson exotique dans un minuscule café, entourée de gens qui parlaient une langue qu'elle ne comprenait pas ? Arpentait-elle un marché au milieu des odeurs entêtantes des épices ?

Jude enfila son jean et le sweat-shirt Adidas de Steven — 1,25 livre par semaine pendant quarante-cinq semaines.

— Ce truc sera foutu avant même que j'aie fini de le payer.

Elle habilla Sonia et l'emmena à la crèche.

— Nous sommes en retard, dit-elle en accrochant le manteau de sa fille à la petite patère en forme de lion derrière la porte.

— Comme toujours, soupira Mme Ashton.

— Maman a mal à la tête, expliqua Sonia. Il faut pas parler trop fort.

— Je vois, dit Mme Ashton.

— Tu ne l'emporteras pas au paradis, petite peste, dit Jude. Attends d'avoir seize ans, je te ferai porter des chaussures qui pèseront des tonnes et je t'obligerai à aller au catéchisme.

Sonia et Mme Ashton la regardaient avec une désapprobation presque palpable.

A l'heure du déjeuner, Rowan retrouva le certificat de naissance d'Eileen dans la pile de papiers qu'elle avait rapportés de Londres et se rendit chez Mlle Porteous.

La vieille dame ouvrit sa porte. Regarda autour d'elle.

— Oh, bonjour, Rowan.

— Je voudrais faire faire un thème astral.

— Vous feriez mieux d'entrer.

Elle s'effaça pour laisser passer Rowan et la conduisit jusqu'à la cuisine. C'était une petite pièce propre, peinte en bleu pâle, immaculée, mais pas assez étincelante pour masquer la pauvreté de Mlle Porteous. Une casserole minuscule était posée à côté d'une boîte de soupe de légumes et d'un reste de gâteau de riz froid dans un bol bleu et blanc — le déjeuner de Mlle Porteous. Rowan aurait aimé le partager avec elle; cette pauvreté avait quelque chose de séduisant. Elle imaginait Mlle Porteous assise à la petite table, mangeant d'une manière proprette, un peu comme un oiseau, sans faire une tache, tout en écoutant une des cassettes de musique pour orgue de Bach empilées soigneusement sur le buffet à côté d'un petit magnétophone. Elle s'essuierait la bouche, rassemblerait la vaisselle et la laverait avant de tout remettre à sa place. Parfaitement disciplinée.

— Faites-moi voir.

Mlle Porteous prit le certificat de naissance et le regarda.

— Ce n'est pas le vôtre, observa-t-elle.
— Non. C'est celui d'Eileen.
— Eileen Johnson. Qui est-ce? La mère de la petite Sadie?
— Oui, avoua Rowan, se sentant coupable, tout à coup. Comment avez-vous deviné?
— Qui pourrait-ce être d'autre? Née le 23 août 1954.
— Je sais... Elle ne m'avait jamais dit qu'elle était si vieille. Trente-huit ans... C'est vieux.
— Ça, c'est une question de point de vue. Moi, je trouve ça plutôt jeune.
Mlle Porteous rendit le certificat à Rowan de sa longue main fine à la peau translucide.
— Je ne fais pas les thèmes des gens que je ne connais pas, déclara-t-elle.
— Pourquoi donc?
— Il n'en sortirait rien de bon. C'est une forme d'espionnage. Non, je ne le ferai pas.
— S'il vous plaît, supplia Rowan.
— Non, définitivement non.
— Cette femme, dit Rowan en frappant le certificat du revers de la main, a volé mon argent. Je voulais simplement savoir ce qu'elle en fait.
— Je ne peux pas vous le dire.
Rowan remarqua sur la table devant Mlle Porteous un exemplaire du *Times*, nettement plié à la page des mots croisés, qui étaient à moitié remplis. A côté étaient posés un stylo bille Parker, un paquet de Benson & Hedges et un petit briquet doré.
— Vous fumez?
Elle n'arrivait pas à imaginer Mlle Porteous s'adonnant à quelque vice que ce fût.
— Je m'accorde deux cigarettes par jour. Une avec les mots croisés du matin, à onze heures. L'autre à neuf heures, avant d'aller au lit. Ça coupe la soirée.

— Vous devez être très disciplinée.

— Oh, oui. Une vie disciplinée, il n'y a que ça de vrai.

Un petit crucifix était pendu sur le mur au-dessus de la table.

— Vous êtes pratiquante ? demanda Rowan.

— Je crois en un pouvoir supérieur.

— Mais vous êtes astrologue...

— Quelle différence cela fait-il ? L'univers, les mouvements des planètes font tous partie du projet universel. Des astrologues étaient au chevet de Jésus enfant. Ils avaient vu l'étoile.

Mlle Porteous poussa doucement Rowan vers la porte.

— Je ne savais pas ça, dit la jeune femme.

— Les astrologues ont le droit d'être croyants, cela ne leur est pas interdit. Ce n'est pas eux que vous verriez chercher du réconfort dans un petit paragraphe imprimé une fois par semaine dans le journal.

Rowan supposait que non. Mais elle, en revanche, comme une bonne moitié du village, était accro aux horoscopes hebdomadaires de Mlle Porteous. Il y avait quelque chose de familier, d'apaisant et en même temps de précis en eux.

— De quel signe êtes-vous ? s'enquit Mlle Porteous en ouvrant la porte.

— Cancer, répondit Rowan.

— Ah, dit seulement Mlle Porteous en hochant la tête, comme si cela expliquait tout.

Lorsque Rowan fut partie, elle s'approcha de sa machine à écrire.

Cancer (22 juin-22 juillet). Vous pourriez constater que votre déception de la semaine dernière était en fait bénéfique. Ne cherchez pas à savoir ce qui ne pourrait que vous faire souffrir. Laissez le passé à sa place : derrière vous. Le bonheur est à portée de main ; sachez regarder autour de vous. Profitez de l'instant.

Mamie prit une décision.

— Action drastique, dit-elle à sa cuisine. Nous devons prendre des mesures. Un peu de théâtre. Non, avec un découvert pareil, il me faut *beaucoup* de théâtre. Une grande pièce. Quelque chose d'énorme.

Jude alla chercher Sonia à la crèche. Alors qu'elle arrivait sur la grand-place, elle tomba sur le contremaître de la fabrique de conserves.

— Je croyais que vous aviez la grippe?

— C'est le cas, affirma Jude. Mais je me sens beaucoup mieux. L'air frais, expliqua-t-elle en écartant les bras comme pour mieux respirer.

— Venez demain chercher votre solde. C'est terminé.

— Vous ne pouvez pas me virer! J'ai des enfants.

— Vous ne pensiez guère à eux, toutes les fois où vous avez appelé en vous prétendant malade.

— Oh, allez vous faire foutre. C'est un boulot de merde, de toute façon.

Mlle Porteous, en rentrant chez elle, s'arrêta un instant pour profiter de cette journée. Des hirondelles se poursuivaient dans le ciel. L'air fleurait bon l'été. Des effluves de chèvrefeuille s'échappaient des jardins. Des écoliers sortaient de la friterie avec des paquets de chips et des canettes de Pepsi. Franchement, quelle sorte de déjeuner était-ce là pour des enfants en pleine croissance? Elle entendit Jude lancer: « C'est un boulot de merde, de toute façon. » « Oh, Seigneur, Judy, qu'est-ce que tu racontes? » Rowan se dirigeait vers le Squelch pour prendre un verre. Nelson, debout près de sa voiture, l'observait. Qu'était-il, déjà? Capricorne.

Capricorne (22 décembre-20 janvier). Si vous ne tendez pas la main pour saisir ce que vous désirez vraiment, vous ne l'obtiendrez jamais.

Mamie Garland poussait discrètement la porte du

County Arms Hotel. Tiens donc, voilà qui était étrange de la part d'une si fidèle habituée du Squelch. Claudia Rossi reniflait et soupirait. Mamma Rossi, avec ses ongles impeccables et ses lèvres parfaitement maquillées, se penchait à la fenêtre du premier étage, plus impressionnante encore qu'à l'accoutumée. Des Balance, pour la plupart.

Balance (24 septembre-23 octobre). Arrêtez de rêver, et allez de l'avant.

Qui avait besoin d'étudier les planètes ? Tout se passait là, sous vos yeux. Au fait, qu'était Jude ? Scorpion.

Scorpion (24 octobre-22 novembre). Vous n'avez que vous-même à blâmer pour les événements dramatiques de ces derniers jours. Prenez le temps à présent de réfléchir à votre existence. Pouvez-vous éviter une crise financière ? Il est possible de transformer les catastrophes en bénédictions. Regardez en avant.

Claudia se pencha au-dessus du comptoir de la friterie et regarda le bus de treize heures quitter la grand-place. Elle poussa un soupir. Elle voulait aller au-delà du terminus du bus. S'enfuir, aussi loin que possible. Elle voulait porter des tailleurs élégants, avoir un organiseur et un téléphone portable. Prendre de grandes décisions. Elle voulait être quelqu'un d'important. Comme Rowan.

Mamma Claudia referma sa fenêtre.

— Je veux que les gens sachent, dit-elle à son mari.

Il ne releva pas la tête.

— Qu'ils sachent quoi ?

— Qui je suis. Ce que je sais faire. Je les vois bien, là, dehors... Ils s'imaginent que je ne suis qu'une espèce de dragon. Je travaille toute la journée en bas. Le soir, j'ai l'impression d'être une vieille peau tout usée.

— Tu n'es pas une vieille peau tout usée, voyons ! Tu es superbe.

Giorgio alluma la télévision pour regarder les nouvelles. Il tournait le dos à Claudia afin qu'elle ne vît pas son irritation. Après trente ans de mariage, ils pouvaient avoir des conversations entières sans ouvrir la bouche.

— Je veux que tout le monde sache que je sais cuisiner. *Tout le monde.*

Mamma Claudia écarta les bras, comme pour attirer le monde entier contre son sein.

— Qui ça, tout le monde?

— Tout le monde, quoi! Ces gens que nous connaissons depuis toujours. J'ai envie de leur dire : « Regardez, voilà qui je suis vraiment. Voilà Claudia. » Ce sera bon.

— Que veux-tu dire, bon? Bon pour les affaires?

Pour lui, seul ce qui profitait à son commerce était « bon ».

Mamma Claudia haussa les épaules.

— Peut-être. Mais surtout, ce sera bon de faire plaisir. De savoir qu'on gardera un bon souvenir de moi.

Giorgio leva les yeux au ciel.

— Tu n'as pas l'intention de mourir, n'est-ce pas?

Son cigare s'était éteint. Il fouilla dans la poche de son ample pantalon en velours côtelé, à la recherche de son briquet. Il n'aimait pas la tournure que prenait cette conversation, mais songeait que s'ils avaient une scène de ménage, le résultat serait positif. Mamma gérait toutes les situations de la même manière. Naissances, morts, anniversaires, querelles, réconciliations, elle cuisinait.

— Qu'as-tu exactement en tête? s'enquit-il.

— Un banquet. Je veux offrir une fête inoubliable à nos amis. Que les gens voient ce que je sais faire. Que je ne me cantonne pas aux fritures et aux sucreries.

Elle était petite, trop musclée pour être grosse. Elle se déplaçait toujours à toute vitesse. Quand elle cuisinait, elle transformait la cuisine en champ de bataille, et tout le monde restait à distance. Ses cheveux étaient sombres, sévèrement tirés en arrière, ses lèvres peintes, du matin au soir, en rouge vif. Ses ongles, également, étaient toujours vernis et écarlates. C'était une femme de feu. Au départ, les gens s'étaient dit, Giorgio le premier, qu'elle se consumerait avant cinquante ans ; mais non. Plus elle vieillissait, plus la flamme était vive. Sa passion s'exprimait plus largement, englobant son mari, son restaurant, ses enfants, ses petits-enfants. Rien ni personne n'était épargné.

— Pas de *spagnolismo,* décréta Giorgio.

Le *spagnolismo.* La fête. L'extravagance. L'étalage de ses biens... Papa Giorgio était grand, mince, calme. Il portait une chemise sans col sous un pull en cachemire ouvert en V. Ses cheveux se raréfiaient. Lorsqu'on l'interrogeait à ce sujet, il passait la main sur son crâne luisant et affirmait que c'était ce qui arrivait aux hommes qui épousaient des femmes pareilles.

— Pas de grand déballage.

— Un immense repas. Une table entièrement décorée, *bellissima.* Des rires, du vin...

Mamma Claudia avait pris sa décision.

— C'est ce que nous faisons tous les dimanches, lui rappela son mari.

— Mais seulement en famille. Je veux qu'il y ait d'autres gens qui viennent.

— Non.

Il n'avait pas l'intention de laisser des étrangers monter à l'étage, pénétrer chez lui.

— Non, répéta-t-il en allumant son cigare. Non, non, non.

— *Carciofi alle mandorle,* dit Claudia. Des artichauts à la sauce aux amandes !

— Non.

— Un *spagnolismo...*

Mamma était aux anges. Elle se leva, transportée. La nourriture. Les rires. Le vin... Ce serait merveilleux. La gloire.

— De la *focaccia.* De la soupe de poisson. *Pecorino. Calamari ripieni.* Des calamars farcis ! *Scaloppine al marsala.* Des escalopes de veau au marsala. *Coniglio in agrodolce,* du lapin sauce aigre-douce, avec des raisins secs, des pignons de pin, des olives...

— Non.

Papa mit sa main sur sa tête. C'était affreux. Il ne voulait pas que tous ces gens gavés de friture, dehors, sachent ce qu'il mangeait au quotidien.

— Des moules au citron, continuait sa femme, ivre de bonheur. *Cozze al limone.* De la *cassata* ! s'écria-t-elle. Un gâteau à la ricotta et au rhum, avec de la frangipane et des fruits.

— De la glace aux amandes.

Elle était partie dans son monde imaginaire et se voyait apportant à table des assiettes qui débordaient de nourriture sous les exclamations enthousiastes des convives émerveillés.

Papa se dirigea vers la porte.

— Non ! Il n'en est pas question.

Il se retourna, ôta le cigare de sa bouche, et tous deux s'affrontèrent du regard, sans dire un mot. Mamma le dépassa. Elle était en feu et, dans ces moments-là, tout semblait s'écarter devant elle pour la laisser passer.

Giorgio avait perdu. Mamma souriait sans arrêt. Elle s'immobilisa devant la porte du salon.

— Et voilà. Tu avais raison, Rowan. Les gens devraient être au courant. J'en ai assez de dissimuler mon talent, déclara-t-elle. Un *spagnolismo.* Ils verront ce que c'est, la vraie cuisine. Ils verront ce que je sais faire. Un soir dans leur vie ils pourront dire : « Ah, c'est donc ça, le goût du paradis ! »

Elle battit des mains, folle de joie.

Mlle Porteous était assise devant sa machine à écrire. Elle enfreignit ses propres règles et alluma sa deuxième cigarette de la journée. Pourquoi Mamie Garland était-elle allée au County Arms Hotel? La plupart des gens auraient considéré cela comme anodin. Mais pas elle. Que s'était-il passé au County Arms Hotel? Rien, à part qu'il avait brûlé l'année précédente et réouvrait son bar sous le nom de *New Raffles*. Pff, quelles fadaises. Elle tira sur sa cigarette. Mon Dieu, c'était ça! Tout le monde savait que le Rialto perdait de l'argent. Les gens allaient au multiplexe de Perth. Ainsi, Mamie avait l'intention d'y mettre le feu — pour récupérer l'argent de l'assurance, exactement comme au County Arms Hotel! Mon Dieu. Un feu, et elle vivait à deux maisons de là!

Verseau (21 janvier-18 février). Parfois, nous avons l'impression d'être des feuilles. Sans contrôle sur les événements, ballottées par le vent, à la merci des autres et de leur jugement. La folie s'empare de nous. Si vous avez des projets drastiques, parlez-en autour de vous, c'est important. Les gens pourraient ne pas être d'accord avec vous.

Voilà, elle avait terminé. Elle croisa les mains sur la table et leva les yeux vers son crucifix.

— Ça y est, une semaine de finie. Je crois que j'ai fait le tour de tout le monde.

Elle n'estimait pas qu'elle écrivait des horoscopes. Elle envoyait des messages à des gens qu'elle avait connus toute sa vie. C'était plus facile que d'avoir de vraies confrontations avec eux.

A cinq heures, Rowan alla chercher Sadie chez Norma et George. Des valises toutes neuves étaient alignées dans le vestibule. Elles étaient en cuir véritable, le mot *Atlas* gravé sur le côté. George écoutait ses disques de Frank Sinatra, *Fly Me to the Moon*. Que leur arrivait-il, à tous les deux? se demanda Rowan. Ils étaient en pleine ébullition. Ils chantaient en chœur avec Sinatra. « *Let me play among the stars!* » s'égosillait Norma — horriblement, estima Rowan. Il y avait une bouteille de chianti sur la table.

— On se met dans l'ambiance, expliqua George.

Il portait le tablier à fleurs de Norma, et l'aidait à préparer la salade. Cela ne se passait jamais ainsi, du temps où Rowan habitait à la maison. Norma préparait à manger, George lisait le journal ou regardait les nouvelles sportives à la télé. Ils étaient si heureux... Zut, zut et zut.

Une fois Sadie au lit, Rowan tira le journal de Walter Dean du tiroir du bureau. Elle se sentait assez déprimée pour le lire. « Il n'y a rien de tel, quand on est vraiment déprimée, que de lire quelque chose en sachant que cela vous déprimera encore plus. Il arrive même que cela vous remonte le moral. » Elle mit un CD — Nirvana *Unplugged* —, alla chercher le Glenfiddich et s'installa dans un des fauteuils rouges. Kurt Cobain chantait ses chansons désolées, Rowan buvait son whisky et Walter Dean atteignait le loch et se brisait le cœur. Dehors, il se mit à pleuvoir.

19 juillet. Cela fait presque un mois que je ne suis pas allé au loch. En grimpant je priais pour trouver la famille cygne paisible et en forme. La montée a failli me tuer. Toutes ces prières et cette marche rapide, c'était trop pour mon pauvre cœur, qui battait la chamade. J'ai dû m'arrêter plusieurs fois pour reprendre mon souffle. Je l'entendais siffler dans mes poumons. Je déteste ça, le bruit de la vieillesse. Ma gorge était serrée, je n'arrivais pas à respirer correctement. J'étais assis sur une pierre, plié en deux, à haleter la bouche ouverte, et, Dieu ait pitié, j'ai pensé : « Cette fois, ça y est. » Un traquet me regardait, perché sur un ajonc. Une belle petite chose, tête noire, poitrine orange. Mon moment de mort a fini par passer. Mon cœur s'est calmé et j'ai continué à grimper. Avant, j'avais peur de mourir. Maintenant, j'ai conscience que je n'ai pas le choix — et que c'est pour bientôt, en plus. Chaque fois que j'entends parler de la mort de quelqu'un que je connais, je me dis : « Eh bien, s'il y est arrivé, lui, je peux bien le faire aussi. » Je me rappelle que je tenais déjà ce raisonnement quand j'ai passé mon permis de conduire.

Des applaudissements et des sifflets s'élevèrent dans la pièce. Le public de Nirvana. Rowan avait oublié ce qu'elle écoutait. Elle leva la tête en sursaut, se versa ce qui restait de whisky — un énorme verre. Puis elle se replongea dans le journal.

20 juillet. Le petit cygne a disparu. Aucune trace de lui où que ce soit. Les cygnes se déplacent sur le loch, le cou dans l'eau. Je n'ai pas eu le courage de prendre la plume à ce sujet hier. Ils ont l'air si malheureux.

Rowan posa le cahier. « Putain. » Puis, rouvrant le cahier à la fin, elle écrivit :

16 juin. Eileen est en Afrique. Mlle Porteous a refusé de faire son thème astral, mais je le sens au fond de moi : c'est là-bas qu'elle est. Eileen fait route vers le sud, à travers un paysage de couleurs sèches, brûlées. Là-bas, les cieux sont toujours indigo pâle, je l'ai lu. L'air qu'elle respire est une force vivante, brûlante, mouvante. Au loin brille un lac. Les arbres se dressent comme des bateaux prêts à larguer les amarres et les herbes sentent fort; leur odeur est si épicée qu'elle vous brûle les narines. Peut-être voit-elle un troupeau d'élands se déplacer lentement sur un promontoire. Des bêtes gracieuses, douces. Ou des éléphants traversant des forêts si profondes, si épaisses que la lumière du soleil les pénètre à peine. J'ai vu un drôle d'oiseau jaune l'autre jour. Brillant, et à la fois timide et paresseux. Nelson pense que j'ai couché avec Paolo. J'aimerais qu'il ne croie pas ça. Vraiment.

La pluie tombait dru sur les carreaux. Rowan leva la tête. Cela faisait longtemps que le CD était terminé; elle ne s'en était pas aperçue, trop concentrée sur sa prose. Elle s'exprimait comme une brochure touristique; l'Afrique de Rowan était celle de Mungo Park et des documentaires animaliers de la BBC.

— Espèces de salauds!

Un hurlement dans la rue. Rowan s'approcha de la fenêtre. La pluie était torrentielle, elle martelait les trottoirs avec fureur, déferlait dans les caniveaux. Steven était seul sur la grand-place, trempé. Les cheveux collés au crâne, le tee-shirt transparent à force d'être mouillé, il hurlait à la mort, la tête levée vers les lampadaires. Faute de lune, sans doute.

De l'autre côté de la place, Mamma Claudia était à sa fenêtre et le regardait, elle aussi. Dans le lit, Giorgio faisait semblant de ronfler. Il ne voulait pas se mêler de ça.

— Ce garçon, dit Claudia. Ce garçon! A qui te fait-il penser?

Papa ronfla de plus belle.

— Et à qui te fait penser la personne à qui il te fait penser?

Sachant que Mamma Claudia était à la fenêtre, ses cheveux libérés de leur chignon trop serré tombant sur ses seins, agitant les bras pour appuyer ses propos, s'adressant non seulement à lui, mais au monde entier, Giorgio estima qu'il pouvait entrouvrir les yeux sans risque d'être repéré.

— Ce garçon est un autre Paolo, qui est un autre toi, continua Claudia. Il boit et il hurle à la lune, ou aux lampadaires quand la lune est voilée. Nous l'avons laissé tomber.

Papa se remit à ronfler et ne dit rien, bien qu'il sût qu'elle avait raison.

Rowan alla se coucher. Elle entendit le dernier bus quitter la grand-place, les buveurs sortir du Squelch. Elle n'avait pas envie de dormir. Elle avait peur des rêves qui risquaient de venir la hanter par une nuit pareille.

Elle finit par s'assoupir et rêva qu'elle fumait une épaisse cigarette noire. Quand elle l'alluma, ses cheveux prirent feu. Elle inspira profondément, trop profondément. Un gros paquet de cendre se détacha du bout incandescent, tomba sur sa jupe, y fit un trou, atterrit sur le tapis, le brûla. Puis il incendia le parquet, le traversa et se retrouva dans la pièce du dessous, où sa mère se tenait, les yeux levés vers l'énorme trou béant et calciné.

— Es-tu en train de fumer? cria Norma.

Et Rowan, les cheveux en feu, de la fumée jaillissant de ses narines, son énorme mégot noir aux lèvres, répondit :

— Non.

15

Rowan accueillit avec soulagement les vomissements du matin. Seulement vêtue du tee-shirt rouge douteux à l'effigie d'un groupe d'acid jazz dans lequel elle avait dormi, et qui ne couvrait pas totalement son derrière, elle ressortit de la salle de bains en se tenant la tête et en maudissant le whisky et tous ceux qui en buvaient. Elle souleva Sadie, qui se plaignait bruyamment d'être encore dans son couffin alors que le soleil filtrait déjà à travers les rideaux et qu'elle aurait pu être levée et assise sur la chaise haute que George et Norma lui avaient offerte la semaine précédente, en train de se badigeonner la figure de son œuf matinal.

Rowan ferma les yeux, au supplice.

— Chut, Sadie. Oh, je t'en prie, pas tant de bruit.

Elle porta la fillette dans la cuisine puis, la tenant sur sa hanche, lui fit cuire un œuf, l'écrasa dans une assiette en plastique jaune et se fit une tasse de thé.

Elle donna la becquée à Sadie tout en râlant et en sirotant son thé. Elle était idiote. Elle avait trop bu la veille, s'était complu dans une dépression absurde. Les choses n'allaient pas si mal.

Peu à peu, elle prenait le rythme : elle soufflait sur la surface de son thé, buvait une gorgée, emplissait la petite cuillère d'œuf pilé et la fourrait dans la bouche de Sadie. Elle chantait d'une voix lugubre une chanson entendue la veille au soir qui lui était restée dans la tête. *Come as you are. Come as you are*... Elle ne connaissait pas la suite.

Le petit visage de Sadie se révolta. Ce bruit déplaisant, émanant de cette personne qu'elle adorait, qui la nourrissait et la réconfortait, c'était trop pour elle. Elle éclata en sanglots. Elle ouvrit sa bouche pleine d'œuf et hurla.

Rowan se tut.

— Pardon. Oh, mon Dieu. Pardon.

Elle savait qu'elle n'était pas faite pour chanter le blues. La seule chanson que sa voix ait jamais réussi à rendre avec un semblant de conviction était *Il est né le divin enfant*. Elle souleva Sadie, la berça doucement.

— Je ne chanterai plus jamais. Ou jamais en ta présence, en tout cas. J'attendrai que tu aies quitté la maison.

Voilà, c'était dit. Elle avait exprimé à haute voix ce qu'elle sentait au fond d'elle-même depuis un moment : elle resterait là aussi longtemps que Sadie aurait besoin d'elle. Point final. Rowan tint l'enfant à bout de bras.

— Après ça, je chanterai, annonça-t-elle. Et je voyagerai.

Elle passa dans la salle de bains et se fit couler un bain. Il faisait froid dans la pièce, aussi grimpa-t-elle sur le siège des toilettes pour atteindre la fenêtre et la fermer.

— Un peu frisquet, ici, dit-elle à Sadie.

Elle n'avait jamais pensé à jeter un coup d'œil par la petite fenêtre de la salle de bains, placée en hauteur au-dessus des toilettes. Pourtant, c'était celle qui offrait la plus belle vue. Elle donnait sur les toits pentus, rouges, marron et gris, desquels s'échappaient des nuages de fumée matinale, et au-delà, sur les collines imposantes, qui semblaient bleues contre le ciel. Rowan souleva Sadie pour lui montrer le spectacle. Elle sentit le visage minuscule de l'enfant contre le sien. Sa peau de pêche, son souffle à son oreille, ses yeux immenses qui regardaient dehors avec fascination, sans comprendre.

— Nous avons une vue, Sadie! Nous pouvons voir les collines, d'ici. C'est bizarre, les collines. Le seul fait de les regarder donne envie de les escalader...

Elle décida que le samedi suivant Sadie et elle grimperaient en haut d'une montagne, ou d'une colline, pas trop haute. Elles respireraient le bon air et feraient les folles. Ah, l'ivresse des hauteurs...

— Qu'est-ce que vous faites, ce week-end? lui demanda Nelson au bureau.

— Je vais gravir une montagne. Pas trop haute. Et faire la folle.

— Je peux venir?

— Si vous voulez. Vous n'allez donc pas toujours pêcher, le week-end?

— Si. Et c'est bien ce que j'ai l'intention de faire samedi. Je pêcherai. Vous grimperez.

— Je croyais que les hommes détestaient que les femmes assistent à leurs parties de pêche?

— Ils ont horreur de ça. A samedi.

A cinq heures, juste avant de partir chercher Sadie, Rowan passa dans le bureau de Nelson.

— Comment ça, les hommes ont horreur que les femmes les accompagnent à la pêche mais vous voulez que je vienne avec vous samedi? Est-ce que ça signifie que vous ne me considérez pas comme une femme?

Il la regarda. Pourquoi les femmes avaient-elles le don de tout déformer?

— Non, ce n'est pas ce que j'ai voulu dire. Simplement, j'aimerais jouir de votre compagnie.

— En tant que femme?

— Eh bien, disons que pour l'occasion vous pourriez être un homme honoraire.

— Serai-je obligée de m'acharner sur les prises en criant : « Meurs, truite, meurs » ?

— Voilà pourquoi les hommes n'aiment pas que les femmes les accompagnent à la pêche, soupira Nelson.

Seule chez elle, ce soir-là, Rowan mit un enregistrement de *Carmen* dans son lecteur CD. Mais écouter un tel opéra à bas volume était une hérésie, et elle ne voulait pas réveiller Sadie... Elle brancha donc son casque et monta le son. Bientôt, elle écarta les bras et se mit à danser. Elle était Carmen. Sa beauté exotique et sa voix merveilleuse allaient rendre les hommes fous d'amour et les pousser à leur perte. *L'amour est un oiseau rebelle.* Rowan n'entendit pas les coups frappés à sa porte. Elle était trop occupée à faire succomber don José à ses charmes, ôtant une fleur exquise de son corsage pour la lui lancer au visage. La porte s'ouvrit. *L'amour, l'amour,* chantait-elle. Quelqu'un traversa le vestibule en l'appelant par son nom. Elle attaquait le refrain lorsqu'elle vit Nelson, debout dans l'encadrement de la porte, qui la fixait, à la fois amusé et embarrassé. Il tenait une bouteille de vin dans une main et un énorme bouquet de fleurs sauvages dans l'autre.

— Mon Dieu ! s'écria-t-elle en sursautant violemment. Qu'est-ce que vous faites ici ?

Elle hurlait à cause du bruit dans sa tête, sans réaliser qu'elle était la seule à l'entendre. Elle ôta ses écouteurs.

— Désolé, dit Nelson. J'ai frappé, mais vous étiez de toute évidence perdue dans votre propre monde.

— J'étais Carmen, dit-elle, la musique s'échappant toujours du casque. Vous pouvez faire don José, si vous voulez.

Nelson secoua la tête.

— J'ai cessé de jouer les amants tourmentés.

— OK, vous pouvez être Escamillo, dans ce cas. Mais souvenez-vous qu'elle le repousse. Cela ne vous posera pas de problème, cela dit, puisque vous me considérez comme un homme honoraire.

— Eh bien, dit-il en lui tendant les fleurs, j'ai pensé que je pourrais vous apporter ça. Pour vous aider à développer votre côté féminin.

— Merci. Elles sont superbes. Comment s'appellent-elles ?

— Ce sont des fleurs sauvages. Je les ai trouvées au bord de la route.

— Vous les avez ramassées ? Pour moi ?

— On dirait bien. Ne le dites pas à mon beau-père. C'est lui qui les fait pousser. Tous les ans, il envoie des bombes de graines sur le bord des routes en mémoire de sa femme.

— C'est magnifique. Il a de toute évidence su développer son côté féminin, lui.

— Ne dites jamais une chose pareille devant lui.

Rowan mit les fleurs dans un grand verre à bière ; elle n'avait pas de vase.

— Je les adore.

Nelson ouvrit le vin. Leur servit un verre à chacun.

— J'espère que je ne viens pas troubler votre fantasme.

— Non. Je peux le retrouver n'importe quand. Le désir d'être une séductrice, une tentatrice, est toujours présent.

— Vous voudriez être une tentatrice ?

— Bien sûr, mais je ne suis pas douée pour ça. Quel est votre fantasme, à vous ?

— Rien d'aussi exotique. J'aimerais jouer dans l'équipe d'Italie pour la coupe du monde de foot. Ou peut-être pêcher le makaire, comme Hemingway.

— C'est assez exotique. Cela me va. Hé, vous n'apportez jamais de poissons au bureau. De grosses truites étincelantes pour notre goûter...

— Je les relâche, les grosses truites étincelantes, dit-il

en évoquant la taille du poisson avec un geste typique de pêcheur.

— Moui, je pourrais presque vous croire...

— C'est vrai, je vous assure. C'est du sport. Un jeu entre les poissons et moi. Je suis là, debout, et je pense, je ressasse, jusqu'au moment où j'atteins ce lieu magique au fond de moi où je ne pense plus.

— Comme Walter Dean. Il voulait ne faire plus qu'un avec les pierres et l'eau, pour comprendre ce que seuls les cygnes comprennent.

— Vous avez rencontré le vieux Walter?

— J'ai trouvé ses journaux intimes.

— Vous les avez lus?

— C'est honteux, admit-elle, mais je n'ai pas pu résister. Ils sont tristes. Etait-il triste?

— Non, pas quand on discutait avec lui. Etes-vous triste, Rowan? Vous plaisez-vous, ici?

— Non, je ne suis pas triste. Au début j'étais en colère. J'étais furieuse contre Eileen — vous savez, la mère de Sadie. Mais je crois que je m'en remets. Maintenant, j'ai peur qu'elle ne revienne et ne réclame Sadie. Etes-vous triste, vous?

— Je l'ai été. J'ai été très triste quand Justine s'est enfuie. Je crois que je suis devenu fou de tristesse.

— Vous n'avez pas peur d'être malheureux de nouveau? Moi, si.

— Oh, il ne faut pas. Qu'a dit Dostoïevski? « Les gens heureux n'ont pas d'histoire », ou quelque chose comme ça.

— Vous, vous avez une histoire.

— Oui, mais elle s'estompe.

Ils se versèrent un autre verre. Et, exaltée par Carmen et le vin, Rowan avoua :

— J'étais folle de vous, quand j'avais treize ans.

Sa main vola jusqu'à sa bouche; elle n'aurait jamais dû

dire ça, et il fallait à tout prix qu'elle s'empêche d'ajouter : « Et c'est encore le cas. »

— Je suis désolée, s'excusa-t-elle. N'écoutez pas ce que je raconte, j'aurais dû tenir ma langue.

Il se leva.

— Bon, nous avons du travail, demain. Il faut que j'y aille.

— Vous pouvez rester encore un peu. La bouteille n'est pas finie.

— Non. Je vais y aller, avant d'être tenté de profiter de vos émois d'adolescente.

— Oh, si, profitez-en, s'il vous plaît!

Mais il ne le fit pas; il prit sa veste et sortit. Rowan resta assise là, à faire tourner son verre dans sa main. Elle se sentait idiote.

Le lendemain matin, elle se sentait mourir de honte à l'idée d'affronter Nelson, et elle fit un long détour après avoir conduit Sadie chez ses parents.

Lorsqu'elle se décida enfin à aller travailler, Nelson était seul au bureau. Freddy avait appelé pour dire qu'il était malade et Billy était parti interviewer un homme qui voulait entrer dans le *Livre Guinness des records* comme « l'homme ayant mangé le plus de haricots en une minute en les attrapant avec un cure-dents ». Rowan ferma la porte sans faire de bruit et s'assit à la réception. Nelson sortit de son bureau; elle ne le regarda pas. Enfin, elle soupira et s'excusa :

— Pardon. Je me suis conduite comme une imbécile, hier soir.

— Vous? s'exclama-t-il. C'est moi l'imbécile : j'ai refusé votre offre.

— Vous dites ça parce que vous êtes un gentleman.

— Pas du tout. C'était moi l'imbécile.

« Eh bien, aurait-elle aimé crier, l'offre tient toujours. Prenez-moi. Prenez-moi maintenant, sur ce bureau! »

Mais elle demeura silencieuse. Une femme ne pouvait se ridiculiser qu'une fois. Enfin, une fois par semaine, en tout cas.

Le samedi, ils remontèrent la vallée en voiture. Rowan installa Sadie sur ses genoux.

— Ce n'est pas légal, observa Nelson.

— Je sais. J'espère que nous ne croiserons pas de policier.

— Ça risquerait de gâcher la journée.

— Oui et puis je n'ai pas envie de me faire arrêter pour un petit truc insignifiant comme celui-là. Le jour où je quitterai le droit chemin, je veux être emprisonnée pour quelque chose de grandiose. Un hold-up avec poursuite en voiture, la totale. Les sirènes hurlantes.

— Prévenez-nous un peu à l'avance. La *County Gazette* aurait bien besoin d'un scoop.

— Voilà qui chasserait les réunions municipales de la une !

Ils prirent la route de la vallée et dépassèrent le bois de Gowan.

— J'ai vu un oiseau jaune ici, la veille de mon premier jour de travail. Un gros volatile paresseux. Il avait à peine le courage de s'envoler.

— Un loriot, acquiesça-t-il. Je l'ai vu, moi aussi.

— C'était un présage.

— Vous croyez aux présages ? A la chance ? Aux horoscopes ?

— Oh, oui. Pas vous ?

— Non.

— Pas même à l'horoscope de Mlle Porteous ? Seigneur, vous devez au moins croire à ça. Tout le monde y croit.

— Je trouve qu'il y a quelque chose d'inquiétant dans la précision de cet horoscope.

— C'est vrai, acquiesça Rowan. Je ne sais pas comment elle fait.

— Je crois que c'est la seule rubrique que les gens lisent. A mon avis, certaines personnes n'achètent le journal que pour cet horoscope.

— Elle est incroyable, dit Rowan.

Ils dépassèrent le chemin qu'empruntaient les jeunes amants du samedi soir. Une alouette s'envola en chantant.

— Une exultation d'alouettes... murmura Rowan. Avez-vous jamais assisté à une exultation d'alouettes? Moi, je ne les vois qu'une par une.

— Non. Voilà une idée intéressante. Au lieu d'une volée, une « exultation » d'alouettes. Une croassée de corbeaux. Une querelle d'hirondelles.

— Je suis d'avis de créer de nouveaux noms collectifs. On devrait dire une bornée d'informaticiens; une détresse de professeurs; une flamboyance de cuisiniers télévisuels; un froncement de banquiers...

— Vous parlez toujours autant?

— Seulement quand je suis avec quelqu'un. Sadie ne dit jamais rien, ce qui est très bien. Elle est toujours d'accord avec moi. Mais une fois que je l'ai mise au lit, le soir, c'est très calme à la maison.

— Vous vous sentez seule?

— Je suppose. La solitude ne me dérange pas outre mesure, de temps à autre, mais tous les soirs, c'est trop. Vous arrive-t-il de vous sentir seul?

— Non. Je crains d'avoir perdu le goût des bavardages.

— Peut-être que vous vous sentez seul sans en avoir conscience.

Ils se garèrent et empruntèrent le chemin que Rowan avait pris quelques semaines plus tôt, jusqu'au bassin de pêche puis, au-delà, jusqu'au loch. Cela leur prit deux heures. Nelson portait Sadie ; l'enfant se faisait lourde, elle n'arrêtait pas de gigoter, d'envoyer de grands coups de pied dans son dos.

— Elle marchera bientôt, observa-t-il.

— Elle arrive déjà à traverser le salon à quatre pattes. Après ça, elle parlera. Je me demande ce qu'elle dira.

— Elle vous demandera probablement pourquoi vous n'avez jamais arrangé la maison.

— C'est horrible à ce point ?

— Eh bien, disons que je ne pense pas que vous soyez jamais harcelée par des magazines de décoration.

— C'est le papier peint de Walter ; je ne veux pas lui faire de la peine en en changeant.

— Walter est mort.

— Je sais, mais j'ai lu son journal. Pour moi, il n'est pas vraiment mort.

L'ascension demandait toute leur énergie, et ils cessèrent de parler. Ils haletaient en cœur et écoutaient le bruit de leurs pas marteler le sentier. Autour d'eux, les pentes recouvertes de fougères devenaient des collines, des montagnes lointaines, grises, violettes. Rowan se retourna pour observer le chemin qu'ils venaient de gravir.

— Vous venez ici presque toutes les semaines, et vous ne m'avez jamais dit à quel point c'est beau. Je comprends maintenant pourquoi Walter faisait tout ce chemin. Mais je me demande comment il arrivait jusqu'ici. Il était tellement malade ! Il aurait pu glisser à n'importe quel moment. La mort vous rend téméraire.

Nelson la regarda.

— Je veux dire, quand on sait qu'on va mourir, qu'a-t-on à craindre ? A part la mort.

Nelson se frappa la poitrine.

— Je reprends juste mon souffle.

— C'est l'âge, plaisanta Rowan. Ça commence à être trop dur pour vous.

— J'ai quarante-quatre ans. Ça ne me paraît pas si vieux que ça. Quel âge avez-vous, vous?

— Vingt-six ans.

— J'ai presque vingt ans de plus que vous. Vingt ans de sagesse...

— Ou de sottise.

— C'est l'impression que j'ai.

Ils contournèrent un bosquet composé de pins écossais et de mélèzes. Gravirent une petite pente. Et le loch leur apparut, immense étendue d'eau grise étincelante comme du verre, immobile. La qualité de l'air se modifia, se chargea d'humidité. Quatre cygnes nageaient au milieu du loch. Deux adultes d'un blanc de neige, qui se reflétaient sur l'eau, et deux jeunes, gris-brun. Ils s'éloignaient d'eux, en file indienne.

— Le renard ne les a pas eus, cette année, observa Rowan.

— Papa et Maman ont vieilli et sont plus sages, désormais, dit Nelson en posant Sadie à terre. Contrairement à moi.

Rowan lui décocha un sourire.

— Qui l'eût cru? Je m'étais imaginée arpentant l'Afrique, remontant le Niger sur les traces de Mungo Park, et me voilà. Avec vous. Et un bébé. Et ça ne m'embête pas, pas du tout. La vie est bizarre. Elle arrive par-derrière et vous donne une claque en plein visage. Ne croyez pas que cela n'arrive qu'aux autres. Ça pourrait très bien vous arriver aussi. Je suis même sûre que ça vous arrivera un jour.

Ils s'assirent dans l'herbe près de la rive et mangèrent des sandwichs au thon détrempés en buvant du café instantané. Puis ils donnèrent de la purée de poulet et de légumes et du yaourt à Sadie à la petite cuillère.

— Ton premier pique-nique, Sadie.

Rowan et Sadie demeurèrent près d'un gros rocher et regardèrent Nelson pêcher. Il pataugeait dans l'eau puis il lançait sa ligne, qui battait l'air avant de se poser comme une plume à la surface. Rowan l'observa un moment puis elle plaça Sadie sur ses épaules et se promena le long de la rive. Le chemin était étroit, complètement défoncé et envahi d'herbes folles plus hautes qu'elle. Des lis jaune vif poussaient au bord de l'eau. Juin était un mois jaune. Des ajoncs sur les collines. Des champs enivrés de colza, une mer jaune qui ondulait sous la brise. Rowan préférait août, un mois plus profond, plus bleuté, qui sentait le changement. Juin était sûr de lui, comme si l'été ne devait jamais se terminer. Il y avait du violet sur les collines.

Elle regarda les cygnes, respira l'odeur humide du lac et se demanda si Walter faisait désormais partie de tout cela. Avait-il atteint cet état de symbiose, savait-il ce que seuls savent les cygnes ? Les secrets de l'eau. Les chemins du renard. Pour l'instant, avec Sadie qui lui martelait le dessus de la tête de ses petites paumes et qui lui donnait des coups de pied dans les épaules, s'agitant et babillant, Rowan n'arrivait pas à concevoir une telle osmose avec la nature.

Elle avança jusqu'à ce que le chemin devienne impénétrable et que Sadie s'endorme, appuyée sur sa tête. Alors, elle retourna regarder Nelson. Elle entendait le vrombissement discret de son moulinet. Avait-il ressassé ses souvenirs jusqu'à atteindre le point de non-pensée ? A quoi cela ressemblait-il ? Au vent sur l'eau, au bruit du gibier d'eau et des poissons sautant dans la rivière ?

Elle allongea Sadie, enveloppée d'une couverture, à l'ombre sur la rive. Le soleil avait coloré sa peau parfaite. Rowan s'assit à côté d'elle. Pourquoi avait-elle envie d'une cigarette ? Elle songea qu'elle resterait une fumeuse toute sa vie. Même après avoir arrêté depuis des semaines, elle souffrait toujours du manque. C'était comme une tension dans son cou, ses épaules, un désir irrépressible au creux de son estomac, une irritabilité mordante difficile à combattre.

— Vous voulez essayer? lui cria Nelson.

— Je ne pense pas que j'y arriverai.

— Bien sûr que si. Ce n'est pas compliqué du tout. Venez.

Elle ôta ses chaussures de marche et ses chaussettes, roula le bas de son jean et le rejoignit dans l'eau.

— Gardez un œil sur Sadie. Je ne voudrais pas qu'elle se réveille et se retrouve toute seule.

— Je la surveille.

— Que dois-je faire?

Il lui montra comment donner un peu de mou, puis laisser la ligne filer en lui faisant fouetter l'air d'un petit geste sec du poignet. La ligne se déroula et vola, argentée, dans les airs, arc étincelant. La mouche dansa au-dessus de l'eau, se posa et nagea à la surface. Rowan la laissa quelques instants. Puis réessaya. La ligne se tendit. La canne était lourde, soudain. Elle paniqua.

— J'ai quelque chose. Oh, mon Dieu. Il y a un poisson.

— Ramenez-le. Doucement, dit Nelson.

Elle tourna le moulinet dans le mauvais sens; le poisson s'éloigna d'eux. Nelson, debout derrière elle, remit le moulinet en place, les bras autour d'elle. Puis il tira la ligne, ramenant le poisson, avant de la laisser enrouler le fil. C'était une truite, qui dansait dans l'eau dans un éblouissement de violets, de verts et de bruns miroitants.

Rowan la regarda.

— Je ne veux pas attraper quoi que ce soit. Laissez-la partir.

Nelson sortit doucement le poisson de l'eau et retira

l'hameçon de sa bouche. Il la tint devant lui d'un air appréciateur.

— C'est une beauté. Regardez-la.

La truite se tortillait, nageait dans sa main.

— Regardez ses couleurs.

Il s'immobilisa.

Rowan remonta la rive et alla chercher Sadie.

— Regarde, Sadie, un poisson.

Encore ensommeillée, Sadie regarda l'animal. Puis tendit la main pour l'attraper.

— Je compte ses premières fois, expliqua Rowan à Nelson. L'autre jour, elle a vu sa première abeille. Et sa première lune. Voilà son premier poisson.

— Qu'est-ce qu'elle en pense, à votre avis?

— Dieu seul le sait. Je me demande ce que ça fait d'être trimbalée partout, de voir toutes ces choses étranges? Croyez-vous que sa vie soit pleine d'émerveillements?

— Je l'espère. N'est-ce pas le cas de la vôtre? Quand je vous écoute, j'ai l'impression que vous n'avez pas perdu votre capacité d'émerveillement. Je me demande: « Comment fait-elle? »

Il pataugea dans l'eau, plaça avec précaution le poisson sous la surface et le lâcha. Il y eut un petit tumulte dans l'eau, et la truite disparut. Elle plongea dans les profondeurs.

— Est-ce qu'il va s'en sortir, mon poisson?

— Bien sûr. Ça lui fera une histoire à raconter en rentrant chez lui. Il parlera à tous ses amis truites de cette énorme personne, ajouta-t-il en écartant les bras, imitant le pêcheur fanfaron. Etes-vous obsédée par la liberté, Rowan? Est-ce pour cela que vous vouliez partir, voyager, sans destination particulière en tête?

— Non. C'est l'impression d'être contrôlée qui me rendait folle. Ma vie avait toujours été contrôlée. Les heures des repas. Les heures d'école. Les allers et retours, les va-et-vient. La vie de mon père était ainsi, minutée. Il quittait la maison à huit heures dix — pas huit heures cinq ni huit heures et quart — tous les matins. Il portait toujours les mêmes vêtements, son costume, une chemise blanche, une cravate à rayures bleu et marron, des chaussures marron qu'il cirait chaque soir. Ma mère cuisinait, faisait le ménage et l'attendait. Ça me faisait peur. Je craignais de devenir comme eux.

Il la prit dans ses bras.

— Ils paraissent si différents, maintenant, en particulier ces derniers temps. Ils sont heureux — à moins qu'ils ne l'aient toujours été. Désormais, ils le montrent. Je ne sais pas, conclut-elle.

— Vous ne pensez pas que ça a quelque chose à voir avec vous?

— Moi? Pourquoi?

— Eh bien, vous êtes revenue. Et puis, il y a ce que vous dites. Qu'il faut voir le monde avant de mourir, accomplir des choses...

— J'ai dit ça, moi?

— Oui. Le jour de votre retour, à votre père. Ça l'a travaillé.

Il fit courir ses mains dans le dos de Rowan.

— Il vous l'a raconté?

— Non. Il l'a dit à Mamie, qui l'a dit à Claudia junior, qui l'a dit à Jude, qui me l'a dit.

— Je devrais tenir ma langue.

Il l'embrassa. L'eau ondulait autour de leurs chevilles. Les cygnes s'appelaient au milieu du lac. Au loin, un courlis s'envola avec un cri plaintif. Une complainte de courlis.

— Je pourrais profiter de toi, maintenant, murmura Nelson.

Mais Sadie s'éveilla. Se mit à pleurnicher. Puis, se rendant compte qu'elle était seule, à hurler franchement pour avoir de la compagnie.

— Plus tard, dit Rowan. Pour l'instant, je dois rentrer. Il faut que je m'occupe de Sadie : que je la lave, la nourrisse, la mette au lit. Tous les trucs habituels.

Il était plus de six heures quand ils arrivèrent à l'appartement de Rowan. Elle tendit Sadie à Nelson.

— Tiens-la une seconde, s'il te plaît. Mon jean est tout mouillé et il me colle aux jambes.

Elle revint quelques minutes plus tard, vêtue d'une longue tunique en coton.

— Regarde, je suis à l'écoute de mon côté féminin.

— Merveilleux. Cela va si bien avec ce que tu as aux pieds ! ironisa-t-il en regardant les énormes chaussettes en laine rouge vif qui tire-bouchonnaient à ses chevilles.

— J'ai froid aux pieds. Ce sont des choses qui arrivent, quand on écoute trop son côté féminin.

Pendant que Rowan préparait le dîner de Sadie, Nelson passa à la friterie. Ce soir-là, ils mangèrent du poisson et des frites en buvant du vin acheté au County Arms Hotel.

— Elle n'arrivera pas à dormir, ce soir, elle trop surexcitée, dit Rowan en désignant Sadie, assise sur ses genoux. Ce n'est pas souvent que j'ai de la visite.

Mais, après son bain, épuisée par cette journée riche en événements, Sadie s'endormit comme une masse. Rowan la mit dans son couffin et revint sur la pointe des pieds dans le salon. Nelson était allé chercher un seau de charbon dans la petite remise située dans le jardin et allumait un feu.

— C'est le charbon de Walter, protesta Rowan, qui n'aimait pas utiliser ce qui ne lui appartenait pas.

— Il n'en aura pas besoin. De plus, je le connaissais — cela ne l'aurait pas dérangé. Il n'aurait pas voulu que tu aies froid.

Rowan le regarda rouler en boules serrées des feuilles de papier journal, les placer dans l'âtre, puis arranger soigneusement le charbon au-dessus. Il alluma une allumette, enflamma le papier et se pencha en arrière. Les flammes s'enroulèrent autour du charbon, léchèrent la cheminée.

Rowan soupira.

— C'est une bonne chose que je n'aie pas vécu dans les temps anciens. *Homo erectus*, c'est un nom trompeur. C'est loin d'être aussi excitant que ça en a l'air.

Derrière le dos de Nelson, elle esquissa quelques pas, voûtée, les bras pendants.

— Par pitié, ne me dis pas que tu imites l'*Homo erectus*. Pas avec ces chaussettes, dit Nelson sans se retourner, concentré sur son feu.

Rowan se redressa.

— Non.

Il se retourna, et elle esquissa un sourire coupable.

— En tout cas, si j'avais été Mme Neandertal, je n'aurais jamais inventé le feu. C'est tellement malin ! Ça ne me serait pas venu à l'idée de frotter deux bâtons l'un contre l'autre. C'est comme la roue, je n'y aurais pas pensé. Ma tribu n'aurait pas avancé d'un pouce. Et je ne t'aurais jamais rencontré.

— Tu serais encore là-bas. Des os fossilisés.

— Peut-être que j'y étais. Peut-être que je suis morte et née de nouveau des milliers de fois. Parfois, c'est l'impression que j'ai. Je suis passée par toutes les étapes — ver, scarabée, fourmi, abeille, oiseau, etc. Et me voilà réincarnée. Encore moi. Il fait bien plus chaud, cette fois-ci.

— Je croyais que tu voulais t'arrêter au stade « paresseux ».

— Ça, c'était avant que tu m'embrasses.

Il s'approcha d'elle et l'embrassa de nouveau. Les bras

tendus pour ne pas la toucher, car ses mains étaient pleines de suie.

— Il faut que je me lave, dit-il. Ton *Homo erectus* n'aurait peut-être pas pris cette peine, remarque.

Ils s'assirent sur des coussins empilés devant le feu. Burent le vin.

— C'est ça que tu fais, le soir? Tu lis ce journal? demanda Nelson en attrapant le journal de Walter, posé sur un des fauteuils rouges.

— Parfois, je regarde les montagnes par la fenêtre des toilettes. Si je monte sur la cuvette, j'arrive à atteindre le carreau. Pathétique, hein?

Il secoua la tête.

— Pas vraiment.

— Je crois que je dois être ennuyeuse.

— Avec ma femme, je me sentais ennuyeux.

— Elle est devenue folle, n'est-ce pas?

— Je crois qu'il se passait trop de choses dans sa tête et qu'elle n'arrivait pas à les assumer.

— Où est-elle, maintenant? Tu le sais?

— En Californie. Elle s'est trouvé un Américain compréhensif. Sa dernière carte postale date d'il y a six ans. Elle allait bien. J'aurais dû m'en douter.

Il remplit leurs verres, porta le sien à ses lèvres, y jeta un coup d'œil désapprobateur. Les crus de George O'Connell étaient parfois douteux.

— Pourquoi passes-tu tant de temps à regarder les montagnes?

— J'aime penser à elles, là-dehors. Toute cette vie. Tout cet espace. Elles sont immuables, et c'est rassurant. Penses-tu aux poissons, quand tu n'essaies pas de les attraper? Penses-tu à eux dans le loch, en train de sauter dans tous les sens et de faire les fous derrière ton dos?

— Pas vraiment. Je pense à eux dans leurs cachettes

secrètes, sous les rochers, là où ils se reposent. Il y a quelque chose de cool là-dedans. Ils sont sains d'esprit, eux.

— Ah, dit-elle.

La pièce était de plus en plus obscure autour d'eux. Rowan n'alluma pas la lumière.

— Tu aimes, ici? demanda-t-elle.

— Cette pièce? Oui. Ce village? Ça dépend. Il est habitué à moi. Il sait, pour Justine et moi. Une fois les ragots échangés, il ne juge plus. Je vais et viens et tout le monde connaît mon nom. Cet endroit m'appartient un peu, désormais. Et toi? Tu aimes, ici?

— Cette pièce? J'y suis complètement accro. Ce village? Je ne sais pas. Je pense que je pourrais m'y habituer, moi aussi. Je me sens en sécurité, ici. Ça me fait peur. La sécurité me fait peur.

— Ah, dit-il.

Il faisait très sombre, à présent.

— As-tu pleuré quand Justine est partie? demanda Rowan. As-tu pleuré quand elle est devenue folle?

Il secoua la tête.

— Non. Je ne pleure pas. Je n'y arrive pas. Et toi? Tu as pleuré?

— Oh, oui! Je pleure tout le temps. Dans les moments de désespoir, il vaut toujours mieux pleurer.

— Oui, dit-il, c'est vrai. Si on y arrive.

Ils regardèrent le feu. Rowan demeura allongée, la tête sur les genoux de Nelson, jusqu'à ce que la fatigue de la journée la rattrape et qu'elle s'assoupisse. Quand elle s'éveilla, le feu était éteint, et Nelson était assis à la même place. D'une main il lui caressait les cheveux et, de l'autre, il tenait le journal de Walter.

— Tu ne devrais pas lire les journaux intimes des gens.

— Je sais, mais je n'ai pas pu résister. C'est plus que triste, c'est envoûtant. Il allait et venait dans son immense manteau noir... Jamais je n'aurais deviné qu'il nourrissait de telles pensées.

Il reposa le cahier.

— C'est l'heure d'aller au lit.

— Je n'ai plus sommeil, maintenant.

— Parfait. Je n'avais pas vraiment en tête de dormir.

Ils firent l'amour. Chuchotèrent. Se murmurèrent mille petites choses intimes. Parfois, Nelson s'arrêtait, se reculait, chassait d'un geste doux les cheveux de Rowan de son visage et la regardait avec intensité.

— Es-tu heureux? lui demanda-t-elle.

— Je n'ai pas d'histoire.

Après, il s'endormit, la tête contre son épaule. Il la serrait contre lui. Elle le regarda. C'était ce qu'elle avait souhaité. Des années plus tôt.

16

Le New Raffles n'était guère une surprise. Une fois la moitié des travaux de redécoration effectués, George O'Connell s'était retrouvé à court de patience, de temps et d'argent. Les chaises neuves en osier étaient regroupées autour des anciennes tables éraflées. Le sol avait été décapé et verni. Plusieurs palmiers étaient disposés de façon décorative (de l'avis de George) autour de la pièce ; ils paraissaient surpris de se trouver là. Au plafond, un immense ventilateur tournait lentement en grinçant.

— Il n'est pas censé faire ce bruit-là, se plaignait George avec un signe de tête furieux en direction de l'objet. Mais nous ne pouvons pas le faire aller plus vite : ça crée un coup de vent — je devrais dire une tornade —, et tout s'envole. La cendre, disait-il en montrant un cendrier plein à ras bord, les coiffures des dames... J'ai eu des plaintes.

Il frottait d'un air absent un coin de bar déjà trop luisant.

— C'est la dernière fois que j'achète une deuxième main.

Jude et Rowan étaient assises dans un coin, derrière un palmier. Elles s'étaient rencontrées sur la grand-place.

Rowan rentrait chez elle avec Sadie; Jude était devant sa porte.

— Salut, Rowan. Je suis sortie pour ne pas devenir folle. Il fallait que je prenne l'air. Steven et Delia sont en train de s'entre-tuer.

— On dirait, en effet.

On entendait, par la fenêtre du premier, s'échapper les hurlements des deux adolescents, qui s'écharpaient pour récupérer la télécommande du téléviseur.

— J'avais besoin de tranquillité : je ne m'entendais plus m'inquiéter, avait expliqué Jude. Tu veux prendre un verre? Nous pourrions aller au New Raffles. Tu y es retournée, depuis la réouverture?

— Non. Mais il faut que j'aille faire dîner Sadie.

— Elle peut bien attendre dix minutes. Allez, viens, ça te fera du bien.

— O.K. Ça me soulagera un peu de mes propres inquiétudes.

Elles avaient traversé la grand-place et pénétré dans le bar.

— Qu'est-ce que tu en penses? demanda Rowan en regardant autour d'elle.

— C'est le Raffles — version barbecue, répondit Jude en allant d'autorité leur commander deux demis. Il y a quelque chose qui cloche, continua-t-elle à son retour. Peut-être ce vieux jeu de fléchettes. Non; non, le problème, c'est nous, les clients. Nous ne sommes pas assez glamour.

Le bar était peuplé d'hommes aux costumes fatigués, en jeans ou en vieux pantalons, et de femmes vêtues de tailleurs de qualité médiocre, aux épaulettes bon marché. Des rires trop forts s'élevaient au milieu de la fumée dense et malodorante.

— Nous ne sommes pas sexy. Personne ne porte de robe sophistiquée, ne sirote de cocktail. Les plaisanteries sont toutes ouvertement salaces — ça ne laisse aucune place à l'imagination. Nous avons trahi George. Il avait des projets grandioses, alors que nous sommes tous des rêveurs amateurs. Bref, si Singapour devait s'expatrier, je ne pense pas qu'il choisisse de venir s'installer ici.

— Bien, dit Rowan. Voilà donc le sujet clos. En fait, je préfère le Squelch. C'est un bar tout désabusé, tout taché, comme moi. Enfin, c'est comme ça que je me sens, en tout cas. Je n'ai jamais été aussi tachée. Les bébés sont des cochons.

Elle déplaça Sadie, craignant que celle-ci ne se luxe le cou à force de lever la tête pour regarder le ventilateur.

— Pardon si je te parais amère, dit Jude. Je suis un peu déprimée, en ce moment. J'ai rejoint la grande famille des chômeurs.

— Qu'est-ce que tu vas faire? demanda Rowan.

Sadie tendit la main vers le ventilateur en criant, furieuse de ne pouvoir l'atteindre.

— Je vais retourner à l'université. Je n'ai pas le choix. Il n'y a rien à faire, par ici.

— Retourner?

— Oui, j'ai étudié pendant un an. Une année entière. Mais j'ai laissé tomber.

— Pourquoi? voulut savoir Rowan.

Sadie cambrait le dos et agitait les bras en tous sens.

— Je ne comprenais pas de quoi parlaient les gens. Les cours magistraux, ça allait, mais après, au pub... tu vois ce que je veux dire? Rien que du bla-bla. Livres, films, musique, quand ils parlaient de quelque chose, il y avait toujours un « mais ». « C'est super, mais... » Mais la fin est décevante. Mais Unetelle n'est pas convaincante dans ce rôle. Mais. Mais. *Mais!* Ça me rendait folle.

Jude alluma une cigarette et son regard se perdit dans le vague. Pour la première fois, Rowan réalisa à quel point elle était belle, avec ses longs cheveux sombres, son visage étroit, ses grands yeux, ses lèvres pleines. Jude avait un physique intense, poétique.

Elle soupira.

— Je déteste ces gens, leur façon de parler. « Hum... Ah... Je pense... Enfin, ça dépend... En règle générale... Globalement... »

Elle se passa nerveusement la main dans les cheveux.

— Pourquoi ne se contentent-ils pas de dire ce qu'ils ont dans la tête ? Rien que d'y penser, je m'énerve. Pourquoi ne peuvent-ils pas parler de ce qu'ils ont vu la veille à la télé, faire une blague ou deux et rentrer dîner chez eux ? Comme les gens ordinaires ? Comme moi ?

— Sans vouloir te vexer, ne faisais-tu pas comme eux, tout à l'heure, en parlant du bar ? demanda Rowan.

— Seigneur ! s'exclama Jude. Tu as raison. Mon Dieu ! Peut-être que la verbosité est un virus.

Elle se tourna vers Rowan, le regard fiévreux tout à coup.

— Tu sais quoi ?

Rowan secoua la tête.

— Un jour, j'étais chez ma mère, et elle faisait des mots croisés. Il y avait une réponse qu'elle ne trouvait pas, alors je la lui ai donnée. Tu sais, c'était un de ces trucs que tu as dans la tête sans le savoir et qui te reviennent quand quelqu'un te pose la question. Tu vois ?

Rowan opina.

— Alors, tout à coup, ma mère me dit : « La vieille Mme Lucas, ton institutrice à l'école primaire, disait que tu étais l'une de ses élèves les plus brillantes. » Moi ! Mme Lucas lui avait dit que j'étais intuitive et logique. Une mathématicienne-née.

Jude écrasa sa cigarette et en alluma une autre.

— Pourquoi est-ce que personne ne me l'avait dit avant ? Ça m'aurait évité de passer toute mon existence à croire que j'étais stupide.

— Ils ne voulaient pas que tu prennes la grosse tête, de peur que tu ne les laisses tomber ou quelque chose comme ça. Je ne sais pas. Moi, en tout cas, j'ai décidé de me dépasser, de m'élever au maximum. J'en ai fait mon ambition première.

— C'est ça, acquiesça Jude. Ils pensaient que j'étais déjà assez pénible comme ça, sans en plus me prendre pour un génie. Mais ça m'a vexée. Après tout, c'était mes propres capacités qu'on m'avait cachées.

A l'époque, Jude vivait avec Frank Ross, le plombier. Il lui était tombé dans les bras quand sa femme s'était enfuie avec Duncan Willis, deux ans auparavant.

— Hé, lui avait-elle dit ce soir-là, en posant une assiette qui contenait une pizza décongelée sur la table, devant lui. Tu savais que j'étais intelligente? Mon ancienne institutrice a dit à Maman que j'étais l'une des gamines les plus brillantes qu'elle ait jamais eues. Une bonne en maths.

— M'étonne pas.

Frank avait enlevé ses anchois un à un pour les aligner sur le bord de son assiette.

— Quand tu vas au supermarché, tu sais toujours ce que tu as acheté, au centime près. Tu peux additionner les articles au fur et à mesure tout en me parlant et en enguirlandant tes gosses en même temps. Il n'y a pas grand monde qui puisse faire ça. En fait, personne ne peut faire ça.

— Vraiment?

Elle piquait les anchois dans son assiette et les mangeait. Elle n'avait pas le courage de se cuisiner quelque chose.

— Oui.

Ils n'en parlèrent pas davantage ce soir-là, mais, peu de temps après, Jude s'inscrivit à des cours du soir. Tous les mardis soir, elle laissait les enfants à Frank et allait au lycée suivre son cours de maths. Au bout de quatre semaines, elle passa dans le cours supérieur. Cinq mois plus tard, elle étudiait l'algèbre niveau terminale tout en fredonnant des extraits de son CD de Police préféré. *Every breath you take...* Elle avait conscience d'irriter son entourage, mais chanter ainsi l'aidait à supporter la haine ambiante. Elle cessa d'aller en cours, mais le jour des examens, ayant un gros rhume, elle appela l'usine pour dire qu'elle n'irait pas travailler. Sur un coup de tête, elle se rendit au centre d'examens et demanda si on l'autoriserait à se présenter en candidat libre. Elle obtint un A. Le professeur vint la voir chez elle et la convainquit d'abandonner son job à la fabrique de conserves pour étudier en vue des examens d'entrée à l'université. Elle avait un don, il pleurait presque d'admiration et de jalousie en lui en parlant. Il ne fallait pas l'ignorer. Elle avait même le devoir de l'entretenir. Jude haussa les épaules et dit qu'elle essaierait.

— Ça ne me dérange pas, expliqua-t-elle à Frank. Ce que j'apprends est intéressant, et j'ai accès aux ordinateurs. Mais les gens, ils disent n'importe quoi. Rien que du bla-bla.

Frank haussa les épaules. Il n'aimait guère le nouveau système. Jude quittait la maison à six heures et demie du matin pour se rendre au collège, et ne rentrait pas avant sept heures du soir. Elle lui manquait. Et il était contraint de préparer tous les repas. Ce n'était pas ce qu'il avait prévu.

Il supporta cela jusqu'à la fin de l'année scolaire. Jude disposait de longues vacances d'été avant d'entrer à l'université. Frank poussa un soupir de soulagement : les choses revenaient à la normale. Jude préparait les repas et faisait le ménage. Il rentrait à la maison, mangeait, allait au pub, rentrait à la maison, faisait l'amour à Jude, s'endormait ; une vie parfaite. Puis, en septembre, la routine éreintante reprit. Frank était mécontent, et plus les mois passaient, plus il s'énervait.

A la fin de l'année universitaire, le tuteur de Jude l'emmena prendre un verre. Ils s'installèrent dans un pub et évoquèrent leurs enfances respectives.

— Ma mère m'obligeait à porter des chaussures noires très lourdes et lacées jusqu'en haut des chevilles pour l'école, lui dit-il. Tous les autres avaient des Hush Puppies, mais je n'ai jamais eu le droit d'en posséder ne serait-ce qu'une paire.

— Ouais, moi pareil, acquiesça-t-elle. Des grosses chaussures qui vous faisaient des marques rouges sur le dessus du pied.

— Exactement! dit-il en hochant vigoureusement la tête. Je ne participais jamais aux jeux après l'école. On se moquait de moi dans la cour de récré parce que je ne pouvais pas jouer au football. Je crois que c'est pour ça que je ne me suis jamais vraiment intéressé au sport. Mes amis ne parlent que de football et de billard, mais je n'arrive pas à participer à leurs conversations. C'est à cause des chaussures, j'en suis certain. Ne ressentez-vous pas quelque chose comme ça?

Jude alluma une cigarette.

— Non, répondit-elle dans un nuage de fumée. J'ai laissé mes chaussures derrière moi quand j'ai quitté l'école, je les ai ôtées à la porte. Vous portez toujours les vôtres.

Elle prit une longue gorgée de bière.

Son tuteur la regarda, abasourdi. Il avait pâli. Frappé de plein fouet par cette révélation, il leva les mains devant lui comme pour se protéger de cette rafale de vérité.

— Mon Dieu!

Il se pencha vers elle et murmura :

— C'est du zen, purement et simplement. Vous êtes un génie.

Jude écrasa sa cigarette.

— Je ne pense pas. Je pense que je suis normale et que vous êtes tous cinglés.

De retour chez elle, elle raconta cette conversation à Frank. Il prit son blouson, accroché derrière la porte de la cuisine.

— Je m'en fous, de ton satané tuteur. Je n'ai pas envie de savoir ce qu'il t'a dit. Tout ce que je sais, c'est que tu es toujours par monts et par vaux et que c'est moi qui dois m'occuper de tes gosses tous les soirs. Alors que ce ne sont même pas les miens.

— Deux d'entre eux sont de toi, lui rappela Jude en regardant autour d'elle, à la recherche des intéressés. Tu ne peux même pas faire la vaisselle? Je suis obligée en rentrant ici de me taper tout ça et le repassage en plus, alors que je suis crevée...

— Va te faire foutre! répondit Frank.

Et il sortit en claquant la porte.

Jude se laissa tomber sur une chaise dans la cuisine. La vie était loin d'être rose, ces temps-ci. Elle songea avec nostalgie à son travail à la fabrique — les chansons, les blagues, les amis... Et maintenant, voilà ce qui lui arrivait. Elle n'arrêtait pas de se disputer avec Frank; elle voyait à peine ses enfants. Steven faisait toutes sortes de sottises, il volait des voitures, il mettait l'école sens dessus dessous, il arrivait en retard, il montrait ses fesses aux filles pendant les cours de gym, il volait, il fumait de l'herbe dans les toilettes. Deux fois cette semaine, Charmaine était allée à la maternelle sans son casse-croûte pour midi. La responsable de la crèche avait déposé Sonia chez la mère de Jude parce que Frank avait oublié d'aller la chercher. Et Dunbar, le marchand de journaux, avait surpris Delia en train de lui voler une barre Mars et un paquet de Bics multicolores... « Franchement, les études, c'est très surfait », conclut-elle. Et elle laissa tomber au terme de sa première année.

Cela n'empêcha pas Frank de la quitter. Il trouvait que les études avaient changé Jude. Elle avait beau dire du mal des autres étudiants, elle aussi s'était mise à ponctuer ses phrases de « Ah » et de « Hum ». *Mais*, disait-elle après un épisode d'*Eastenders*[1]. « Mais dans la réalité, réagirait-elle vraiment comme ça si elle se rendait compte que son copain la trompe ? »

— Seigneur, dit Jude à Rowan, si j'avais su à quoi ressemblerait ma vie, je ne me serais pas cassé la tête. Je serais entrée au couvent. Et toi, qu'est-ce qui t'inquiète ?

— Mes parents partent en croisière. Je n'ai personne pour s'occuper de Sadie.

— C'est tout ?

— Ma foi, pour moi, c'est important.

— Je m'en occuperai, moi. Ça me donnera quelque chose à faire.

Jude tendit les bras et prit Sadie. Elle la posa sur son genou.

— Nous nous entendrons très bien, toutes les deux, pas vrai, Sadie ? Et je pourrai lire un peu quand elle dormira.

— Elle se repose à peu près une heure dans l'après-midi. Tu pourras venir chez moi, si tu veux.

— Génial ! Ça me permettra d'échapper à ma famille. Steven gardera Sonia ; il est doué, avec les petits. Sonia le surveillera. Je vais t'apprendre à te dépasser, Sadie, dit-elle en souriant.

Le bébé tendit le bras vers le pendentif de Jude et le tourna dans sa petite main potelée.

— A cet âge-là, les enfants, c'est extra, reprit Jude. On n'a pas les mêmes inquiétudes. Il n'y a guère que les

1. Célèbre soap-opéra britannique. *(N.d.T.)*

dents, et quand ils sont malades... Mais c'est gérable. Lorsqu'ils grandissent, en revanche, c'est une autre paire de manches. Ma Delia est toute bizarre, ces temps-ci. Elle est silencieuse, elle ne m'adresse pas la parole.

Elle reprit, après avoir vidé son verre :

— Enfin, avant, elle ne me parlait guère non plus, mais au moins, elle faisait du bruit, elle brassait de l'air. Un calme pareil, c'est inquiétant. Elle me prépare quelque chose, j'en suis sûre.

Jude se souvenait très bien de sa première grossesse, à quatorze ans. Elle avait réagi exactement comme cela : en se taisant et en boudant. Souvent, elle passait en revue ce qui pouvait contrarier Delia.

— Tu n'es pas enceinte, n'est-ce pas? lui avait-elle demandé la semaine précédente.

— Non, avait rétorqué Delia sèchement.

— Tu te drogues?

— Maman, fous-moi la paix... Bien sûr que non.

— Mais alors, qu'est-ce qui t'arrive?

— Rien.

Et sur ces mots, Delia avait quitté la pièce.

Jude se tortillait sur son siège, à la fois irritée et folle d'angoisse. Pourquoi cette gamine ne disait-elle pas tout simplement ce qu'elle avait sur le cœur? Elle errait dans la maison, lunaire, sans adresser la parole à quiconque. Et puis, il y avait les chaussures. Pendant des mois, Delia avait harcelé Jude pour qu'elle lui achète une paire de Caterpillar. Elle les avait portées une fois. Une seule fois — après cela, Jude ne les avait plus jamais revues.

— Qu'est-ce qui ne va pas, avec tes chaussures? Tu m'as cassé les oreilles pendant je ne sais combien de temps pour que je te les offre.

— Ch'sais pas. Elles me font un peu mal.

Au-dessus de leurs têtes, le ventilateur d'occasion grinçait encore et encore. Sadie abandonna le pendentif de

Jude, fixa le ventilateur et, de nouveau frustrée de ne pouvoir l'atteindre, se mit à pleurer.

Rowan la souleva dans ses bras.

— Il est temps d'y aller.

Elle se dirigea vers la porte, puis se retourna vers Jude.

— Euh... je n'ai pas les moyens de te payer. Je n'ai pas d'argent. J'arrive tout juste à nous entretenir, Sadie et moi.

— Ne t'inquiète pas, j'ai l'habitude.

Ce soir-là, Rowan et Sadie, leurs visages collés l'un contre l'autre, demeurèrent un long moment perchées sur le siège des toilettes, à regarder les collines se fondre dans l'obscurité. N'était-ce pas étrange? songeait Rowan. En quittant Londres, elle avait eu l'impression de laisser derrière elle tout un tas de gens fabuleux. Et pourtant, ici, elle vivait sur une place en ruine, entourée de marginaux. Enfin, eux, supposait-elle, ne se rendaient pas compte qu'ils étaient marginaux. Mais peut-être n'étaient-ils pas marginaux, ici? Peut-être étaient-ils à leur place...

Elle mit Sadie au lit. Une fois l'enfant endormie, elle erra dans l'appartement. En cette fin de mois de juin, les fenêtres étaient grandes ouvertes. Elle entendait les bruits de la grand-place, les portières qui claquaient, les gens qui sortaient de la friterie. Elle s'approcha de la fenêtre et regarda dehors. Claudia junior, vêtue de son tout nouveau survêtement bleu marine, passa sous sa fenêtre en courant lentement. Rowan l'entendait souffler et haleter au rythme de la musique de David Bowie dans son baladeur.

David Bowie était le grand amour de jeunesse de Claudia. A treize ans, elle avait recouvert les murs de sa chambre de posters le représentant; à seize, elle s'était enfuie de chez elle pour aller le voir en concert à Glasgow. Ç'avait été sa seule tentative de rébellion contre l'autorité parentale. Lorsque Claudia senior s'était aperçue de sa disparition, elle avait ordonné à Giorgio de sortir la Rolls Royce et d'aller récupérer sa fille. Cela avait créé un petit scandale, à l'époque.

En regardant Claudia courir et disparaître dans la venelle, Rowan songea qu'elle perdait du poids. En fait, elle trouvait Claudia plus mince chaque jour. Plus mince, mais pas plus heureuse...

Claudia ne lui parlait guère, ces derniers temps. Chaque fois que Rowan allait à la friterie, Claudia la servait, puis trouvait une excuse pour disparaître dans l'arrière-boutique. L'ancienne meilleure amie de Rowan lui manquait. Elle se demanda ce qu'elle avait fait de mal. Poussant un soupir, elle alla s'asseoir sur un des fauteuils rouges avec les cahiers de Walter.

21 juillet. Le jeune Steven, qui habite de l'autre côté de la grand-place, est passé me voir. Il m'a apporté de la marijuana. Il a dit que c'était exactement ce qu'il me fallait. Ça soigne tout, selon lui. Il m'a roulé une cigarette ou deux avec. Lui, il appelle ça des « pétards ». De mon temps, on disait des joints. C'est un bon garçon, vraiment.

24 juillet. Cette marijuana est vraiment extra. Je suis allé jusqu'au loch en un temps record. Je regrette de ne pas avoir été plus téméraire dans ma jeunesse, j'aurais découvert ça plus tôt. Il y a une nouvelle femelle cygne, sur l'eau; elle nage derrière les deux autres. Je crois qu'elle en pince pour le mâle. J'ai assez vu de femmes de ce genre pour savoir ce qu'elle manigance. J'ai peur que la plus vieille n'ait pas la force de la chasser.

Ça me rappelle des choucas que j'ai observés un jour. Un jeune couple dans son nid. Une nouvelle jeune femelle était arrivée. Et hop, en moins de temps qu'il n'en faut pour le dire, la nouvelle venue s'était installée dans le nid, et l'autre s'était retrouvée dehors, perchée sur une branche, à regarder son ancienne maison. C'était peu de temps après que ma Jean m'eut laissé pour Billy Whyte. Elle a investi sa maison et adopté ses deux enfants, pendant que moi je restais dans notre appartement et me réconfortais en observant le manège d'une traînée choucas. Vieux con, va.

25 juillet. Après le départ de Jean, j'errais comme une âme en peine dans l'appartement, les bras croisés autour de mon corps pour ne pas m'effondrer. Je ne lui reproche rien, cela dit. Je n'ai jamais gagné d'argent. Je ne pouvais pas nous offrir des vacances à l'étranger. Je n'avais qu'une petite voiture d'occasion.

Le silence me bouffait. Mais il y avait pire encore : le son de ma propre voix toute seule dans le silence. Elle était plate, sans vie. Rien qu'à m'écouter, je m'ennuyais à mourir.

Bientôt, ce sera le cygne mâle, le rejeté. Un pauvre cygne cocu, tout seul dans les ajoncs, les ailes en l'air, le cou plongé dans la vase. Comme je descendais la colline, tout un groupe de perdrix a détalé devant moi sur le chemin. Ce sont de drôles de volatiles grassouillets. Et qui courent à une vitesse! Pourquoi ne s'envolent-ils pas? Mon Dieu, si je pouvais voler, je monterais là-haut et ne redescendrais jamais.

Rowan referma le journal. « Il est temps d'aller au lit », dit-elle. Elle se demanda si sa voix sonnait platement dans le silence. Ou si elle ressemblait à celle de Zébulon dans *Le Manège enchanté.*

17

Rowan se demandait si l'été rend les gens fous. Les journées torrides, les nuits sans fin. La lune languide. Il faisait chaud. Les gens s'en plaignaient. Mais ils se plaignaient aussi lorsqu'il ne faisait pas chaud. Se plaindre, c'était ce qu'ils faisaient le mieux.

Norma et George partirent pour leur croisière. La mère de Rowan s'efforçait de dissimuler sa peur de l'inconnu — et *des* inconnus — derrière son tailleur en coton rose tout neuf et un large sourire; George, lui, était très élégant en veste bleu pâle, chemise blanche et nœud papillon marron.

Au moment du départ, Norma paniqua : avaient-ils leurs passeports? George tapota la poche droite de sa veste en hochant la tête. L'argent? Poche gauche. L'appareil photo? « Oh, bon sang, Norma, monte dans la voiture! » Rowan, surprise par leur nouveau look, leur fit au revoir de la main. Puis elle prit la Coccinelle pour aller passer la journée et la nuit — la nuit surtout! — chez Nelson.

Le cottage de ce dernier, situé tout au bout d'une minuscule route secondaire, était surprenant. « Minimaliste », lui dit-il. Il avait abattu toutes les cloisons du rez-de-chaussée pour en faire une grande pièce. Le parquet était ciré, dans un coin s'élevait une cuisinière à bois, avec des bûches élégamment empilées derrière. Des murs blancs. Un canapé blanc. Un vase blanc sur le large rebord de la fenêtre, avec à l'intérieur un arrangement soigneux de ce que Rowan appela sans réfléchir des « brindilles ». A l'étage se trouvaient une chambre et un bureau. Le palier, entre les deux pièces, était entièrement habillé de livres. Toute la maison était impeccable.

— Seigneur, s'exclama Rowan, tu es sûr que tu veux de nous ici ? Nous sommes très désordonnées, Sadie et moi.

— Surtout toi, ironisa Nelson, j'ai remarqué.

Rowan posa par terre son sac et les jouets qu'elle avait apportés pour Sadie. Ils paraissaient incongrus dans ce décor stylé.

— Je pourrais peut-être les arranger avec art, suggéra-t-elle.

— Oublie ça, répondit Nelson. Les pointilleux minimalistes ont autant besoin de souillons désordonnées comme toi que les gens comme toi ont besoin de pointilleux minimalistes. Nous nous empêchons les uns les autres d'aller trop loin.

Ils passèrent la journée à paresser au jardin, à boire du vin, à bavarder, et à jouer à des jeux idiots avec Sadie. Lorsque la fillette s'endormit ce soir-là, allongée dans le lit de Nelson, ils firent l'amour sur le canapé en parlant à voix basse. Ils mettaient un point d'honneur à ne pas faire de projets ; pourtant, tous deux sentaient qu'ils ne pourraient pas continuer ainsi éternellement. « Il ne faut rien précipiter », songeait Nelson. « Je dois prendre chaque jour comme il vient, ou mieux encore, chaque nuit », se disait Rowan.

Elle partit dans l'après-midi du dimanche ; Nelson l'accompagna à sa voiture. Il se pencha sur la portière et dit :

— Fais attention à toi. Ne va pas faire la folle sur la route comme à ton habitude.

— Je ne fais jamais la folle sur la route.

— Oh, si! Je t'ai vue, mademoiselle Rowan je-ne-connais-qu'une-vitesse/je-louche-pour-me-garer/je-ferme-la-portière-d'un-coup-de-pied!

— Tu me surveilles!

— Seulement quand il n'y a pas de résultats de foot à lire dans le journal ou de vieux bouts de papier à lancer dans la corbeille. Qu'est-ce que tu fais, mercredi soir?

— Oh, je serai probablement à la maison, à me repaître au milieu de mon désordre. J'avais prévu de consacrer ma soirée à ça.

— Je passerai, alors. J'apporterai à manger.

— Ce n'est pas la peine...

— Oh, si! J'ai vu tes placards.

— Bon, d'accord. A mercredi, dans ce cas. Enfin, on se verra demain — mais ce que je verrai de toi mercredi m'intéresse davantage...

Rowan démarra. Elle roula très doucement jusqu'au bout du sentier, puis, une fois hors de vue, appuya avec délectation sur l'accélérateur.

Il était un peu plus de seize heures lorsqu'elle arriva chez elle. Sadie était pleine d'énergie, après avoir dormi durant tout le trajet, aussi Rowan la mit-elle dans son landau pour l'emmener au parc. Là, elle rencontra Claudia junior qui poussait tout doucement son petit dernier, Joey, sur une balançoire pour bébé. Rowan plaça Sadie dans la balançoire voisine et la poussa — trop haut, de l'avis de Claudia.

— Elle pourrait tomber. Elle est encore petite.

Sadie hurlait de bonheur.

— Elle va être surexcitée et finira par pleurer.

— Oh, voyons, Claudia, un peu d'adrénaline, ça fait du bien!

— Mmmh, répondit seulement Claudia.

— J'ai l'impression que tu m'évites, ces jours-ci, reprit Rowan en ôtant Sadie de sa balançoire pour bébé et en s'asseyant sur une balançoire normale, l'enfant sur les genoux, afin de pouvoir aller plus haut.

— Je ne t'évite pas, rétorqua Claudia.

Elle se tortilla légèrement, le regard fuyant. « Je fais tout pour t'éviter », exprimait son attitude. Elle était fatiguée, après une journée passée à servir de la glace. « Une boule ou deux? Quel parfum? Du chocolat sur le dessus? » Elle avait mal partout. Son corps se rebellait contre ses rendez-vous quotidiens avec Cher. « Salut! » lançait Cher. « Salut », répondait Claudia en installant sa pile de livres. « N'oubliez jamais l'échauffement », lui rappelait Cher. « J'y pense, j'y pense », soupirait Claudia.

Elle poussa un grognement et prit Joey pour s'asseoir avec lui sur la balançoire voisine de celle de Rowan, bien que cela l'inquiétât. Et si ses fesses ne tenaient pas sur l'étroite planche de bois?

— Qu'est-ce qui t'arrive? demanda Rowan. Tu n'as pas l'air heureuse.

— Je suis heureuse. Et puis, qu'est-ce que ça veut dire, être heureux, de toute façon?

Un peu plus tôt, elle s'était appuyée sur le comptoir de la friterie et avait regardé les gens se promener sur la grand-place en famille, un cornet de glace à la main. Des enfants déjà grands, marchant trois pas derrière leurs parents, l'air blasés. Elle se souvenait d'avoir connu cela — les sorties dominicales en famille. Et puis il y avait des groupes d'amis. « Amis ». Comme ce mot était séduisant... Claudia n'avait pas d'amis. Oh, elle avait bien quelques relations : des mères de famille comme elle, rencontrées à la sortie de l'école ou aux réunions de parents d'élèves. Et puis il y avait les couples avec qui Stu et elle se réunissaient chaque premier samedi du mois pour dîner. A chaque fois, ils se retrouvaient dans un endroit différent et mangeaient, buvaient du vin. Ils parlaient vacances, travaux d'aménagement de la maison, voitures. Elle s'ennuyait à mourir. De plus, elle savait qu'elle était la femme la moins populaire du groupe. Les autres maris ne flirtaient pas avec elle. Les épouses savaient toutes qu'elle cuisinait mieux qu'elles, mais elles ne la détestaient pas vraiment pour ça ; elles lui en voulaient seulement, ce qui était pire. C'était mou, rien de sérieux, rien de passionnel. Les groupes d'amis qu'elle avait observés aujourd'hui, son bras gras appuyé sur le comptoir, se promenaient en essaims et riaient. Leurs conversations devaient être fabuleuses, songeait-elle ; jamais ils ne se seraient amusés autant s'ils avaient parlé vacances, travaux d'aménagement, voitures. Nul doute que Rowan avait un groupe d'amis de ce type, à Londres. Des amis qui bavardaient, riaient, se prenaient par les épaules. Claudia avait senti un nœud se former dans son estomac. De la jalousie.

— Tu dois t'ennuyer, ici, dit-elle à Rowan.

— Pas vraiment. Pas du tout, en fait. Tout va bien.

Elle repensa à la nuit qu'elle venait de passer avec Nelson et ajouta :

— Tout va plus que bien.

Elle se balança un moment en silence, puis reprit :

— J'aimerais bien que tu bavardes avec moi quand je viens au restaurant. Tu es ma meilleure amie. Je t'ai toujours considérée comme ma meilleure amie. Même à Londres, quand on me demandait qui était ma meilleure amie, je répondais que c'était toi.

Claudia n'en croyait pas un mot.

— Mais nous ne nous étions pas vues depuis des années !

En vérité, jusqu'au retour de Rowan, elle avait eu le même sentiment. Ces derniers temps, elle considérait plutôt Cher comme sa meilleure amie... Cher partageait sa douleur chaque matin. Cher comprenait.

— Je sais, mais c'est ce que je pensais quand même, répondit Rowan. Et maintenant que je suis revenue, j'ai l'impression que tu t'enfuis dès que tu me vois.

— Je suis très occupée, mentit Claudia avec un haussement d'épaules.

— Quand même, insista Rowan, on dirait que quelque chose ne va pas. Je ne te vois jamais sourire. Avant, tu étais si dynamique, si pleine de vie! Tous les garçons te couraient après.

— Et maintenant, c'est après toi qu'ils courent. Paolo, Nelson...

La voiture de Nelson, garée toute une nuit devant l'appartement de Rowan, n'avait pas échappé à l'attention de Claudia.

— Oh, n'importe quoi! s'exclama Rowan. Peut-être que c'est mon tour, ajouta-t-elle d'un air taquin. Autrefois, c'était toi qui t'amusais le plus, et je n'étais qu'une bonne copine que tu traînais derrière toi comme un boulet. Tu te rappelles la fois où tu t'es enfuie pour assister à un concert de Bowie et où ton père est parti te chercher à Glasgow?

— Oh, ça...

Claudia balaya le souvenir de la main, bien qu'il fût resté profondément ancré dans sa mémoire. Ce soir-là, elle s'était amusée. Elle s'était fait des amis. Elle ne savait rien d'eux, mais ils avaient bavardé avec elle, ils lui avaient donné un joint, lui avaient offert un verre. C'était merveilleux. Après, ils l'avaient invitée à aller chez eux. Ils pensaient qu'elle était bien plus âgée qu'elle ne l'était vraiment. Quand ils étaient sortis, la brise fraîche l'avait saisie, après l'atmosphère confinée et enfumée de la salle de concert. Mais tout à coup, son monde s'était écroulé.

Son père l'attendait à l'extérieur, appuyé contre sa Rolls Royce. Il lui lançait un regard noir.

— C'est ton père? avait demandé quelqu'un. C'est ta voiture?

— Oui, avait-elle répondu avant de traverser lentement la rue pour s'asseoir sur le siège passager de la Rolls.

Elle se rappelait s'être retournée pour voir ses nouveaux amis s'éloigner, tandis que son père mettait le contact afin de la ramener le plus vite possible auprès de sa mère, que la rage rendait hystérique. Elle avait été privée de sorties pendant six semaines, et ç'avait été terminé. Sa rébellion adolescente pouvait se résumer à une soirée, un concert, un joint, quelques heures bruyantes en compagnie d'amis nouveaux. Elle y repensait souvent. Elle aurait voulu revivre des moments comme ceux-là. Elle en voulait toujours à son père de lui avoir fait honte devant tous ses amis.

— J'avais oublié cette histoire, mentit-elle.

— J'ai toujours été jalouse de ça, avoua Rowan. Je n'ai jamais rien fait, moi, quand j'étais adolescente. Enfin, si tu exceptes deux ou trois petites escapades avec Duncan Willis...

— Deux ou trois, c'est ça!

Un sourire fugitif éclaira brièvement le visage de Claudia. Elle était persuadée que Rowan avait connu des centaines d'hommes. Des centaines. Alors qu'elle-même n'avait fait l'amour qu'avec un seul, Stu MacGregor, son mari. Et elle s'ennuyait au lit. Elle savait à quel point le sexe était censé être excitant : elle l'avait lu dans *Cosmopolitan*. Mais Stu se contentait de faire ce qu'il avait à faire, puis il roulait sur le côté et s'endormait. Rowan devait connaître toutes sortes de choses, en matière de sexe, elle — des positions originales, des trucs comme ça.

Oh, Stu n'avait pas toujours été réfractaire aux expériences. Les premiers temps, après leur mariage, il voulait essayer toutes sortes de choses, se déguiser, expérimenter des positions excentriques. Il lui avait même avoué son fantasme : les infirmières. Mais, à l'époque, Claudia était incapable de se laisser aller. Chaque fois qu'elle se lançait dans une nouvelle aventure sexuelle avec Stu, il lui fallait s'arrêter. Elle voyait en esprit sa mère entrer au pas de charge dans la chambre, les mains sur les hanches, en criant : « Claudia, qu'est-ce que tu fabriques ? »

Claudia soupira et se tourna vers Rowan.

— On voit tes racines.

— Je sais, je sais. Où faut-il que j'aille, pour mes cheveux ?

— Chez Marla.

— Qui est Marla ?

— La coiffeuse. Elle n'a pas un vrai salon; elle a reconverti son garage. Mais tout le monde va chez elle.

— Elle est bonne ?

— Oh oui ! Elle va assister à des démonstrations à Londres — Vidal Sassoon au Hilton, tout ça. Elle sait faire toutes les coiffures branchées.

Rowan repensa à la liste qu'elle avait faite avec M. Frobisher — les avantages et les inconvénients de la vie à Fretterton. Elle n'avait pas eu envie de revenir au village parce que sa mère s'y trouvait; à présent, Norma lui paraissait moins imposante, moins pénible. Presque un être humain. Et puis elle avait regretté de perdre son coiffeur. Maintenant, il y avait Marla dans son garage. Parfois, Rowan se disait qu'elle s'était trompée sur toute la ligne.

Elles cessèrent de se balancer, remirent les enfants dans leur poussette et retournèrent lentement en direction de la grand-place. Sur leur gauche, une colline herbeuse s'élevait en pente douce vers un nouveau lotissement.

— Tu te rappelles? Nous nous laissions rouler le long de cette colline, quand nous étions petites.

— Oui, acquiesça Claudia.

— Et si on recommençait? Maintenant? Allez, viens! s'exclama Rowan. Chiche!

Claudia leva les yeux vers la colline. Elle se souvenait des après-midi, après l'école, que Rowan et elle avaient passés à tournebouler comme des folles sur l'herbe grasse.

— O.K., allons-y, dit-elle. La première en haut a gagné!

Elles abandonnèrent les bébés endormis et gravirent la colline à toute allure. Puis elles s'allongèrent un moment au sommet avant de se laisser rouler jusqu'en bas en hurlant à pleins poumons.

Elles demeurèrent un moment immobiles, haletantes.

— Tu veux recommencer? proposa Rowan. C'était super.

— J'aimerais bien, répondit Claudia, mais je dois rentrer. Pourquoi faut-il grandir? Pourquoi faut-il s'arrêter de dévaler les collines?

Rowan se releva et s'épousseta.

— Je ne sais pas. Ça a l'air idiot.

Elles quittèrent le parc et remontèrent vers la grand-place.

— J'ai toujours été jalouse de ta famille, avoua Rowan. Tous ces bavardages, toutes ces plaisanteries à table... Le mouvement, la vie... Mes parents semblaient si ennuyeux, en comparaison!

— Moi aussi, je t'ai toujours enviée. Ta mère est si tranquille! Elle te laissait faire ce que tu voulais sans jamais piquer une crise. Alors que la mienne, mon Dieu... C'est un volcan humain.

— Tu te souviens des réunions de parents d'élèves, à l'école?

Claudia se mordit la lèvre.

— Oui, malheureusement...

Lors de ces réunions, Norma s'entendait invariablement dire que Rowan ne faisait guère d'efforts. Qu'elle pouvait mieux faire. Qu'elle semblait distraite. Norma hochait la tête sans répondre. La mère de Claudia, elle, ne supportait pas que l'on critique ses enfants. « Comment osez-vous parler de ma Claudia comme ça ? » Quand on lui avait annoncé que Claudia préférait flirter que faire son travail, qu'elle traînait avec les garçons, pouffait en classe et avait été surprise dans les vestiaires en train d'embrasser sauvagement Kenny Watson, un élève de première, alors qu'elle aurait dû être en cours de français, elle avait hurlé : « Retirez ce que vous venez de dire tout de suite ! Je ne tolérerai pas que ma fille soit calomniée par des gens de votre espèce ! » Et au professeur principal de Claudia, elle avait déclaré : « Quand on porte une cravate pareille, on ne peut pas se permettre de dire du mal d'un Rossi. »

Claudia junior rougissait encore à ce souvenir.

Mlle Porteous, postée derrière sa fenêtre, regardait les deux jeunes femmes s'éloigner.

Cancer. Ne vous attendez pas à ce que vos vieux amis acceptent ce que vous êtes devenu. Soyez patient. Essayez de vous voir avec leurs yeux.

Balance. Laisseriez-vous des malaises personnels empoisonner vos relations avec les autres ? Mon conseil : détendez-vous, et appréciez les amitiés telles qu'elles se présentent, sans céder à la paranoïa. Ne doutez pas de vous-même.

Le mardi, Rowan confia Sadie à Jude pendant qu'elle se rendait chez Marla afin de se faire teindre et raccourcir les cheveux. Jude ramena Sadie chez elle, la mit sur le canapé devant la cheminée artificielle et joua avec elle. Elle adorait les bébés, surtout les bébés des autres. De plus, Sadie était spéciale. Sadie était une enfant abandonnée. Une célébrité locale... Sans doute le seul VIP qui pénétrerait jamais chez elle, songeait Jude.

Lorsque Delia entra dans la pièce et demanda si elle pouvait aller à une soirée chez son amie Kathryn, Jude s'étonna.

— Bien sûr. Cela ne te ressemble pas de me demander la permission.

Elle était ravie d'apprendre que Delia avait une amie.

— Seulement, la prévint Delia, je risque de rentrer tard.

— Quelle surprise, ironisa Jude sans même lui jeter un coup d'œil.

— Je te préviens, c'est tout.

Jude leva la tête. Delia portait un jean et un de ses vieux tee-shirts préférés.

— Tu ne vas pas y aller comme ça, si? Tu m'as dit que c'était une soirée?

— Oui. C'est comme ça que les gens s'habillent pour aller en soirée, de nos jours.

— Tu n'as pas envie de te faire belle? Et si tu mettais ta robe violette? Elle te va si bien...

— C'est ça que j'ai envie de porter.

— Comme tu veux.

Jude haussa les épaules et reporta son attention sur Sadie.

— Nous, on préfère sa robe violette, pas vrai?

— Bon, j'y vais, alors, annonça Delia en quittant la pièce.

— Tu pars maintenant? Mais il n'est que six heures!

— Je veux arriver tôt, pour aider Kathryn à tout installer.

— Ah, oui, sortir les chips, tout ça, acquiesça Jude d'un air entendu.

— Les chips!

Delia leva les yeux au ciel.

— Désolée, dit Jude. Reviens vers minuit.

— O.K.

Jude jeta à sa fille un regard soupçonneux. Quelque chose clochait; cela ne ressemblait pas à Delia d'accepter un couvre-feu sans discuter.

— Tu n'as que quatorze ans. Je ne veux pas que tu traînes la nuit à ton âge.

Delia traversa la pièce et, à la grande surprise de Jude, l'embrassa.

— Au revoir, M'man.

Jude leva la petite main de Sadie et lui fit esquisser un salut.

— Dis au revoir à Delia.

Delia lui adressa un petit signe triste en retour.

Rowan revint une demi-heure plus tard et, après les exclamations et félicitations d'usage sur sa coiffure ressuscitée, elle prit congé de Jude et ramena Sadie à la maison. Jude prépara à dîner pour sa famille et s'installa sur le canapé. A ses pieds, Sonia gribouillait sur une feuille de papier trouvée dans la chambre de Delia. Il était sept heures trente. Quatre heures et demie allaient s'écouler avant que Jude ne commence à s'inquiéter pour Delia.

Delia prit le bus de la vallée jusqu'au Drover's Inn. Son sac à dos d'écolière sur l'épaule, elle grimpa le chemin jusqu'au bassin de pêche. Puis elle quitta le sentier et partit dans la bruyère, loin au-dessus de l'eau. Elle gravit une petite colline, vit la vallée s'étendre à ses pieds. La route étroite qui retournait à Fretterton. Une voiture, minuscule. Au loin, les toits et les premières lumières du village. Sa mère devait être là-bas, devant la télé, une cigarette à la main. Steven aussi, en train de discuter avec ses copains devant la friterie. Ses sœurs se trouvaient probablement dans sa chambre, et jouaient avec son maquillage. Sa mamie et son papy, seuls chez eux, écoutaient leurs disques de Jim Reeves. Elle imaginait tout cela sans peine. Elle aimait ce coin de lande, décida-t-elle en regardant autour d'elle. C'était un bon endroit pour mourir.

Elle avait apporté avec elle des cachets de paracétamol, le whisky que Steven lui avait acheté pour la soirée de Kathryn et quelques cigarettes volées dans le paquet de sa mère. Elle en alluma une et réfléchit à ce qu'elle s'apprêtait à faire. Elle ne voyait pas d'autre solution. Elle n'avait pas peur. Elle prit le whisky, tira un verre de son sac à dos et se servit à boire.

Elle avala une gorgée, qui lui racla le fond de la gorge. Elle toussa. Porta une main à sa bouche, les larmes aux yeux. C'était horrible. Elle regretta de ne pas avoir apporté une bouteille de vodka et du Coca. Mais elle ne pensait pas que ç'aurait été suffisant. Sa mère ne disait-elle pas toujours : « Le whisky, ça vous tue »?

A l'école, elle avait étudié l'*Ode à un rossignol*. Il y était question de « douce somnolence ». Elle aimait ça. « Douce somnolence », murmura-t-elle. Ce serait ainsi. Elle s'endormirait lentement. Plus d'inquiétudes. Plus de souffrance. Elle prit le premier cachet de paracétamol. Le coupa en deux. L'avala, une moitié après l'autre, avec une rasade de whisky. Elle sentait le whisky descendre dans sa gorge, se répandre dans ses veines. Elle ne saurait jamais, réalisa-t-elle soudain, ce qui arrivait aux protagonistes de *Neighbours*[1]. Ni conduire une voiture. Elle ne ferait jamais l'amour. Ne mangerait plus jamais de Snickers. Ni... ni... Les « ni » étaient sans fin. C'était une soirée claire, très chaude. De minuscules papillons de nuit voletaient au-dessus de la bruyère. Une abeille bourdonnait non loin. Delia s'allongea sur le dos. Elle se demanda ce que dirait Jude en apprenant sa mort. Lui manquerait-elle? Elle prit un autre paracétamol. Elle distinguait à peine la bouteille de whisky à travers ses larmes.

1. Célèbre soap-opéra britannique. *(N.d.T.)*

A une heure du matin, Jude commença à s'inquiéter. Un de ses feuilletons favoris passait à la télé, mais elle ne se sentait pas le courage de le regarder. Cela risquait de lui plaire, et elle ne voulait pas être distraite de son malaise.

Elle se souvenait de sa propre adolescence. Des nuits. Des soirées. Elle n'avait jamais envie de rentrer — le moment du départ était toujours celui où tout se passait. Que se passait-il, au juste? Elle réfléchit un moment. Rien, en vérité. Mais cela paraissait beaucoup, à l'époque. Elle se rappelait avoir eu l'impression d'être la seule à devoir quitter la soirée pour rentrer chez elle. Elle décida d'envoyer Steven chercher Delia, ne voulant pas infliger à celle-ci la honte de voir sa mère débarquer en pleine soirée.

Une demi-heure plus tard, Steven revint.

— Elle n'est pas là-bas.

— Eh bien, où est-elle, alors? demanda Jude en agitant sa cigarette.

Ses petits nœuds à l'estomac se muaient en véritables crampes. Quelque chose ne tournait pas rond. Elle se mit à penser meurtre, viol. A cette époque de l'année, il y avait tout un tas d'étrangers qui traînaient dans le coin. Delia avait dû se faire attaquer sur le chemin du retour. Delia était au lit avec un des garçons du village et s'apprêtait à commettre les mêmes erreurs que sa mère. Delia s'était fait écraser par une voiture. Delia avait pris de l'ecstasy et errait dans les rues, complètement hagarde. Delia subissait un viol collectif par un gang de voyous ivres.

— Où est-elle? demanda-t-elle de nouveau.

— Sais pas, répondit Steven en haussant les épaules. Elle finira bien par revenir.

— Avec qui pourrait-elle être? Quels autres amis a-t-elle?

— Sais pas. Quand je lui ai acheté le whisky, elle m'a dit qu'elle allait chez Kathryn. C'est bizarre, d'ailleurs. D'habitude, elle me demande de la vodka.

— Attends une minute !

Jude posa ses deux mains sur les épaules de son fils.

— Fais un retour arrière, là, s'il te plaît. Tu lui as acheté *quoi* ?

— Du whisky.

— Du whisky ! Tu lui as acheté du whisky ! C'est une enfant, Steven. Qu'est-ce qui t'a pris ? Et comment as-tu fait, d'abord ? Tu n'as pas l'âge d'acheter de l'alcool. Qu'est-ce qui se passe, bon sang ?

— Sais pas.

— Arrête, avec tes « sais pas » !

— Elle m'a dit qu'elle allait à une soirée et qu'elle voulait du whisky. Alors je lui en ai acheté. Enfin, pas vraiment. J'ai demandé à un pote de l'acheter. Il a dix-neuf ans.

— Alors, tu lui as donné le whisky et, maintenant, elle a disparu.

— Ouais.

— Qu'est-ce qu'elle fait d'autre sans que je le sache ?

— Rien, affirma Steven en haussant de nouveau les épaules. Elle se drogue pas. Je lui ai proposé de la dope, mais ça l'intéresse pas.

— Eh bien, quel soulagement ! s'exclama Jude d'une voix sarcastique. Est-ce qu'elle voit quelqu'un ? Est-ce qu'elle a un petit ami ?

Steven secoua la tête.

— Alors quoi ? cria Jude. Dis-moi. Arrête avec tes « rien ».

Steven soupira.

— Il y a un groupe de filles qui la harcèle, à l'école.

— Qu'est-ce que tu veux dire par là ?

— Tu sais, elles la bousculent un peu. Ça arrive tout le

temps. Elles lui piquent ses affaires. Elles voulaient de l'argent.

— Qui? Qui a fait ça à ma Delia?

— Des filles, c'est tout.

— « Des filles, c'est tout. » Je vais les tuer. Pourquoi ne me l'as-tu pas dit?

— C'est pas des trucs qu'on dit à sa mère. Ça se fait pas, c'est tout.

— Pourquoi ça?

— C'est la règle.

— La règle?

— Ouais. On rapporte pas. C'est la règle.

— Eh bien, je t'annonce que tu es sur le point d'enfreindre la règle. Réponds-moi. Qu'ont-elles volé?

— Son argent du déjeuner. Son stylo à plume. Ses chaussures.

— Ses chaussures?

— Oui. Ses Cats.

— Quoi! Les chaussures montantes que je lui ai achetées? Je suis encore en train de les rembourser, et c'est je ne sais quelle petite salope qui se pavane avec? Pourquoi ne me l'as-tu pas dit?

— Tu t'en serais mêlée.

— Oh oui, et pas qu'un peu! Et je vais m'en mêler. Je m'en mêle!

— Ces filles l'agressent parce que c'est une bûcheuse. Elle est intelligente, elle fait toujours ses devoirs. Elles les lui piquent aussi, d'ailleurs. Et puis, il y a toi, conclut-il dans un soupir.

— Moi? Qu'est-ce que j'ai à voir là-dedans? Oh, ne me dis rien. Je suis une garce, c'est ça?

— Delia ne sait pas qui est son père.

Jude se cacha le visage dans ses mains.

— Oh, mon Dieu.

— Moi non plus, souligna Steven. Officiellement. Sauf que c'est Rossi, tout le monde est au courant.

— Pourquoi n'as-tu pas aidé Delia?

— J'ai essayé, mais ça n'a fait qu'empirer les choses. Elles l'ont juste harcelée davantage. Et elles lui ont pris ses chaussures.

— Tu as enfreint les règles en t'en mêlant, c'est ça? Tu as été harcelé, toi?

— Ouais. Des garçons m'ont dit des trucs à ton sujet. Je leur ai cassé la gueule. J'allais pas les laisser raconter n'importe quoi. Tu es une mère cool. Tu nous laisses faire ce qu'on veut.

Jude leva les yeux vers lui.

— Eh bien, merci.

Elle se dirigeait vers la cuisine lorsqu'elle glissa sur le morceau de papier sur lequel Sonia avait gribouillé toute la soirée.

— Satanée gamine! jura-t-elle en le ramassant.

Il était couvert de traits de toutes les couleurs, mais on arrivait encore à lire ce qui était écrit dessous. C'était un petit mot.

Chers maman, Steve, Charmaine et Sonia,
désolée.
Je vous aime, Delia.

Jude tendit le mot à Steven.

— Qu'est-ce que ça veut dire? Est-ce qu'elle s'est enfuie?

Ils coururent dans la chambre de Delia. Sonia et Charmaine dormaient dans les lits superposés collés contre un mur; le lit de Delia, appuyé contre l'autre mur, était vide.

Jude ouvrit sa penderie. Toutes les affaires de Delia s'y trouvaient.

— Elle n'a rien emporté.

— Si. Harvey, annonça Steven.

Le lapin en peluche de Delia. Son compagnon de lit depuis toujours. Il n'était pas à sa place habituelle, sous les couvertures, la tête sur l'oreiller. Jude se sentit glacée d'angoisse. Elle n'avait pas la force d'exprimer sa peur à voix haute.

— Tu... tu crois qu'elle va se tuer? balbutia-t-elle enfin.

— Ne dis pas ça, dit Steven.

Jude téléphona à la police. Une voix apaisante, légèrement condescendante, lui dit de ne pas s'inquiéter. Les adolescents faisaient souvent des choses comme ça; sa fille devait être avec un ami.

— Elle reviendra demain matin, toute penaude.

— Je ne pense pas, répondit Jude.

La voix affirma :

— Vous verrez. Nous allons prendre quelques renseignements; rappelez-nous si elle n'est pas revenue demain matin.

Jude reposa le récepteur et se mit à faire les cent pas dans la pièce comme un lion en cage.

— Je ne peux pas rester là à ne rien faire.

Elle prit la vieille lampe de poche de Steven et sortit.

— Reste là. Il faut que je la cherche.

Elle revint deux heures plus tard.

— Je ne la trouve pas. J'ai cherché dans la cour de l'école, sur le terrain de sport, dans le parc, le long de la vieille ligne de chemin de fer... Elle n'est nulle part.

— Moi, si je voulais en finir, j'irais là où personne ne pourrait me trouver. Dans la vallée.

— Tu es d'un tel réconfort! souligna Jude dans un soupir. Je vais réveiller Rowan. Elle a une voiture.

Il était quatre heures trente du matin quand Jude traversa la grand-place en courant. Mamma Claudia, insomniaque depuis sa ménopause, la regarda passer.

Elle vit la lumière s'allumer dans la chambre à coucher de Rowan. Puis dans le salon. Les rideaux n'étaient pas tirés; elle vit Jude et Rowan parler. Jude agitait les bras en tous sens et Rowan s'efforçait de la calmer. Quelque chose s'était passé. Steven! songea-t-elle. Elle s'habilla. Dévala l'escalier, traversa sa cour en courant. Les premiers merles matinaux commençaient à chanter; la précieuse Rolls Royce était recouverte d'une fine pellicule de rosée. Elle se précipita vers l'appartement de Rowan.

La porte n'était pas fermée. Mamma Claudia frappa; comme personne ne répondait, elle entra. Jude était assise sur un des fauteuils rouges et sanglotait à fendre l'âme. Rowan, vêtue de son tee-shirt d'acid jazz et d'une culotte, tenait deux tasses de café à la main. Les deux jeunes femmes levèrent la tête quand elle entra.

C'était la première fois que Rowan voyait Mamma Claudia dans cet état. Elle qui pénétrait toujours dans les pièces en coup de vent s'était glissée chez elle sur la pointe des pieds.

— Désolée, dit-elle, l'air embarrassée. J'ai vu Jude venir ici. Il s'est passé quelque chose, n'est-ce pas?

— Delia a disparu, lui dit Rowan. Elle se faisait bousculer à l'école. Jude pense qu'elle est montée dans la vallée avec du paracétamol et une bouteille de whisky pour...

Cela paraissait trop affreux à dire.

— ... pour en finir.

— Vous en êtes certaine? demanda Claudia à Jude.

— Steven lui a procuré une bouteille de whisky, ça j'en suis sûre. J'avais du paracétamol, et il n'est plus dans l'armoire à pharmacie. Ça, j'en suis sûre, aussi, répondit Jude entre deux sanglots. Je voudrais aller à sa recherche. Je ne peux pas rester là à attendre.

— Eh bien, allez-y! s'exclama Claudia en montrant la porte d'un geste. Maintenant!

— Je ne sais pas conduire, gémit Jude.

— Et moi, je ne peux pas laisser Sadie toute seule, expliqua Rowan.

— Allez-y. Je resterai ici. Si Sadie se réveille, je veillerai sur elle.

Rowan songea qu'avec le nombre de gens qui traversaient la vie de Sadie et s'occupaient d'elle, l'enfant finirait par développer un complexe, mais jugea le moment mal choisi pour en faire la remarque.

— Je m'habille, dit-elle.

Elle passa dans sa chambre, enfila un jean et un pull, ses chaussures de marche, attrapa les clés de la voiture et annonça à Jude qu'elle était prête.

— Où est-elle allée, selon toi? demanda-t-elle en montant en voiture et en démarrant. Tu crois qu'elle a pris le sentier?

— Seigneur, j'espère bien qu'elle ne connaît pas cet endroit! Elle n'a que quatorze ans.

Jude était livide d'angoisse. Elle se passa une main dans les cheveux; l'autre tenait une cigarette.

Rowan ne dit rien.

— Je sais, je sais, grommela Jude, moi, je descendais le sentier, à quatorze ans. Mais Delia est différente. Il y a un cerveau, sous la casquette de base-ball qu'elle garde toujours sur sa tête... *Le bassin de pêche!*

Jude avait presque crié.

— Nous allions en pique-nique là-bas quand elle était petite. Elle adorait cet endroit!

Elles continuèrent à rouler. Jude alluma une autre cigarette.

— C'est ma faute. Tout est ma faute. Tout ça se passait sous mon nez et je n'ai rien vu. Quelle sorte de mère suis-je donc?

— Tu es très bien. Très bien, assura Rowan.

— Elle n'arrêtait pas de me demander qui était son père. Et je ne voulais pas lui répondre...

— Euh...

Rowan se racla la gorge. Le moment était-il bien choisi?

— Qui est son père, au fait?

— A ton avis? Paolo Rossi. Je ne suis pas la traînée que tout le monde s'imagine. C'est juste un style que je me suis donné, autrefois, à cause de ma réputation. Tu comprends, comme tout le monde me traitait de garce, moi, j'en rajoutais une couche... C'était ça ou me tirer une balle.

Ç'avait été une époque formidable dans sa vie, Jude s'en souvenait. Exquise. Après la naissance de Steven, on lui avait interdit de voir Paolo. Et on avait interdit à Paolo de la voir. Ce qui n'avait fait que les encourager à continuer leur liaison. La nuit, Paolo escaladait la gouttière jusqu'à la fenêtre de Jude et entrait dans sa chambre. Ils passaient de longues heures illicites à se murmurer des promesses d'amour éternel. Ils étaient incompris et malheureux; ils adoraient ça.

Ils avaient un lieu de rendez-vous secret — le kiosque du parc. Là, ils dansaient en fredonnant leurs chansons préférées. Ils buvaient du vin que Paolo volait dans la cave de son père dans des verres à pied subtilisés à sa mère.

« Comment ces deux verres ont-ils pu disparaître? »

Toute la famille haussait les épaules à l'unisson. Ils se sentaient tous coupables; c'était l'effet que Mamma Claudia produisait sur eux.

Paolo avait un jour apporté à Jude une rose — blanche, car il savait qu'elle n'aimait pas les rouges. Elle l'avait fait sécher; elle se trouvait encore dans la pochette de son vieil album de Paul Simon. Ils étaient amoureux, et se promettaient de s'enfuir ensemble dès que Paolo aurait terminé l'école. Ils ouvriraient un petit restaurant quelque part, loin, dans un endroit où personne ne connaîtrait leurs noms. Ils seraient amoureux à jamais. Sous des cieux étoilés, par un soir d'été parfait, comme celui-ci, ils scelleraient leur engagement.

Et puis Jude était tombée enceinte à nouveau.

Pensant protéger son amour, elle avait refusé de dire à ses parents qui était le père du bébé. Paolo, incapable d'affronter la colère de sa mère, l'avait quittée. Depuis, il s'en voulait cruellement. Pendant des années, à chaque fois qu'il avait croisé Jude sur la grand-place, il l'avait regardée en murmurant : « Pardon. » Elle, de son côté, l'ignorait.

Plusieurs fois, il avait essayé de lui mettre de l'argent dans la main, mais elle n'en voulait pas. Lorsqu'il refusait de récupérer les billets, elle les lâchait sur le trottoir, à ses pieds ; il y avait parfois des centaines de livres. Pourquoi faisait-elle cela ? Elle se le demandait elle-même. Par fierté, par fierté romantique. Elle était si jeune... Maintenant, Paolo et elle arrivaient à peine à échanger un regard. S'ils se rencontraient dans la rue, ils détournaient la tête tous les deux, faisaient comme si de rien n'était. « Seigneur, pensa Jude, s'il me donnait une liasse de billets maintenant, je la prendrais sans hésiter. »

— Je n'ai fait l'amour qu'avec deux hommes, dans ma vie, avoua-t-elle à Rowan. Paolo et Frank. Ce n'est pas comme toi, qui es partie à Londres... Toutes ces folles soirées, tous ces hommes ! Toi, au moins, tu as vécu un peu.

— Pas vraiment, répondit Rowan.

Jude ne releva pas. Elle ne la croyait pas

Delia s'éveilla, émergea de l'abîme noir dans lequel elle avait sombré. L'aube pointait ; les sommets des montagnes étaient ourlés de rouge. Une lune pâle mourait à l'horizon. Des choucas criaient. Deux cerfs avançaient sans bruit dans la bruyère au-dessous d'elle. Sa tête lui faisait horriblement mal. Elle vomit. Et encore. Gémit. Ses entrailles se contractèrent, et elle vomit jusqu'à ce qu'il n'y ait plus rien à vomir. Mais cela ne fit pas cesser les haut-le-cœur. Elle avait mal au ventre.

— Oh, non, ça suffit !

Son estomac se souleva, elle baissa la tête, la bouche ouverte. La bruyère lui griffait les joues ; elle regarda un mince filet de bile verte s'échapper de ses lèvres. Elle tremblait de froid et retomba sur le dos, frissonnante. Sa main heurta la bouteille de whisky à moitié vide à son côté. La bruyère était écrasée à l'endroit où elle s'était effondrée, quelques heures plus tôt, serrant Harvey contre elle. Elle ferma les yeux pour se protéger de la lumière. Jamais elle n'avait eu aussi mal à la tête de sa vie. Elle avait mal partout, elle tremblait de froid. En cet instant, elle avait vraiment, vraiment envie de mourir.

Quand enfin elle se redressa de nouveau, elle trouva le petit flacon de paracétamol. Elle le secoua. Combien en avait-elle pris ? Six, sept ? « Pas assez », conclut-elle en lâchant la bouteille, morose. Le whisky l'avait assommée avant qu'elle ait pu en prendre davantage. Elle avait fait un coma, comme une misérable ivrogne. Nauséeuse, elle se leva, rangea le whisky dans son sac à dos, ramassa Harvey et entreprit de descendre la colline en direction du bassin de pêche. Au loin, elle vit les phares d'une voiture qui remontait la vallée.

— Des gens, murmura-t-elle.

Rowan se gara sur le parking du Drover's Inn, et Jude et elle partirent vers le bassin de pêche. Haletantes, folles de peur, elles commencèrent à grimper. Jude, malgré ses trente cigarettes par jour, marchait devant ; Rowan avait du mal à la suivre. Elles s'arrêtaient régulièrement, la main sur la poitrine, et toussaient à qui mieux mieux. Rowan regardait autour d'elle, effrayée à l'idée de ce qu'elle pourrait découvrir. Un corps allongé, inerte...

C'était une matinée parfaite; une brume légère s'élevait lentement autour d'elles. La journée promettait d'être caniculaire. Rowan et Jude ne parlèrent pas durant la première moitié de l'ascension — jusqu'au moment où elles virent Delia qui s'avançait vers elles, Harvey serré contre elle.

Elles rentrèrent à sept heures. Le village s'éveillait. Rowan immobilisa la voiture à la porte de Jude; elles restèrent un moment immobiles, trop soulagées et épuisées pour parler.

— Merci, dit enfin Jude. Tu montes?

Rowan secoua la tête.

— Il faut que je rentre.

— Je te rapporterai ton pull plus tard dans la journée, promit Jude.

Lorsqu'elles avaient rencontré Delia, Rowan avait ôté son vêtement pour le prêter à la jeune fille.

— Elle est gelée.

— Gelée, avec la pire gueule de bois de la terre, avait acquiescé Jude en frottant le dos de sa fille pour la réchauffer un peu. Seigneur, Delia. Ne nous fais plus jamais ça!

Rowan rentra chez elle pour annoncer la nouvelle à Claudia.

— Elle se faisait racketter à l'école, expliqua-t-elle. On lui avait même volé ses chaussures — ses Caterpillar.

— Ses chaussures? répéta Claudia, abasourdie. Mais comment a-t-elle fait pour rentrer chez elle?

— Pieds nus, répondit Rowan en haussant les épaules.

Claudia secoua la tête. Elle faisait manger un œuf dur écrasé à Sadie; même un plat si simple, préparé par elle, avait l'air délicieux.

— C'est un bon bébé, dit-elle. Une charmeuse.

— Je sais, acquiesça Rowan en caressant la joue de Sadie. Tu n'as pas intérêt à me faire des sottises pareilles en grandissant, tu m'entends? Comment était-elle, à son réveil?

— Surprise de me voir, mais elle n'a pleuré qu'un moment. C'est une petite fille très amicale.

— Tu veux un café?

— Oh oui.

Ce n'était pas vrai, mais refuser l'offre eût semblé peu civil.

Rowan prépara deux tasses fumantes et en tendit une à Claudia. Celle-ci goûta le breuvage. Elle ne put dissimuler son dégoût.

— Perfectionniste, même dans les moments de crise, observa Rowan avec amusement. Il est si mauvais que ça?

— J'aime bien prendre un expresso, tôt le matin, expliqua Claudia en regardant sa tasse. C'est une habitude.

Elle prit une autre gorgée, esquissa une grimace et sourit.

— Je m'occuperai de Sadie, aujourd'hui, dit-elle. Jude sera trop fatiguée...

Elle s'interrompit. Puis :

— Au fait, qui est le père de Delia?

Incapable de lui répondre, Rowan détourna la tête.

— Je le savais, soupira Claudia. Il suffit de voir comme Paolo et Jude s'évitent... Quel gâchis!

De l'autre côté de la grand-place, Jude faisait couler un bain à Delia.

— Réchauffe-toi, lui dit-elle, et dors. Nous parlerons plus tard.

Elle secoua la tête.

— Espèce de monstre. Si tu me refais ça, je te tue.

— Je sais, murmura Delia très calmement. Elles

n'arrêtaient pas de me crier dessus, de me bousculer... Elles me suivaient en hurlant des horreurs. Elles voulaient que je rate tous mes examens, mais je n'ai pas pu. Tu comprends, si je ne fais pas d'études, je n'aurai rien. Je...

— Tu finiras comme moi, coupa Jude. Pas question. Je ne te laisserai pas faire.

Une fois Delia au lit, Jude s'installa à la table de la cuisine avec Steven.

— Nous avons failli la perdre.

Le jeune homme hocha la tête.

— Dis-moi...

Jude lui décocha un regard qui signifiait clairement : « Et ne viens pas me raconter d'histoires. »

— Tu m'as dit que ces filles voulaient de l'argent.

— Cent livres, acquiesça Steven. Delia les leur a données.

— Où diable a-t-elle pu trouver une somme pareille?

— A la banque.

— Elle n'a pas cent livres en banque!

— Elle non, mais mon copain, si. Il a demandé un prêt, il a dit qu'il voulait s'acheter une voiture.

— Mon Dieu. Ton ami a demandé un prêt et a donné l'argent à Delia?

— En quelque sorte.

Steven paraissait mal à l'aise.

Jude lui attrapa le bras et se pencha vers lui.

— Explique-toi.

— Nous nous sommes servis du prêt pour acheter des trucs... Euh... de la drogue. Qu'on a revendue. Delia a récupéré une partie des profits.

Jude sauta sur ses pieds.

— Jésus! Mon fils est un dealer, ma fille est suicidaire, et je ne le savais pas. Quelle sorte de mère suis-je donc?

Elle se cacha le visage dans les mains.

— Je suis quelqu'un d'horrible. Horrible.

Steven contourna la table de la cuisine et la prit dans ses bras.

— Ce n'est pas vrai. Vraiment, ce n'est pas vrai.

Jude posa son visage sur son épaule et éclata en sanglots. Steven lui tapota doucement le dos, le regard perdu dans le vague. Parfois, être le seul garçon dans une maison pleine de filles était dur. Trop dur.

Le lendemain matin, quand Jude ouvrit sa porte, elle trouva une boîte sur le palier. Elle l'ouvrit et découvrit à l'intérieur une paire de chaussures Caterpillar. Rien d'autre, pas de mot. Le surlendemain, quelqu'un déposa une deuxième paire devant chez elle. Et, le jour suivant, une troisième. Si bien qu'elle se demanda si elle ne devrait pas faire paraître une petite annonce dans la *County Gazette* : *Merci, mais ça suffit comme ça...*

18

Rowan n'aurait su dire à quel moment précis l'angoisse était née en elle. Lorsqu'elle en prit conscience, cela faisait déjà plusieurs jours qu'elle était là, tapie dans les profondeurs de son âme.

Un soir, vers sept heures, au début du mois de juillet, elle passa près de la salle polyvalente, où la Société d'art lyrique répétait *Oklahoma*, sa grosse production de l'automne. « *Oooooo-klahoma...* » La chanson s'élevait, évoquant d'immenses champs de blé et un ciel sans nuages. « *Oooooo-klahoma.* »

Rowan s'immobilisa pour écouter. Les gens à l'intérieur de la salle chantaient de tout leur cœur en jouant aux stars, heureux comme des papes. Elle avait horreur des comédies musicales, mais se sentit rassérénée un instant. Bientôt, cependant, l'angoisse revint. Une inquiétude mordante, persistante.

— Je ne sais pas ce qui m'arrive. J'ai cette espèce d'angoisse qui me ronge en permanence, dit-elle à Mamie, au cours d'un de leurs déjeuners.

— C'est que tu dois te sentir bien, affirma Mamie en se servant une tasse de thé. C'est la rançon du bonheur. On pense toujours que ça va s'arrêter. Et de façon horrible.

— Vous croyez?

— Je le sais, déclara-t-elle avec un vigoureux hochement de tête.

— Mais je ne suis pas heureuse, argumenta Rowan.

— Probablement que si, mais tu ne le sais pas.

Les journées de Rowan passaient lentement. Elle avait reçu trois cartes postales de Norma et George. *Nous passons des moments merveilleux, et nous nous réjouissons que tu ne sois pas là. Ha, ha, c'est une blague!* Le matin, elle confiait Sadie à Jude, elle partait travailler. Plusieurs fois par semaine, Nelson passait la soirée chez elle. Il apportait toujours des provisions.

— C'est à ça que servent les étagères, expliquait-il en remplissant ses placards de boîtes de thon, de mayonnaise, de chocolat. Ça s'appelle de la nourriture. Pour toi, je sais que c'est un concept nouveau, mais je suis persuadé que tu t'habitueras très vite.

— A Londres, j'achetais à manger. Simplement, maintenant, je n'ai pas assez d'argent pour Sadie et moi. Son entretien coûte cher.

Le week-end, elle allait chez Nelson et s'allongeait sur le sol immaculé du cottage, avec Sadie et une pile de jouets en plastique.

Le samedi matin, avant d'aller chez Nelson, Rowan amenait la petite fille à la piscine. Elle la soulevait hors de l'eau :

— Allez, Sadie, un grand saut!

Ou bien elle la tenait et la faisait avancer à la surface.

— Regarde, Sadie, tu nages!

Le soir, elles serraient leurs visages l'un contre l'autre et regardaient les montagnes par la petite fenêtre des toilettes.

— Est-ce que toi aussi elles t'emplissent de désir et de nostalgie, Sadie?

L'enfant grandissait. Chaque fois que Rowan entrait

dans la pièce où elle se trouvait, elle plissait son petit visage et souriait.

— Alors, qui est ta meilleure amie, Sadie?

Lorsqu'elle quittait le travail, Rowan se précipitait chez Jude pour récupérer la petite fille.

— C'est l'heure de rentrer à la maison. On mange du poisson, ce soir. Tu devrais voir le prix du haddock!

Elle avait l'impression de ressembler chaque jour davantage à sa mère.

Le matin, elle prenait Sadie endormie dans ses bras et l'écoutait respirer, attendant qu'elle se réveille et commence une nouvelle journée, un sourire aux lèvres. Elle embrassait son front humide.

— Tu es à moi.

— Je devrais t'emmener dîner, samedi, dit Nelson.

On était jeudi matin. Il portait sa robe de chambre rayée, un caleçon et une paire de chaussettes trouées au niveau du gros orteil. Il avait installé quelques-uns de ses vêtements et son nécessaire de rasage chez Rowan. La veille au soir, elle lui avait fait la cuisine.

— Tu n'as pas envie d'aller pêcher? Il a plu, hier. Il doit y avoir plein de truites dans le loch qui ne demandent qu'à être attrapées.

— Je préfère sortir avec toi. Je ne t'ai jamais invitée au restaurant.

— Tu m'as déjà acheté du poisson et des frites.

— Ce n'est pas pareil. Nous irons manger italien à Perth. Tu crois que Jude acceptera de garder Sadie?

— Probablement. Sinon, Delia sera ravie de faire un peu de baby-sitting.

— Comment va-t-elle?

— Ça va.

Rowan avait posé la même question à Jude la veille, en allant chercher Sadie.

— Elle est toujours très silencieuse, avait répondu son amie. Elle ne sort pas beaucoup. Et quand elle sort, elle ne sait pas quelles chaussures mettre. Elle en a reçu une paire de la part de l'école. Ils se sont cotisés. Claudia a envoyé une autre paire, et Paolo une troisième. C'est bizarre, hein? avait-elle ajouté dans un soupir. Rien pendant des années; et tout à coup, une paire de chaussures quand sa fille essaye de se tuer.

— La culpabilité.

— Je trouve que c'est un peu tard pour ça. Et de toute façon, je me sens assez coupable pour deux.

— Es-tu heureuse, Jude? avait demandé Rowan, tout en ayant conscience de proférer une énormité.

— Bon sang, Rowan! Ma fille vient d'essayer de se tuer. Mon fils a vendu de la drogue à je ne sais qui. Mon mec m'a quittée. J'ai perdu mon boulot. A ton avis, est-ce que je suis heureuse? Devine. Mais je te préviens, pas de récompense si tu donnes la bonne réponse.

— Pardon. Si tu étais Julie Andrews, tu trouverais une raison de chanter, malgré tout ça.

— Eh bien, merci. Je crois que je vais entonner *A Spoonful of Sugar* et danser autour de la grand-place. Ça devrait résoudre tous mes problèmes.

Jude avait croisé les bras sur sa poitrine et regardé Rowan. Celle-ci s'était excusée de nouveau.

— Mais fais-tu confiance au bonheur? avait-elle demandé. Moi, par exemple, je devrais être heureuse. Le bonheur est à portée de main; je n'ai qu'à tendre le bras. Mais j'ai peur.

— Ma foi, s'il y a une chose plus effrayante que le malheur, c'est bien le bonheur. On sait qu'il n'en sortira rien de bon, et que ça se terminera dans les larmes.

Rowan avait hoché la tête.

— Quand je suis partie à l'université, avait continué Jude, je me suis dit : « Ça y est. Je me suis trouvée. Je vais faire des études, décrocher un bon boulot. Ce sera merveilleux. » Mais je n'avais pas l'impression d'être à ma place. Tu vois ce que je veux dire?

— Pas vraiment.

— Je me sentais comme ce type, tu sais? Il gravit la montagne, il arrive en haut, et que voit-il?

— Une autre saleté de montagne?

— Exactement. D'autres putains d'obstacles.

Elles avaient soupiré en chœur. La vie est une garce.

Le restaurant italien bourdonnait d'animation, comme tous les samedis soir. Les serveurs se hâtaient, les clients buvaient, l'atmosphère était lourde de tabac et d'alcool. Au bout de la pièce, la cuisine était en pleine activité — heurts de couverts, pizzas lancées dans les airs, jonglage culinaire. Un homme de petite taille en smoking usé passait de table en table, et chantait des sérénades à quiconque croisait son regard : *When Swallows Come Back to Capistano* et *I Left my Heart in San Francisco*. Il tendait son micro aux clients désireux de pousser la chansonnette. Tout le monde semblait avoir envie d'essayer — à l'exception de Rowan et Nelson. Ils maintenaient le chanteur à distance en le foudroyant du regard dès qu'il menaçait de s'approcher.

Nelson avait choisi des pâtes à la carbonara, et Rowan des pâtes à l'*arrabbiata* avec des olives. Au cours du repas, ils parlèrent pêche. Des mouches préférées de Nelson — la Gloire de Greenwell, la Bouchère sanglante, l'Araignée. Du travail et de Sadie. Ce n'était pas de tout cela qu'ils avaient envie de discuter, mais cela comblait le silence pesant qui s'instaurait entre eux dès qu'ils essayaient de parler d'eux-mêmes, de leur relation.

— Combien de temps crois-tu que tu vas rester ici? demanda Nelson au bout d'un moment.

Rowan haussa les épaules.

— Jusqu'à ce qu'Eileen revienne. Que Sadie grandisse. L'un ou l'autre.

Elle tourna son verre de vin d'un air absent avant d'avouer :

— Je n'ai pas envie qu'Eileen revienne.

— Non ? Tu te plais ici, alors ?

— Je me suis habituée. Il y a des choses qui me plaisent.

Elle ne le regarda pas en prononçant ces mots.

A l'autre bout de la pièce, une femme visiblement éméchée attrapa le micro et se lança dans une interprétation tonitruante d'*Angie*.

— Angie, oh, Angie !

Elle s'interrompit. Prit une profonde inspiration.

— Angie, oh, Angie... répéta-t-elle. Angie, oh, Aaaangie. Je ne connais pas la suite des paroles. Mais c'est ma chanson préférée.

Le serveur se fraya un chemin jusqu'à la table de Nelson et de Rowan, remplit leurs verres. Ils cessèrent de parler tant qu'il demeura près d'eux.

Refusant de se laisser éclipser, et bien décidé à montrer combien il était branché, le chanteur entonna *Wild Horses* — version cabaret. Ce qui demandait beaucoup d'énergie et de roulements d'épaules.

Rowan dégusta une olive, déposa le noyau sur le bord de son assiette. Fouilla dans ses pâtes, trouva une autre olive, la porta à ses lèvres, puis plaça le noyau à côté du premier. Elle en mangea une autre, puis une autre encore. Elle ne parlait pas. Elle se mit à compter les noyaux :

— Pic et pic et colégram... murmura-t-elle.

Nelson la regardait. Elle recommença à compter :

— Il m'aime, un peu, beaucoup, passionnément, à la folie... Pas du tout.

Nelson trouva une autre olive dans la salade; il la mangea, bien qu'il eût horreur des olives. Et déposa le septième noyau à côté des six autres.

— Voilà, conclut-il. Bien que tu sois désordonnée et que tu conduises comme un pilote de course psychopathe.

Rowan leva les yeux vers lui. Ils ne prirent pas la peine de commander un dessert et se hâtèrent de rentrer. Plus tard, lorsque Rowan repensa à son angoisse, et à la décision qu'elle avait prise de s'accorder un peu de bonheur, elle songea que c'était arrivé à cet instant-là — au moment de l'olive.

A quatre heures du matin, elle était toujours éveillée, le regard perdu dans le vide. La chambre n'était éclairée que par le mince rayon de lumière qui filtrait sous le rideau. A mesure que l'aube approchait, la lueur se faisait plus étrange, évoquant les profondeurs d'un aquarium. Rowan y pensait comme à un être vivant, ombre mouvante, bleu-gris, noire. Elle se rallongea, écouta un moment le souffle régulier de Nelson à son côté. Enfin, incapable de dormir, elle se leva et se fit une tasse de thé, qu'elle but assise à la fenêtre, le regard perdu sur la grand-place déserte.

Elle vit la fenêtre de l'appartement de Jude s'ouvrir. Le jeune Steven l'enjamba, glissa le long de la gouttière, sauta sur le trottoir. Il se tourna, réalisa qu'elle le regardait et lui fit un petit signe de la main. Un geste de rebelle. Puis il partit en courant, sans un regard en arrière.

Quand elle finit par retourner au lit, elle s'assit, la couette remontée sur elle, et soupira.

Nelson s'éveilla.

— Qu'est-ce que tu fais?

— Je pense, répondit-elle.

— A quoi? s'enquit-il en bâillant.

— Je ne sais pas. Ça fait tellement longtemps que je pense, que j'ai oublié à quoi. Est-ce que je devrais repeindre l'appartement? Et si oui, de quelle couleur? Blanc? Bleu-gris? Une couleur vive? Je pensais à moi. A toi. A Sadie. A nous. A la vie, l'amour, et la quête du bonheur. Est-ce que je préfère les Chipster au fromage ou les chips au cheddar? Des trucs importants, quoi.

— Je vois... Bleu-gris, ce serait bien. Et j'opterais plutôt pour les chips au cheddar.

— Je ne sais pas — les Chipster fondent dans la bouche. Un peu comme la vie. C'est terminé avant qu'on ait pensé à en profiter...

— Est-ce là ta philosophie?

— Ouaip.

— Un peu léger, non?

— Pourquoi, avec qui croyais-tu sortir? Nietzsche?

— Et en ce qui concerne toi, moi, Sadie, la vie, l'amour et tout le reste? Quelles étaient tes conclusions?

— Je me suis embourbée. Je suis plus douée pour les Chipster.

— Es-tu heureuse? demanda-t-il avec tendresse.

— Ah, c'est la grande question. Je crois que oui — et je n'aime pas ça. Et toi?

— Oui. Et je n'aime pas ça non plus.

— Ça fait peur. Ça pourrait disparaître, et alors on serait vraiment malheureux, parce qu'on aurait goûté au bonheur.

— C'est la poisse. Allonge-toi, veux-tu? Rendors-toi.

Elle obéit se roula en boule contre lui.

— Bien sûr, on serait secrètement heureux d'être malheureux de nouveau, parce que c'est un état que nous connaissons bien.

— C'est vrai. Tu veux qu'on fasse ça? Qu'on ne se voie plus jamais?

— Non. Ce n'est pas ce que je veux.

— Moi non plus. Nous allons devoir prendre le risque. Nous serons honteusement heureux ensemble. Nous nous tiendrons la main, en attendant que le glorieux malheur nous frappe.

— Ça me va, acquiesça-t-elle.

19

Mamma Claudia préparait son grand dîner. Il se déroulerait dans la friterie. Elle placerait une immense table au centre du restaurant, avec une nappe blanche, des bougies, du vin. Elle apporterait les plats sur la table les uns après les autres. Ses invités n'en croiraient pas leurs yeux. Ils ne sauraient quoi dire.

— Ce sera un repas... Un repas comme ils n'en auront jamais mangé.

Elle servirait des boulettes de riz. Des olives écrasées à la menthe. De la *ricotta* fraîche — la *ricotta* ne devait pas se garder plus de vingt minutes. Dire que les gens l'achetaient en pot au supermarché !

— Ils n'ont aucune idée du goût que ça a en réalité !

Des tagliatelles aux œufs, faites maison. Du poisson, évidemment. Il ne fallait pas espérer trouver des sardines fraîches, mais la morue était bonne. Elle pourrait la frire, la faire mariner dans du vin et de l'huile d'olive. La servir froide. Ou elle pourrait préparer un ragoût de poisson, avec des morceaux de lotte, de loup, d'encornet, de carrelet et de rouget brunis à l'huile d'olive puis cuits dans un faitout avec des oignons, des carottes, du céleri, des tomates, des anchois, des pignons de pain et des *porcini*. Un peu de vin. Le tout servi sur d'épaisses tranches de pain à l'ail. Du porc, cuit dans du lait : *maiale al latte*. De la viande dorée, croustillante, tendre à l'intérieur, assaisonnée de coriandre et d'origan, recouverte d'une sauce caramélisée, avec beaucoup de morceaux de jambon et d'oignon. Des légumes. Aubergines rôties, poivrons et artichauts à l'huile d'olive, à l'ail et au persil. Ou une *caponata*, une aubergine aigre-douce, c'était bon, ça. Des carottes au marsala ? Des *zucchini fritti*. Ou peut-être une *peperonata*, des poivrons doux et des tomates mijotés, réservés quelques jours au réfrigérateur et recouverts d'huile d'olive. Des pâtisseries aux amandes. De la glace aux amandes. Une tarte aux fruits : des framboises fraîches, des fraises et des figues arrangées sur une crème pâtissière à la vanille. Et de la poudre d'amandes dans la pâte feuilletée. Des fruits confits.

— Ça pourrait être bon, dit-elle avec une petite moue. Très bien.

Elle inviterait Rowan, Jude, Mlle Porteous, Mamie Garland. Elle se posait des questions en ce qui concernait sa fille. A une époque, Claudia l'aurait aidée, mais depuis quelque temps elle était si distante ! Et elle semblait plus mince de jour en jour. La rumeur voulait qu'elle ait des problèmes de couple. On disait que Stu et elle ne se parlaient plus depuis que Claudia avait cessé de cuisiner. Salade et poulet grillé à tous les repas avaient fini par endurcir le cœur de Stu. Et puis, il y avait Paolo. Père de deux enfants à qui il avait adressé la parole à peine deux fois dans sa vie.

— Quel gâchis !

Parfois, elle se disait que tout cela était sa faute.

Rowan revenait du supermarché déprimée. Les courses s'étaient déroulées, comme à l'ordinaire, dans l'ennui le plus total. Et, une fois de plus, les dieux du parking l'avaient ignorée. Chaque fois qu'elle se rendait au supermarché elle priait pour trouver une place près de l'entrée; il n'y en avait jamais.

Une Jaguar apparut derrière elle en faisant de furieux appels de phare. Puis la dépassa, ralentit. Laissa Rowan la dépasser. Se rapprocha d'elle de nouveau en faisant des appels de phare, dépassa, ralentit, la laissa passer... et recommença. Enfin, la troisième fois qu'elle doubla Rowan, la grosse cylindrée accéléra et disparut, sans cesser ses appels de phare. La jeune femme vit le conducteur lui faire au revoir de la main. Qu'est-ce que cela signifiait?

Quand elle arriva sur la grand-place, Steven l'attendait à sa porte.

— Tu n'as même pas voulu faire la course. Pourtant, je t'ai fait signe.

— C'était toi? Dans la Jaguar?

— Oui. Sympa, comme voiture.

— A qui appartient-elle? Le propriétaire sait que tu l'as prise?

— Elle est à Snype. Bien sûr que non, il le sait pas. Il est en vacances — à Tenerife. Il a que des cassettes de merde. Phil Collins, Dire Straits. De la musique de vieux.

— Oh, je vois. Tu devrais lui faire la liste des cassettes que tu voudrais qu'il ait dans sa voiture!

Rowan appuya Sadie contre sa hanche tout en ouvrant le coffre à l'avant de la Coccinelle. Steven tendit la main et prit l'enfant.

— Viens là, toi, dit-il en lui caressant le menton.

— On dirait que tu aimes les bébés, observa Rowan. Elle, elle t'aime bien, en tout cas.

Sadie souriait à Steven de toutes ses gencives.

— Disons que j'ai l'habitude. Je n'irais pas jusqu'à dire que je les aime. Celle-ci est plutôt sympa, ajouta-t-il en secouant doucement l'intéressée.

Rowan porta ses courses à l'intérieur de l'appartement. Steven la suivit avec Sadie et regarda autour de lui.

— C'est pas mal, ici.

Il désigna du menton les photos que Rowan avait accrochées au mur et le tapis indien du salon.

— C'est mieux que du temps du vieux Walter. Il était comme toi, il était revenu.

— Que veux-tu dire?

— Il avait été élevé ici. Et il a fini par y revenir. Comme un saumon, disait-il. Pour mourir.

— Ce n'est pas du tout mon intention.

— Alors, pourquoi es-tu revenue?

— Je n'avais nulle part où aller.

— Au début, on ne parlait que de toi, mais maintenant Mme Jolly, la femme du pharmacien, t'a volé la vedette. Elle a un cancer du sein.

— Comment sais-tu ça?

— Tout le monde est au courant. C'est la réceptionniste du médecin qui l'a dit.

— Rappelle-moi de ne pas tomber malade.

Il se promena dans la pièce. Jeta un coup d'œil à ses CD. Souleva le livre qu'elle lisait. Il l'évaluait.

— Est-ce que tu vas t'en aller de nouveau? Moi, je me casse à la première occasion.

— Je voulais voyager de par le monde, dit Rowan en mettant de l'eau à chauffer. Café? Mais il m'est arrivé... Sadie.

— Ouais, dit-il. Chaque fois que je prends une voiture, je vais un peu plus loin. Un jour, j'irai si loin que je ne reviendrai pas.

— Ce jour-là, je te conseille de ne pas partir dans la voiture de quelqu'un d'autre. Ça évitera à la police de te ramener ici illico. Est-ce que tu t'entraînais à partir, l'autre nuit, quand je t'ai vu sortir par la fenêtre?

— J'ai fait le tour de la vallée avec la voiture de Snype.

Ça lui fait du bien. Il ne sait pas la conduire correctement.

— Pourquoi fais-tu ça ?

Il haussa les épaules.

— Je m'ennuie.

Puis il sourit et tendit Sadie à Rowan, avant de prendre la tasse de café qu'elle lui avait préparée.

— Je vais à l'école dans la journée, ça m'occupe. Mais entre le dîner et le moment où je m'endors, je n'ai rien à faire. A part quand il y a du foot à la télé. Au moins, moi, je ne suis pas comme le vieux Snype, qui cogne sa femme parce qu'il doit des milliers de livres à la banque. Des milliers et des milliers.

— Comment sais-tu ça ? Oh, je sais. Un employé de la banque en a parlé au pub... Rappelle-moi de ne pas avoir de découvert non plus.

— Il n'y a pas de secrets, ici. Alors, quand repars-tu ?

— On verra bien, dit-elle.

Elle se surprit elle-même : son désir de voyager n'avait pas diminué, mais le sentiment d'urgence qui l'habitait depuis toujours avait disparu.

— Le monde ne disparaîtra pas du jour au lendemain. Il sera là, à m'attendre, quand le moment sera venu pour moi de le visiter.

Steven fit le tour de la pièce, déchiffrant les titres de ses livres.

— Ils sont à toi ? Ou à lui ? A ton copain, Nelson ?

— Les deux.

— Qu'est-ce que tu lui trouves ? Il est hyper vieux.

— Quarante-quatre ans, ce n'est pas « hyper vieux ».

— Tu pourrais m'avoir, moi.

Il leva les bras, tourna sur lui-même pour faire admirer son corps juvénile.

— Tu es tout suant, se moqua gentiment Rowan. Et tu n'es qu'un gamin de... quoi, seize ans ?

Sans le moindre embarras, Steven renifla ses aisselles. Il était trop jeune, trop brut pour les raffinements de l'existence.

— Ouais, mais à l'odeur, on m'en donnerait vingt-deux.

Rowan lui lança un torchon en riant.

— Sors d'ici.

— Je suis disponible, dit Steven en souriant. Quand tu veux, bébé. Jude dit que tu dois être une sensible, pour avoir adopté le bébé de quelqu'un d'autre. Et elle dit que tu n'as peur de rien, parce que tu t'es trouvé un travail, que tu t'es installée et que tu as tout assumé.

— Je n'ai pas l'impression de n'avoir peur de rien, Steven. En fait, je suis morte de trouille. Au départ, j'étais morte de trouille à l'idée de m'occuper de Sadie et, maintenant, je suis morte de trouille à l'idée de la perdre.

— J'aime bien avoir peur, dit-il. La nuit, je prends la Jag de Snype, et puis quand je dépasse les cent dix, j'éteins les phares, j'accélère à fond et je hurle. Dans le noir, je ne vois pas où je vais.

— Pourquoi fais-tu ça? Tu pourrais te tuer.

— J'ai juste envie qu'il se passe quelque chose. Je m'ennuie.

Il jeta un coup d'œil à sa montre.

— Il faut que j'y aille. J'ai promis de jouer au foot au parc avec Sonia et Charmaine.

— Je crois que toi aussi, tu es un sensible. Quelque part au fond de tes vêtements démesurés se cache un type bien qui ne demande qu'à s'exprimer.

— Ouais. Mais je le cache mieux que toi.

Rowan se revit un peu plus d'un an plus tôt, dans l'horrible cuisine jaune. Eileen était debout, une tasse de thé à la main. A trois heures de l'après-midi, elle rentrait tout juste de sa soirée de la veille.

— Salut, Rowan. Super soirée, hier.

— Je sais. Devine ce qui m'est arrivé sur le chemin du retour? J'ai vu un renard. Au milieu de la route. Avec des maisons tout autour. Il était là, sauvage, et il me regardait. Je suis sortie de la voiture et j'ai marché jusqu'à lui. Mais il s'est enfui. Il était blessé. Je me disais que je pourrais l'aider. L'emmener chez un véto, le faire soigner.

— Il t'aurait mordue. On ne peut pas s'approcher des animaux sauvages.

— Peut-être, mais j'avais l'impression que je le pouvais. J'avais envie de le voir guéri et relâché quelque part. Dans un endroit chouette.

Elle avait haussé les épaules. Elle se sentait idiote. Eileen se moqua ouvertement d'elle :

— Merde, Rowan! Tu es tellement nulle. Ridiculement sensible, même avec des renards. C'est toi qui devrais avoir un bébé, pas moi.

Etait-ce à cet instant qu'Eileen avait décidé qu'elle abandonnerait son enfant? Rowan se posait la question, tout en regardant le jardin mal entretenu, derrière chez elle. Cette nuit-là, lorsque Sadie fut couchée, elle descendit avec une petite faux et s'attaqua aux mauvaises herbes.

Pendant trois heures, elle désherba. D'abord raide, elle finit par trouver un rythme. La lame sifflait, tranchait, les herbes, les orties et les ronces tombaient à ses pieds. Puis elle creusa, arrachant les racines mortes de la terre à mains nues. Elle suait et jurait. Avait des ampoules aux doigts, de la boue dans le nez, les yeux. Son tee-shirt lui collait au corps. Dans le fond du jardin, elle découvrit quelques rochers, une vieille planche de bois pourrissante, des plants de fraisiers. Vers la porte de derrière, un chemin, des pavés usés. Elle exhuma de vieux jouets, deux balles de tennis noircies, un train en bois. Il y avait deux crochets en fer forgé de part et d'autre de la maison; sans doute une corde à linge courait-elle autrefois de l'un à l'autre. Bientôt, sa faux heurta quelque chose de dur, et elle déterra une vieille vasque verdie par le temps.

Lorsque Nelson arriva, Rowan était toujours dehors à creuser, penchée sur le sol en friche. Elle observait le petit monde souterrain qu'elle avait révélé, les vers et les chenilles qui se tortillaient pour s'enfuir lorsqu'elle arrachait les mauvaises herbes et les jetait sur son tas de compost. Elle aimait l'odeur de la terre, son humidité, elle aimait la regarder s'effriter entre ses doigts. Elle était dégoûtante. Ses précieuses chaussures de marche étaient couvertes de boue, ses doigts pleins de terre, son visage maculé.

Nelson la regarda un moment.

— Qu'est-ce que tu fabriques ?

— A ton avis ?

Elle s'interrompit, appuyée sur sa pelle.

— Je jardine.

Il traversa le petit lopin de terre et l'attira à lui.

— Tu sens la terre et la sueur.

— Je vais aller me laver.

— Non. Je te veux comme ça.

Il l'embrassa de nouveau, glissa ses mains sous son tee-shirt.

— Arrête ! Les voisins vont nous voir.

— Qui ? dit-il en regardant autour de lui. Personne n'a vue sur ce jardin. Et quand bien même, qu'ils nous voient !

— Tu me veux ici ? Sur cette pile de mauvaises herbes ?

— Pourquoi pas ?

— D'accord, mais c'est toi qui te mets dessous. Il y a des orties.

— Dans ce cas, mieux vaut peut-être rentrer.

Ils n'arrivèrent pas jusqu'à la chambre, ils firent l'amour dans l'escalier. Après, Rowan se fit couler un bain et resta longtemps dans l'eau. Nelson lui apporta un verre de vin. Puis il lui savonna le dos.

— C'était cathartique ?

— Oh, oui. Mais mon dos me fait horriblement mal. La prochaine fois, je veux être dessus.

— Je parlais du désherbage.

— Un peu.

Elle le regarda.

— Arrête, avec ton silence ! Tu crois que je pourrais adopter Sadie ? Ou devenir sa tutrice légale ?

Nelson répondit qu'ils pouvaient se renseigner mais que, selon lui, il leur faudrait la signature d'Eileen.

— Je ne veux pas revoir Eileen. Jamais.

— Quelque chose me dit qu'elle va débarquer.

— A moi aussi, soupira Rowan.

20

Ce ne fut pas Eileen qui débarqua, mais Ronnie Barr. Il arriva chez Rowan un samedi matin. Il était grand et gauche, avec un visage osseux. Ses mains immenses dépassaient des manches de son costume — son unique costume, visiblement, qu'il ne devait sortir de son placard que dans les grandes occasions. Lustré à force d'être repassé, démodé depuis vingt ans.

Il se présenta, tout en passant un doigt inquiet sous le col de sa chemise. Son cou, sa gorge, avec son énorme pomme d'Adam toujours en mouvement, n'étaient pas à l'aise dans un col boutonné, c'était clair. Il n'eut pas à expliquer qui il était : la jeune fille qui l'accompagnait était une copie conforme d'Eileen. Même chevelure, mêmes yeux noisette, même sourire. Elle avait l'air d'avoir vingt ans, et devait en avoir seize.

— Rowan? demanda l'homme embarrassé, en s'humectant les lèvres. Rowan Campbell?

Rowan faillit lui répondre : « Désolée, mon ami, j'ignore de qui vous voulez parler. »

— C'est moi, déclara-t-elle cependant.

— C'est Danny qui m'a donné votre adresse. Vous savez, Danny, de Londres?

— Ah, dit Rowan.

Elle aurait dû téléphoner, demander à Danny d'enlever tous les petits mots qu'elle avait laissés, lui faire jurer de ne jamais révéler à personne où elle se trouvait.

— En fait, je... je voulais vous voir. Je suis Ronnie Barr, le mari d'Eileen. Et voici Kelly, sa fille.

Rowan les regarda un moment.

— Eh bien, eh bien. En fait, je ne devrais pas être surprise... Venez, vous feriez mieux d'entrer.

Ronnie et Kelly s'assirent chacun dans un fauteuil en regardant autour d'eux d'un air embarrassé. Le tapis de Rowan, ses bibelots alignés sur le manteau de la cheminée — deux minuscules tasses à café décorées de petits coqs peints, une vieille bouteille d'encre en porcelaine, une corne de bélier, des cartes postales. Depuis que Rowan avait emménagé, la maison était envahie de jouets pour bébé : un gros ours polaire joufflu, des hochets en plastique qui faisaient du bruit, s'allumaient ou déclenchaient une musique. Kelly jeta un œil critique sur la collection de CD. Ronnie, lui, regardait Sadie.

— Elle est superbe, dit-il avec une émotion qu'il ne cherchait pas à dissimuler.

Il traversa la pièce pour prendre Sadie dans ses bras.

— Elle ne ressemble pas du tout à Eileen. Elle tient de son père, non?

Rowan haussa les épaules.

— Si je l'avais rencontré, je pourrais vous répondre.

— Certes. Je vois.

Il sourit à Sadie, la laissa mâchouiller une de ses phalanges osseuses.

— Tout dans la bouche... C'est marrant. Avec le temps, on oublie, mais dès qu'on revoit un bébé, tout revient d'un coup. Pardonnez-moi d'avoir débarqué comme ça chez vous. Je pensais que ça ferait du bien à Kelly de voir de la famille. Sa sœur.

Rowan passa dans la cuisine pour mettre la bouilloire à chauffer. Elle ne savait que dire. Ronnie la suivit.

— Elle non plus n'a jamais rencontré son père.

— Vous n'êtes pas... ?

— Non, ce n'est pas moi. Eileen était enceinte de quatre mois quand je l'ai rencontrée. Nous nous sommes mariés au bout de six semaines. Elle était comme ça. Elle vous faisait tourner la tête.

— Ne m'en parlez pas. Thé ? Café ?

— Thé pour moi. Kelly prendra du café. Elle me trouve vieux jeu.

Il agita ses clés de voiture devant Sadie.

— Qu'est-ce que tu en penses ? Super à sucer, non ? Non, je ne savais rien du père de Kelly. Ou plutôt, je savais tout de lui ; sauf qu'à chaque fois qu'elle m'en parlait, Eileen me racontait une histoire différente. Mais quand je m'en suis aperçu, il était trop tard ; j'étais accro.

Il regarda autour de lui.

— Vous vivez seule ?

— En quelque sorte. Mon petit ami vient souvent. Il craque complètement pour la petite.

— C'est le grand amour, alors ?

— Avec Sadie ? Oh oui ! Il est fou d'elle.

— Vous êtes jalouse ?

— Oui, parfois, admit-elle.

— Alors, c'est le grand amour !

Il rit, puis rougit de cette intimité soudaine avec une étrangère. Il prit la tasse de thé que lui tendait Rowan.

— Merci. Où est-il, en ce moment, votre jeune ami ?

— Il serait flatté que vous l'estimiez jeune. Il est parti tôt ce matin, à la pêche. Je vais aller le rejoindre chez lui d'ici un moment.

— Il n'y a eu personne dans ma vie, personne depuis Eileen. J'étais plus qu'accro, j'étais malade d'amour. Je ne pensais à rien d'autre jour et nuit. Après son départ, je me surprenais à passer mes journées derrière la fenêtre, guettant son retour.

— Je connais ça, acquiesça Rowan en s'appuyant contre le plan de travail de la cuisine. Je faisais pareil. Je n'arrivais pas à croire qu'elle soit partie comme ça et qu'elle m'ait laissée avec Sadie. Même après mon retour ici, j'ai continué à la guetter en permanence.

Elle prit le café de Kelly et l'emporta dans le salon. L'adolescente feuilletait un livre.

— C'est le cerveau de la famille, dit Ronnie. Moi, j'ouvre un bouquin une fois par an, mais elle, elle va aller à l'université, l'année prochaine.

— Que vas-tu étudier? s'enquit Rowan.

— Le droit.

— Elle veut être avocate, dit fièrement Ronnie. Vous devriez voir ses bulletins scolaires. Rien que des A. Je ne sais pas d'où lui vient toute cette intelligence.

Un peu embarrassé, il s'éclaircit la gorge et fixa le tapis quelques instants.

— Je n'ai jamais connu mon vrai père, intervint Kelly. Ma mère est partie quand j'avais six mois. Je ne me souviens pas d'elle.

— Eh bien, Eileen, c'était quelque chose, soupira Rowan. Vous êtes-vous connus à Liverpool? demanda-t-elle à Ronnie.

— A Liverpool? Seigneur, non! Je l'ai rencontrée dans un pub de Brixton. Elle vivait dans un squat avec cinq ou six autres personnes. Elle s'est installée avec moi presque immédiatement. Elle n'est jamais allée à Liverpool de sa vie, que je sache.

— Bien sûr, acquiesça Rowan, tout en se remémorant avec une rage contenue les coups de fil qu'elle avait passés à tous les Johnson de l'annuaire de Liverpool.

Pas étonnant que personne n'eût entendu parler d'Eileen, là-bas : elle n'y avait jamais mis les pieds...

— Ma mère, intervint Kelly d'une voix réprobatrice, est née dans un lotissement HLM de Coventry. Sa mère travaillait dans une usine de chaussures et son père était laitier. Elle avait trois frères et deux sœurs. Une grande famille, une petite maison.

— Coventry? Elle ne m'a jamais parlé de Coventry.

— Et pour cause : c'était vraiment de là qu'elle venait.

— Tu y es allée?

— Oui, pour les vacances, et plusieurs fois à Noël. De grandes réunions de famille autour de la table de la cuisine. Dinde, pommes de terre sautées, choux de Bruxelles, crackers, *asti spumante*, sapin artificiel. Le speech de la reine à la télé. Très gai. Pas de quoi s'enfuir en courant. Quand ma mère avait dix-sept ans, un gars du coin l'a mise enceinte. Son père pense que c'est le pasteur — Eileen passait par une phase très religieuse, à l'époque. Sa mère, que c'est le type d'en face, chez qui elle faisait du baby-sitting. Enfin bref, elle s'est enfuie.

— Mon Dieu!

— Elle est partie à Londres, a vécu dans un squat. Un endroit répugnant, selon Ronnie, mais ça, elle avait l'habitude. Elle s'est mise à bavarder avec lui. Elle savait reconnaître une bonne poire quand elle en voyait une.

— C'est le moins qu'on puisse dire, observa Rowan en soupirant.

— Elle s'est installée avec lui, continua Kelly, récitant son histoire comme si elle l'avait racontée maintes fois. Elle m'a eue. Et elle est partie, attirée par les lumières de la ville. Papa n'était pas assez glamour à son goût.

— Trop ennuyeux, acquiesça Ronnie, presque fier, semblait-il, d'avoir été aussi ennuyeux.

— Qu'est-ce que vous faites, dans la vie? lui demanda Rowan.

— Je suis mécanicien. J'ai un petit garage. Je vends

quelques voitures, mais je fais surtout des réparations. J'ai vu que vous aviez Bessie?

— Bessie?

— La Coccinelle. Je la lui avais offerte. Elle roule toujours, on dirait?

Rowan hocha la tête, l'air hagard.

« La voiture? Oh, c'est un cadeau, lui avait dit Eileen. Un admirateur secret l'a laissée devant ma porte. Il a glissé une enveloppe contenant les clés dans la boîte aux lettres, avec ce petit mot : *Une coccinelle d'amour pour mon amour. Qu'elle te conduise à la passion.* N'est-ce pas adorable? Je n'ai jamais su qui c'était. »

Rowan se souvenait du frisson de doute qui l'avait traversée en entendant cette histoire. Mais elle n'en avait pas tenu compte... Elle se sentait affreusement idiote.

— C'est toujours pareil, lui dit Ronnie avec douceur, quand on apprend qu'on nous a menti. On se sent crétin. Quelqu'un que vous aimiez bien, ou même que vous aimiez tout court, vous a trahi; c'est intolérable. Moi, elle m'a raconté qu'elle sortait d'un couvent, qu'elle était orpheline et que le prêtre avait abusé d'elle. Qu'on la battait à l'orphelinat...

Il esquissa une petite moue, fixa le mur. Encore humilié au souvenir des mensonges d'Eileen. Il avait tout gobé. Il l'avait prise dans ses grands bras (elle pleurait, émue aux larmes par ses propres histoires) et l'avait consolée gauchement. « Ça va aller. Je suis là, maintenant. Je m'occuperai de toi. »

— Vous l'avez crue? demanda Rowan.

— Je me sens si bête!

Ronnie eut un petit haussement d'épaules.

— Mais voilà. On n'a jamais à l'esprit que les gens peuvent raconter des bobards.

Il traversa la pièce, regarda par la fenêtre.

— Je pourrais jeter un coup d'œil à la voiture, si vous voulez.

N'importe quoi pour sortir de là ; il n'était jamais à l'aise, dans les pièces closes.

— C'est terrible, quand quelqu'un vous ment. On n'arrive plus jamais à faire confiance aux gens, pas vrai ?

Rowan réfléchit un instant.

— Je ne sais pas. Eileen est un cas particulier. Je crois que j'ai appris beaucoup de choses depuis que cette histoire m'est arrivée... Sur ce qu'est la gentillesse, tout ça. Mais, au fait, comment avez-vous appris la vérité, pour Eileen ? demanda-t-elle.

— Ses parents ont débarqué au garage, un jour. C'est aussi simple que ça.

Ronnie jeta un regard nostalgique en direction de la voiture, à l'extérieur. Puis il posa Sadie à terre et s'assit près d'elle. Il entreprit d'empiler des cubes en plastique ; il avait moins de mal à parler, quand il avait les mains occupées.

— Ils avaient engagé un détective privé qui m'avait trouvé. Alors un jour, ils sont venus, comme ça. Je travaillais sur une Saab. Une jolie voiture. Je changeais l'embrayage. Kelly était installée sur l'établi, j'avais fait une place pour son couffin. Et ils sont arrivés. Je pensais qu'ils voulaient me la prendre, mais non. Leurs enfants étaient grands ; pour eux, les bébés, c'était terminé. Ils avaient déjà donné.

— Vous ne l'avez jamais revue, elle ?

— Au début, elle revenait. Pour manger, prendre un peu d'argent... Et puis elle disparaissait de nouveau. Je partais à sa recherche. J'arpentais Soho la nuit. Le West End. Je ne l'y ai jamais vue. Parfois, elle me téléphonait, elle me parlait des stars du rock qu'elle fréquentait. Des galeries et des vernissages auxquels elle était invitée. Un jour, elle m'a annoncé qu'elle partait en Irak vivre avec un cheikh. Vous auriez gobé ça, vous?

— Probablement, à l'époque, reconnut Rowan.

— J'ai donc élevé Kelly. Je ne pensais pas à Eileen. Ses parents nous ont dit qu'elle mentait tout le temps. Petite, elle a raconté à l'école que son père était directeur de banque. Avec ses copines, elle prétendait qu'il était chanteur en Amérique — l'un des Beach Boys. Elle a dit à ses professeurs que sa famille émigrait au Canada; elle a séché l'école pendant trois semaines avant que le pot aux roses soit découvert. Certains de ses camarades croyaient qu'elle habitait dans une sublime propriété avec six télévisions, une piscine et dix chambres. D'autres, qu'elle vivait dans une roulotte de gitans tirée par un cheval. Elle a raconté que sa mère était dans la Résistance en France pendant la guerre. Que sa sœur était mannequin à Londres et qu'on la voyait en couverture de *Vogue*. En fait, elle travaillait au supermarché local. Je vous laisse imaginer sa honte... Elle disait que son frère était mort dans un accident de voiture avec Marc Bolan et on le retrouvait au pub, une pinte de bière à la main. « Je croyais que tu étais mort? » demandaient les gens. Je pourrais continuer comme ça pendant des heures... Je ne pensais pas que j'entendrais de nouveau parler d'elle. Et puis, il y a quelques mois de ça, nous avons reçu de l'argent.

Rowan crut que son cœur s'arrêtait de battre.

— De l'argent?

— Elle nous a envoyé deux mille livres pour payer mes études, expliqua Kelly. Dans sa lettre, elle disait qu'elle voulait m'aider à aller à l'université et que cet argent était une avance qu'on lui avait faite sur la vente d'un livre qu'elle aurait écrit en commun avec des amis, intitulé : *Voyages avec moi-même et quelques autres*. Elle terminait par l'annonce de son départ à Rio avec un millionnaire qu'elle venait de rencontrer.

— Vous l'avez crue?

Kelly et Ronnie regardèrent Rowan.

— Non.

N'y tenant plus, Ronnie se leva.

— Je vais jeter un coup d'œil à cette vieille Bessie, annonça-t-il, quittant la pièce aussi gauchement qu'il y était entré.

— Ça n'a pas été dur de vous retrouver, dit Kelly à Rowan. La lettre qu'elle nous a écrite était à l'en-tête d'un éditeur. Je suppose qu'elle voulait nous faire croire que c'était celui de son bouquin, mais nous la connaissions trop bien pour avaler ça.

Rowan se revoyait dans la chambre d'Eileen, fumant un joint en écoutant Nirvana.

— C'est quoi? avait demandé Eileen. Je n'ai jamais entendu ça. Tu connais toujours des tas de nouveaux groupes.

— Nirvana. *Nevermind.* Je vais te l'écrire, attends... Tu oublies toujours tout.

Elle avait griffonné le nom au crayon noir sur une feuille à en-tête de sa société, rapportée du bureau. « Mon Dieu, se dit-elle. On ne peut jamais rien dire à un menteur. Tout finit toujours par être absorbé et utilisé contre vous. »

— J'ai appelé, continua Kelly. Un certain James Frobisher m'a donné votre ancienne adresse à Islington. Nous y sommes allés, et c'est comme ça que nous avons trouvé l'adresse de vos parents. Un de leurs voisins nous a dit où vous habitiez. Et nous voilà.

— Tu crois que nous reverrons Eileen un jour? demanda Rowan.

Kelly haussa les épaules sans répondre.

— Tu as envie de la revoir?

Elle haussa de nouveau les épaules. Pour la première fois, elle avait vraiment l'air de l'adolescente qu'elle était.

— Parfois, j'aimerais la connaître. D'autres fois, quand je pense à elle, je lui en veux tellement de tous ses mensonges que je pleure de rage.

Rowan hocha la tête.

— Je peux comprendre ça. Est-ce que Ronnie te parlait d'elle, quand tu étais petite? Je ne sais pas vraiment quoi raconter à Sadie. Parfois, je me dis que je prétendrai que sa mère est morte — mais c'est encore un mensonge, et les mensonges entraînent toujours d'autres mensonges.

— Ronnie ne m'a jamais menti. Avant, j'inventais des histoires au sujet de ma mère, à l'école, mais maintenant, je dis la vérité et mes copines trouvent ça dément. Elles aimeraient avoir une mère comme elle. Comment était-elle? Vous la voyiez beaucoup?

Eileen, valsant de pièce en pièce, court vêtue et portant son bonnet de père Noël...

— Oh, oui, je voyais beaucoup Eileen. Au début, quand on la rencontre, on la trouve fabuleuse. Et puis on se lasse d'elle. Elle se jette sur vous, vous phagocyte, ne vous laisse ni respirer ni réfléchir. Mais dès qu'on peut prendre du recul et y penser, on se rend compte qu'elle raconte n'importe quoi. Ce qui m'inquiète, c'est que j'ai l'impression qu'elle croit elle-même à ses affabulations. Elle avait une étincelle étrange dans le regard... et ne semblait jamais aussi heureuse que quand elle racontait une de ses histoires.

Rowan jeta un coup d'œil par la fenêtre. Ronnie avait été rejoint par Steven, et tous deux étaient penchés à l'arrière de la voiture. Ils examinaient le moteur et bavardaient. De quoi? De l'autre côté de la grand-place, elle apercevait le visage plein de curiosité de Claudia junior entre deux cônes de glace en plastique géants. Qui donc était cet inconnu qui travaillait sur la voiture de Rowan? Steven n'allait pas tarder à le savoir. Puis Jude. Et ses parents. Après ça, tout le monde serait au courant.

La pièce, derrière Rowan, fut tout à coup envahie de musique. Kelly avait mis un disque de Lou Reed. *How Do You Think It Feels. If Only... if Only.*

— C'est pas mal, observa-t-elle avec un signe de tête en direction de la chaîne hi-fi.

Elle se tourna vers Sadie, qu'elle avait évitée depuis son arrivée.

— Elle ne mord pas, souligna Rowan. En revanche, elle bave.

— Je n'ai jamais connu de bébé. Je ne sais pas ce qu'il faut leur dire.

— Elle ne risque pas de discuter avec toi de la signification intrinsèque des paroles de Lou Reed ou du dernier Kurosawa, mais elle est sympa. Tout ce qu'elle veut, c'est être sûre qu'on l'aime bien. Il faut lui sourire beaucoup.

Rowan savait combien cela pouvait être difficile.

— Ce n'est pas évident, je sais.

Kelly lui décocha un sourire reconnaissant. Elle s'approcha et s'accroupit à côté de Sadie, la laissa attraper son doigt. Elles se fixèrent un moment, puis Sadie esquissa un grand sourire édenté.

— Et voilà! dit Rowan.

Ronnie, Kelly et elle déjeunèrent au New Raffles.

— C'est une fête, dit Rowan en levant son verre de bière vers Ronnie. Ça fait plaisir de découvrir qu'on n'est pas le seul pigeon au monde. Le seul crétin. Le seul naïf... C'est si réconfortant!

Ronnie était d'accord, et leva son verre.

— A nous tous. A l'amitié.

Il paraissait embarrassé en prononçant ces mots.

— Nous formerons une association de dupes.

Ils trinquèrent. Une fois le déjeuner terminé, Ronnie se hâta de repartir.

— Je dois changer la boîte de vitesses d'une BMW et

réviser une Renault. Vous verrez, votre voiture va rouler comme jamais.

Ils se promirent de ne pas perdre le contact. Sadie dans les bras, agitant sa petite main, Rowan les regarda quitter la grand-place. Puis elle se rendit chez Nelson.

Lorsqu'il rentra chez lui, sans poissons comme à son habitude, elle lui sauta au cou.

— N'est-ce pas merveilleux? Je viens de découvrir que je n'étais pas la seule idiote au monde.

— Je n'ai jamais pensé que tu étais la seule. Je suis là, moi. Ainsi que tous les gens que je connais. Nous avons tous nos moments...

Elle lui parla de Ronnie Barr et de Kelly.

— Alors, et l'argent? Tu ne leur as pas dit que c'était le tien?

— Non. J'avais l'intention de le faire, mais je n'ai pas réussi à trouver le bon moment, et après j'ai oublié.

— Tu as leur adresse. Tu pourrais leur écrire.

Il prit le visage de Rowan entre ses mains. Elle posa sa paume sur sa joue rugueuse.

— Tu ne t'es pas rasé.

— Tu ne vas pas leur en parler, n'est-ce pas?

— Non, admit-elle. Peut-être un jour. Je les reverrai, de toute façon.

— Pourquoi n'as-tu rien dit? Cet argent t'appartient.

— Ils en ont besoin. Cela coûte cher d'aller à l'université — surtout quand on veut faire des études d'avocat. Tous ces livres... Et puis, Kelly est de la famille, c'est la sœur de Sadie. Je récupérerai les sous un jour.

— Sainte Rowan, ironisa Nelson.

Il l'embrassa sur la joue. Lui maintint les mains derrière le dos.

— Je ne te laisserai jamais partir... Dis-moi que tu m'aimes, sainte Rowan.

— Je crois que oui. Mais ne va pas t'imaginer que cela te permet des privautés avec moi.

Il la souleva dans ses bras et elle enroula ses jambes autour de sa taille.

— Oh, si, dit-il. Je n'ai jamais baisé une sainte.

— C'est donc comme ça? On fait l'amour à une pute, mais on baise une sainte?

— Ma foi, si on veut s'amuser...

21

— Je n'aime pas particulièrement l'été, expliqua Mamie à Rowan au cours de l'un de leurs déjeuners au Squelch. Tous ces corps à moitié nus, ces vêtements colorés... Toute cette sueur... Tu as remarqué?

Rowan hocha la tête.

— Oui, continua Mamie. Partout, on voit des gens en chemise jaune et en short, qui montrent leurs cuisses et d'autres morceaux de chair qu'ils feraient mieux de laisser couverts. Je trouve l'été un peu vulgaire. Impossible d'allumer la radio sans tomber sur un « tube de l'été » insupportablement guilleret... Non, vraiment, conclut-elle en secouant la tête, je préfère l'automne. L'automne est plus subtil. Les journées sont douces, le ciel vous inspire une merveilleuse mélancolie. Sans parler des couchers de soleil. Les films qui sortent sont meilleurs. On sent le froid arriver, c'est si agréable!

Elle se versa du thé, se réjouissant à la pensée de l'automne, bien qu'on ne fût qu'en juillet et qu'il lui restât encore deux mois d'été à supporter.

Elle n'était pas riche et vivait de sandwichs au fromage. Parfois, il lui fallait opter entre mettre de l'argent dans le compteur électrique et s'acheter un morceau de cheddar. « Vais-je choisir la lumière? Lire un peu? Ou me réchauffer au lit avec un petit quelque chose à manger? » Elle tranchait toujours en faveur de la nourriture.

— J'ai tellement de chance, dit-elle à Rowan. J'ai connu l'amour. Certaines personnes passent à côté toute leur vie, tu sais. Et j'ai vu des milliers de films. Tous ces cow-boys et ces gangsters, toutes ces chansons d'amour, ces légendes... Il y a des moments merveilleux, dans la vie; mais on ne sait jamais quand ils vont se produire.

La remarque inattendue de Mamie laissa Rowan songeuse.

— On dirait que vous êtes en train de planifier quelque chose, observa-t-elle. Que vous arrive-t-il, aujourd'hui?

— Je n'ai jamais vu de baleine, dit Mamie. J'ai toujours rêvé de voir une baleine sortir de l'eau. Dégoulinante. Se propulser dans les airs... Ces bêtes sont si énormes, comment est-ce possible? *Moby Dick*, un film extraordinaire. Avec Gregory Peck. Tu l'as vu?

Rowan secoua la tête.

— Vous pourriez monter sur un bateau et aller observer les baleines. Il paraît qu'il y en a beaucoup au large de Mexico.

— Oh, non! Je reste. Le matin, quand je sors de chez moi pour venir ici, il y a au moins vingt personnes qui me disent bonjour. Ça me donne l'impression d'être aimée. Pas question que je m'en aille.

Elle porta sa tasse à ses lèvres et souffla sur son thé.

— Et pour répondre à ta question, je vais te dire ce qui m'arrive. J'ai un projet. Un grand projet. Et ça me remonte le moral de façon incroyable.

Elle attrapa son tricot. Ses aiguilles se mirent en mouvement à une cadence folle.

— Quel projet? demanda Rowan.

Clic, clic, clic. Mamie semblait loucher, tant elle était concentrée sur son ouvrage.

— Je ne te le dirai pas. Je m'efforce de ne pas trop y penser; quand on réfléchit trop à un projet, il finit par paraître effrayant. A mon âge, j'ai bien d'autres choses à craindre. Le simple fait de me lever le matin. D'aller au lit le soir. J'ai peur de ne pas dormir. J'ai peur des pensées qui me viendront dans le noir. Et j'ai peur, quand je sens que je m'endors, de mourir dans mon sommeil. Enfin, je peux quand même te dire que j'ai l'intention d'organiser une soirée de gala. Une dernière projection. Soirée glamour, avec du vin, etc.

— Une dernière projection? Vous fermez le Rialto?

— Eh oui, les meilleures choses ont une fin. Les plus médiocres aussi. Et les choses dépassées également.

— Mais le Rialto... J'y ai passé toute mon enfance! C'est là que j'ai fait mes premières bêtises!

— Toi, et beaucoup d'autres jeunes gens, si j'en crois tout ce que j'ai trouvé sous les sièges au fil des ans!

Le soir, quand Nelson n'était pas là, Jude passait voir Rowan. Elle fumait cigarette sur cigarette et lui faisait part de ses angoisses.

— Ça m'inquiète de retourner à l'université. Tous ces trucs à lire... Ça finit par vous donner mal à la tête. Et il faut tout le temps réfléchir. Moi, je pense normalement, tu sais, en ligne droite. Les maths, c'est facile, pour moi. Mais les livres... J'ai l'impression qu'ils laissent entrer plein de choses dans ma tête. Toutes mes peurs. Quand je lis, ça me rappelle qui je suis. Je m'identifie toujours aux imbéciles, jamais aux héros.

— Je crois que c'est le cas de beaucoup de gens.

— Vraiment? Personne n'en parle jamais. Et tous ces étudiants — ils sont si jeunes! Ils n'arrêtent pas de baiser et de picoler.

— Que faisais-tu, toi, à leur âge?

— La même chose, mais je ne pense pas que j'y prenais autant de plaisir. Ils me font douter de moi. Je les regarde, et je me dis que jamais je ne pourrai les inviter chez moi.

Elle pensait qu'ils se moqueraient de sa collection d'animaux en porcelaine, et des images de fées dans leurs cadres dorés sur ses murs, du siège rose de ses toilettes, de sa moquette bleu et doré, de l'épais tapis moelleux placé devant la cheminée. La cheminée! Ils riraient de son feu électrique à fausses flammes. Ils riraient de toutes ses affaires.

— Je n'aime plus rien de ce que j'ai. Mes vêtements, par exemple. Quand je travaillais à l'usine, c'était facile : ils n'aimaient pas mon corsage décolleté, alors j'en portais un plus décolleté encore. « De quoi se mêlent-ils? je me disais. Qu'ils aillent se faire voir. » Mais maintenant, c'est plus pareil.

Elle alluma une cigarette.

— Tu as un truc à boire?

Rowan alla chercher une bouteille de vin et deux verres.

— Tu vois? dit Jude en montrant le vin du doigt. Toi, tu as du vin en bouteille. Moi, je le prends toujours en carton — quand j'en achète. Généralement à Noël. A ta place, j'aurais apporté un rhum-Coca.

— C'est très bien, le rhum-Coca, la rassura Rowan.

— J'ai toujours été un peu brute de décoffrage, je le sais. Pas la peine de me le dire. Plus ça allait mal, et plus j'étais dure. Pas gentille. Je ne suis pas quelqu'un de gentil. Toute ma vie, j'ai eu une espèce de mauvais pressentiment...

Elle s'interrompit, réfléchit un instant. Puis .

— Non mais tu entends ça! Voilà que je me mets à utiliser de ces mots! « Pressentiment »! Enfin, bref, je me disais toujours que quelque chose de terrible allait se produire, alors je buvais et je laissais tout le monde s'imaginer que je passais mon temps à baiser. Les gens me prennent pour la pute du village, ce qui n'est pas vrai. Il n'y a eu que Paolo et Frank. Et maintenant, j'ai honte de ce que les gens pensent de moi, à cause de Delia et de ce qu'elle a essayé de faire. Avant, j'aimais bien faire scandale, mais maintenant je me dis : « De quoi as-tu peur? Que peut-il t'arriver? » Je suis tombée enceinte à quatorze ans. Mon fils a tout le temps des problèmes avec la police. Ma fille a essayé de se tuer. J'ai déjà eu toutes les galères possibles. Et j'ai assumé.

Elle se leva et tourna sur elle-même, les bras écartés.

— Je suis là, je suis vivante. Mais, au fond de moi, je suis encore bourrée de complexes. J'aimerais n'avoir peur de rien.

— Ce serait bien, acquiesça Rowan.

— Toi, tu es revenue ici, avec cette drôle de coiffure et ce bébé qui n'était pas le tien, et tout le monde s'est mis à parler de toi et à se moquer de tes cheveux. Et puis, au bout de deux minutes, ils ont décrété que tu étais une sainte d'avoir recueilli l'enfant d'une autre femme. Et deux minutes plus tard, une demi-douzaine de filles cherchaient à imiter ton look. Tu es plus près de n'avoir peur de rien que moi.

Rowan se gratta le menton, soupira.

— Peut-être suis-je seulement insensible, dit-elle. Trop bouchée pour me rendre compte de ce qui se passe autour de moi.

Jude écrasa sa cigarette d'un air déterminé.

— Je crois que je vais m'acheter un pull.

Rowan arqua un sourcil, mais ne dit rien. Un pull?

— Un de ces gros pulls qu'ils portent tous, à l'université. Je trimbalerai mes bouquins à la main, ou je m'achèterai un sac à dos, un truc comme ça. J'arrêterai de les mettre dans un vieux sac en plastique. Il faut que je m'intègre. Et ce ne sera pas un pull rose — je le prendrai noir. Non, gris. Avec un col roulé. Et j'arrêterai de dire :

« Qu'est-ce que ça peut vous faire? » C'est ce que j'avais répondu à mon maître de conférences quand il m'avait demandé quelles étaient les motivations de Kafka. « M'en fous, de Kafka », je lui ai dit. Et après, j'ai dit : « C'est pour ça que je viens ici, que je me lève à sept heures du matin : pour que *vous* m'expliquiez tout ça. S'il avait eu à préparer le dîner, Kafka n'aurait pas eu le temps d'écrire des livres idiots sur des types qui se transforment en insectes. »

— Tu as dit ça? Et tu prétends que c'est moi qui n'ai peur de rien? En fait, Kafka faisait un boulot qu'il détestait, et après seulement il rentrait chez lui pour raconter ses histoires de types qui se transforment en insectes.

— Vraiment? Pas étonnant qu'il ait écrit ces bouquins, alors.

— Peut-être qu'il aurait dû s'acheter un pull. Dire quelque chose. Changer de vie.

— Oui.

La perspective de changer de personnalité excitait Jude au plus haut point.

— Je vais acheter un pull immense. Et j'arrêterai de crier dans la rue.

Deux soirs plus tard, Jude était sous les fenêtres de Rowan.

— Hé, Rowan! lança-t-elle d'une voix altérée par la nicotine, qui sembla ricocher dans le noir. Ça y est, je l'ai!

Rowan ouvrit sa fenêtre. Judy-jambes-en-l'air était debout dans la rue, une pile de livres sous le bras. Elle portait un jean moulant et un énorme pull noir aux manches relevées.

— Je l'ai!

Elle tourna sur elle-même.

— Regarde-moi. Je suis une étudiante. Ha, ha!

Rowan se pencha.

— Tu es super. Sans peur.

Jude sauta en l'air, fit claquer ses hauts talons. Comment faisait-elle cela avec des chaussures pareilles ? se demanda Rowan, impressionnée.

De sa fenêtre, mama Claudia assistait à la scène.

— C'est Jude qui recommence à crier dans la rue, soupira-t-elle.

— Hé, Jude ! s'exclama Rowan. Quelles étaient les motivations de Kafka ?

— M'en fous de Kafka ! s'écria Jude, pliée en deux de rire. Qu'est-ce que ça peut te faire, de toute façon ?

Plus tard, lorsque Nelson arriva, Rowan n'avait pas encore préparé Sadie pour la nuit.

— Je vais lui donner son bain, dit Nelson.

Il ôta le pantalon et le petit pull de la petite fille, puis sa couche. La plia et l'envoya voler dans la poubelle.

— Attention, couche volante ! annonça-t-il.

Elle atterrit parfaitement dans la poubelle. Il emmena Sadie dans la salle de bains, remplit la baignoire d'eau et l'y plongea. Rowan l'entendait chanter de petites chansons à la petite fille, tout en jouant avec son sous-marin en plastique.

— Plonge, plonge, plonge, petit sous-marin !

Les manches relevées, il ramena Sadie dans la pièce, enveloppée dans une immense serviette de bain.

— La voilà ! Elle est toute propre et elle sent bon.

Tandis que Rowan préparait le dîner, Nelson mit une couche propre à Sadie.

— Je deviens doué !

Et une grenouillère. Il la nourrit. Puis l'emmena au lit. Rowan n'avait pas besoin de regarder : elle savait qu'il était penché sur le berceau et agitait le mobile de Sadie au-dessus de sa tête en lui racontant des histoires.

Un quart d'heure plus tard, il revint.

— Elle dort comme un ange.

— Pour l'instant, dit Rowan.

Ils s'assirent à la table de la cuisine devant un plat de pâtes.

— Et samedi? Tu voudrais faire quelque chose? demanda Nelson. Aller au zoo, à la plage? Nous pourrions faire du pédalo et des châteaux de sable. Nous pourrions jouer à être une vraie famille.

— Je ne pense pas que nous ayons à faire semblant, souligna Rowan.

22

Mamie fit passer une annonce dans la *County Gazette* pour sa soirée de gala.

Le Rialto est fier de vous présenter sa « Nuit glamour » le 25 juillet, à 19 h 30. Tenue élégante de rigueur. Ou, du moins, aussi élégante que possible. Souvenez-vous du bon vieux temps. Projection d'un film romantique. Chocolats et vin. Thé et biscuits. Tickets : 2,50 £. Pas de réductions. A ce prix-là, vin compris, c'est déjà bien !

Deux jours avant la soirée, George et Norma rentrèrent de leur croisière. Norma était bronzée et fatiguée ; George, bronzé.

— Regarde tout le linge que j'ai à laver, se lamentait Norma. Nous n'avons plus rien à nous mettre. Tout est sale.

— Mais vous êtes-vous bien amusés ? voulut savoir Rowan. Raconte-moi tout !

— Nous dansions tous les soirs. Ton père ne s'arrêtait plus.

— Parle-moi des endroits que vous avez vus.

— Athènes est une ville dégoûtante. J'ai bien aimé Nice — beaucoup de yachts. On mangeait bien. Et on pouvait s'installer sur le pont.

— C'est tout ?

— Plus ou moins, répondit Norma. Je t'en dirai davantage au fur et à mesure que ça me reviendra. Quand j'aurai réglé tous les problèmes. Comment va Sadie?

Elle prit l'enfant des bras de Rowan.

— Très bien. Elle n'arrête pas de se faire de nouveaux amis. Jude s'est occupée d'elle.

— Jude? Et comment Sadie s'est-elle entendue avec elle?

— Bien, répondit Rowan. Parfaitement bien.

— Je ne crois pas que je partirai de nouveau, déclara Norma en s'asseyant dans son fauteuil préféré. J'aime cet endroit. Pas besoin de voyager : j'ai toujours pensé que si vous restiez immobile suffisamment longtemps, le monde venait à vous. J'ai hâte de retrouver ma petite routine.

Rowan lui demanda si elle accepterait de faire du babysitting le surlendemain soir.

— Mamie a organisé une soirée glamour et je me sens obligée d'y aller.

Norma parut ravie de cette demande.

Mamie acheta une caisse de chardonnay sud-africain et loua soixante verres à George O'Connell. Soixante suffiraient largement, songeait-elle. Elle les disposa avec le vin sur la table de sa salle à manger, que Rowan et elle avaient installée dans le vestibule du cinéma.

A dix-neuf heures trente, douze personnes faisaient la queue à l'extérieur. Que des vieux, constata Mamie avec horreur. A dix-neuf heures cinquante, trois autres personnes étaient arrivées. Les visiteurs allaient et venaient dans le cinéma, leur verre de vin à la main, grignotant les canapés qu'elle avait passé l'après-midi à confectionner. Elle remarqua avec tristesse que rares étaient ceux qui avaient pris la peine de se vêtir élégamment. Il n'y avait qu'un ou deux smokings; leurs propriétaires, mal à l'aise, passaient leur temps à tripoter leur nœud papillon. Seules deux ou trois femmes étaient bien habillées. La conversation, que Mamie avait rêvée érudite et raffinée, tournait essentiellement autour du prix de la margarine à la supérette, et de Fred et Maisie Watson, qui étaient allés en car en Pologne. Apparemment, Fred avait tellement bu de vodka bon marché qu'il avait perdu son dentier quelque part entre Varsovie et Cracovie.

— D'où viennent donc tous ces gens? demanda Mamie à Rowan. Se peut-il qu'ils aient vécu ici pendant tout ce temps et que je ne les aie jamais vus?

La séance commença à huit heures. Mamie avait l'intention de passer *Tant qu'il y aura des hommes*. Les spectateurs s'assirent poliment; Mamie remarqua au passage que les rangées de sièges étaient mal fixées au sol. Elle avait toujours eu l'intention de les faire réparer. Lorsqu'une personne remuait, toute la rangée bougeait. Et si quelqu'un allait aux toilettes, les sièges reculaient d'une dizaine de centimètres quand les autres spectateurs se levaient pour le laisser passer.

Vers le milieu du film, Mamie descendit de la salle de projection pour voir comment les choses se passaient. Plusieurs personnes s'étaient déjà éclipsées. D'autres dormaient, la tête sur le côté. Rares étaient ceux qui regardaient le film, captivés, comme Mamie l'avait rêvé. Et, à la fin de la représentation, tous déclarèrent être trop fatigués pour voir un autre film.

— Mon heure de coucher est passée depuis longtemps, dit une femme parfumée, en corsage turquoise, en se levant de son siège. Oh, mon Dieu! ajouta-t-elle. Ces fauteuils! Je ne peux plus bouger.

Elle massa ses membres endoloris.

— Nous avons passé l'âge de faire des contorsions pareilles.

Les autres spectateurs hochèrent la tête à l'unisson. Et partirent. Mamie entendait leurs voix résonner dans la rue tandis qu'ils s'éloignaient.

— Seigneur, cet endroit n'a pas changé depuis trente ans. Comment peut-on rester assis sur des sièges pareils pendant des heures? J'ai les genoux tout ankylosés...

— J'ai raté *Coronation Street*...

— Je préfère encore louer une vidéo et la regarder à la maison. Au moins, je suis correctement installé...

La soirée avait été un échec.

— On ne peut pas plaire à tout le monde, la rassura Rowan.

— Non, mais quand même... soupira Mamie. Et regarde mon vin — ils ont tout bu. A quinze, ils ont vidé les douze bouteilles — ça fait presque une par personne. Et il manque une demi-douzaine de verres. C'est déjà désagréable de devoir se coltiner une bande de gâteux, mais des gâteux kleptomanes et alcooliques, c'est trop. Tu as vu comme ces gens étaient vieux? Est-ce que je suis comme eux?

— Non, répondit Rowan. Vous n'êtes pas du tout comme ça.

L'inoubliable soirée d'adieux imaginée par Mamie avait tourné court, et elle se disait à présent qu'il valait parfois mieux partir sans rien dire. Avec un petit geste discret de la main, de loin... Mais bon, Mamie n'avait jamais été très douée pour la discrétion.

Une fois tout le monde parti, elle décrocha les cadres contenant les photos de Burt et d'Ingrid, ses poulets fétiches, et les donna à Rowan.

— Garde-les, dit-elle.

— Je ne peux pas, protesta Rowan. Ces photos vous appartiennent.

Mamie secoua la tête.

— C'est un cadeau. Peut-être seulement un cadeau temporaire... Garde-les en sécurité, en tout cas.

Après que Mamie eut fermé le cinéma, elles descendirent la rue ensemble. Du Squelch leur parvenaient les cris et la musique de la soirée « country et western ». Ella Hanson chantait *You Were Always on My Mind* d'une voix que l'alcool rendait mélancolique. Quelques jeunes étaient réunis devant la friterie et buvaient des sodas. Ils ne jetèrent même pas un coup d'œil à Mamie et Rowan.

— Nous sommes dépassées, constata Rowan.

— En tout cas, je le suis, moi. Ça fait tellement longtemps que je suis dépassée que je ne sais même plus ce qu'il y avait à dépasser!

Rowan proposa à Mamie de monter prendre un verre de vin chez elle, mais la vieille dame déclina son invitation.

— Non. Merci, mais c'est une soirée à marcher.

— Vous n'allez pas faire un accès de déprime, hein?

— Je ne suis pas déprimée, seulement mélancolique. Il y a une différence. La mélancolie, c'est un grand cru de dépression. Ça se savoure.

A une heure du matin, les sirènes éveillèrent Rowan. Elle sortit de son lit en toute hâte et courut à la fenêtre. Trois véhicules de pompiers passèrent sous ses fenêtres, traversèrent la grand-place et pénétrèrent dans la grand-rue. Rowan colla son visage contre la vitre pour essayer de voir ce qui se passait; une petite foule de badauds était regroupée devant le New Raffles.

Dès que Rowan ouvrit sa fenêtre, elle entendit le grondement des flammes et sentit l'odeur du velours, du vieux linoléum et des poutres anciennes qui brûlaient. De gros flocons de suie s'élevaient dans le ciel nocturne — une neige noire qui se posait partout, dans les rues, sur les voitures. Elle n'eut pas besoin de demander ce qui se passait. Elle le savait : le Rialto était en feu.

Elle vit Mamie Garland debout à côté de la foule qui regardait l'incendie, les mains enfoncées dans ses poches. Ses yeux étaient secs. Son visage n'exprimait qu'une dépression de grand cru.

Paolo Rossi sortit en courant de la friterie, vêtu en tout et pour tout de son caleçon et d'un tee-shirt; visiblement, il avait été réveillé en sursaut. Il s'empressa de mettre sa BMW adorée à l'abri. Rowan vit Jude qui le regardait rentrer chez lui, pieds nus. Elle vit Paolo remarquer le regard de Jude posé sur lui. Et elle les vit tous les deux détourner précipitamment la tête.

Elle referma la fenêtre, vérifia que Sadie dormait, s'habilla et courut sur la grand-place. Fendant la foule, elle atteignit Mamie. Obligée de crier pour couvrir le grondement des flammes, les craquements du bois, les hurlements des pompiers et le bruit de l'eau qui jaillissait de leurs lances, elle demanda :

— Mamie ! Vous allez bien ?

— C'est terminé, dit Mamie, sans quitter le brasier des yeux. C'est mieux comme ça.

Une épaisse colonne de fumée noire s'élevait au-dessus des toits. Même à plusieurs mètres de distance, la chaleur était insoutenable. Rowan tira Mamie en arrière.

— Vous avez laissé Lavinia là-dedans, dit-elle.

— Je sais. Je ne pouvais pas tout prendre. J'ai d'autres photos, ajouta-t-elle en tâtant sa poche.

— Votre appartement... Toutes vos affaires...

— Tout est parti, dit Mamie. Comme tu l'as dit tout à l'heure, je suis dépassée. Je n'ai besoin de rien.

— Ne restez pas là. Ne regardez pas ça. Laissez-moi vous préparer une tasse de thé.

— Un de ces vieux alcooliques a dû laisser tomber une cigarette mal éteinte, dit Mamie sans la regarder.

— On dirait bien, dit Rowan sans la regarder non plus.

— Ça arrive, dit Mamie.

— Très souvent, acquiesça Rowan en guidant la vieille dame loin de l'incendie. Combien allez-vous en tirer ?

— Le bâtiment était assuré pour soixante-dix mille

livres ; les meubles pour quinze mille. Et puis, il y a des promoteurs qui souhaitent construire un immeuble d'habitation sur le site.

— Qui a fait ça ?

— Le type qui s'est occupé du County Arms Hotel l'année dernière. Il prend un pourcentage sur le remboursement de l'assurance. Tu ne diras rien ?

— Je ne sais rien, affirma Rowan. Vous n'étiez pas à l'intérieur, quand ça s'est passé ?

— Si. Il le fallait bien, sinon ça n'aurait pas eu l'air vrai.

— Vous auriez pu mourir.

— Oh, non... Tout était minuté. Je n'avais pas le choix, tu comprends ? Je n'ai pas l'intention de finir dans la salle commune d'une maison de retraite, à chanter *Yellow Submarine* en bavant sur mon siège. On m'a promis le penthouse de l'immeuble.

— C'est donc ça, le marché que vous avez conclu ?

— Le marché ? Quel marché ? Je ne suis au courant d'aucun marché.

— Bien sûr que non, acquiesça Rowan. Suis-je bête ! Enfin, avec tout cet argent, vous allez pouvoir aménager confortablement votre penthouse.

— Oh oui ! Crois-moi qu'avec tous les films que j'ai vus, j'ai pu me faire quelques idées sur la façon de meubler un penthouse !

Mlle Porteous, enveloppée dans une couverture — elle avait été évacuée de chez elle en raison du risque de propagation de l'incendie —, prévoyait de passer le temps en sirotant un gin tonic et en fumant deux Benson & Hedges en sus de son quota quotidien. Elle regarda Mamie et Rowan se diriger vers l'appartement de Rowan.

Poissons. Parfois, les actions drastiques et les mesures désespérées sont le seul moyen d'aller de l'avant. L'important, c'est de se détacher du passé. Un nouveau départ s'annonce.

Cancer. Connaître les secrets d'un ami est un privilège. Gardez-les bien.

Mamma Claudia rédigeait des invitations pour son grand dîner. Voulant bien faire les choses, elle avait décidé d'envoyer à Rowan, Nelson, Mamie, Mlle Porteous et Jude de vrais cartons d'invitation.

— Jude? se plaignit son mari. Oh non, pas elle!

— Si, elle. Absolument. Ses deux aînés sont des Rossi. Nous devons réparer nos torts envers elle.

Mais envoyer des invitations ne lui suffisait pas. Elle voulait lire la joie du plaisir anticipé sur le visage de ses invités. Elle ne pouvait s'empêcher de frapper avec enthousiasme contre la vitrine de la friterie chaque fois que l'un d'eux passait devant. Puis elle lui faisait signe d'entrer d'un grand geste de la main.

— Puis-je apporter quelque chose? proposa Mamie.

Claudia secoua la tête, horrifiée par une telle suggestion. Nul doute que Mamie apporterait des sandwichs au fromage ou des caramels faits maison...

— Non, non, c'est nous qui invitons. Nous mangerons, boirons du vin, bavarderons, rirons et raconterons des histoires.

— Formidable! s'exclama Mamie, aux anges.

— Ce sera une nuit mémorable, croyez-moi.

— Une nuit mémorable, répéta Mamie à Rowan. Nous mangerons, boirons, rirons et raconterons nos histoires...

Puis, embellissant un peu :

— Nous chanterons et danserons.

— Chanter? répéta Rowan, inquiète. Je ne sais pas chanter. Enfin, pour moi toute seule, ça va, mais les autres semblent souffrir en m'entendant. Pas question que je chante.

— Moi non plus, acquiesça Mamie.

— Nos histoires? continua Rowan. Les histoires de

nos vies ? Hum. Je ne suis pas très contente de mon histoire. Je préfère la vôtre.

— La mienne ? Qu'est-ce que j'ai fait, ces trente dernières années ? Je suis allée et venue entre le Squelch et chez moi, saluant les gens que je croisais. C'est vite raconté. Je préfère encore l'histoire de Robert Mitchum à la mienne. Même si je n'aurais pas aimé être à sa place. Enfin, nous mangerons bien.

— Ça, c'est sûr, acquiesça Rowan.

Le lendemain, en allant chercher les horoscopes pour la *County Gazette*, Rowan dit à Mlle Porteous qu'ils chanteraient, danseraient, et seraient tous obligés de raconter l'histoire de leur vie.

— Nous devrons nous mettre à nu, vous voyez ce que je veux dire ?

— Seigneur, s'exclama Mlle Porteous, il va falloir que j'invente quelque chose. Je crains d'avoir une vie bien étriquée. Je ne quitte jamais le village... Qu'ai-je à confesser ? Deux cigarettes par jour ? Ce n'est guère exaltant.

— Nous serons tous obligés de chanter, de danser et de raconter notre histoire, dit Rowan à Nelson ce soir-là.

Il cessa de cuisiner, se retourna et pointa vers elle un index accusateur.

— Rowan ! Tu tiens des propos de commère. Bon retour à Fretterton ! Ça y est, tu te comportes comme quelqu'un d'ici.

Elle se mordit les lèvres et couvrit son visage de ses mains.

— Mon Dieu ! C'est vrai. J'ai lancé des rumeurs. Oh, mon Dieu. J'ai un secret et je raconte des histoires : *je suis quelqu'un d'ici !*

23

Le jour de son grand dîner, Mamma Claudia se leva avant six heures ; elle avait du pain sur la planche. Elle commença par faire du café. Moulut les grains, mit la poudre dans le percolateur. Resta postée devant tandis que celui-ci gargouillait et crachait le liquide noir brûlant. Bon, songeait-elle, il allait falloir planifier la journée. D'abord, le pain, six miches. Puis, pendant que le four refroidirait, les glaces. Elle aurait pu cuire le porc au four mais préférait le faire sur la flamme. Elle aimait surveiller la cuisson et le voir dorer lentement.

Avant de boire son café, elle mit de la levure avec une pincée de sucre dans de l'eau chaude, puis réserva le mélange en attendant qu'il mousse. Dehors, il pleuvait et des bourrasques de vent balayaient la grand-place, faisant tournoyer des paquets de chips vides, mais dans sa cuisine régnait toujours une douce chaleur. Elle aurait aimé que Paolo et Jim se marient. D'ailleurs, elle ne s'était pas privée de le leur faire savoir ! Mais ni l'un ni l'autre n'avait trouvé une fille qui lui convînt. A moins que ce ne fussent Paolo et Jim qui ne convenaient pas aux femmes ? Elle les avait trop gâtés. Jim multipliait les aventures ; quant à Paolo, il continuait à passer des heures à sa fenêtre, à draguer les passantes. A son âge ! Peut-être fallait-il qu'elle les jette dehors. Nul doute qu'alors, ils s'empresseraient de se marier : ils auraient besoin que quelqu'un s'occupe d'eux.

Claudia avait remarqué que, désormais, plus personne ne lui opposait de résistance quand elle se mettait en colère. Elle n'avait jamais frappé aucun de ses enfants, et pourtant ils étaient persuadés du contraire. Plus ils se montraient obéissants et plus elle était autoritaire. Elle savait que si l'un d'eux lui avait dit « Et alors ? » ou « Qu'est-ce que ça peut te faire, hein ? » ou encore « Va te faire foutre » (comme les enfants de Jude le disaient parfois à leur mère), elle se serait effondrée. Sa férocité n'était qu'une façade. Intérieurement, elle n'était pas différente des autres gens, elle le savait, et son mari aussi.

Elle but son café et se servit une deuxième tasse. Puis elle ouvrit le baril de farine et déposa un petit monticule sur le plan de travail. Elle avait fait si souvent son pain elle-même qu'elle connaissait les proportions par cœur. Elle ajouta du sel. Avec ses doigts aux longs ongles rouge vif, elle creusa un petit puits dans la farine et y versa la levure, de l'huile d'olive et de l'eau tiède. Puis elle se mit à pétrir, les coudes en mouvement. Claudia junior s'était mariée, elle ; son Stu était un bon gars. Au début, mama Claudia ne l'aimait pas, mais elle savait bien que personne n'aurait été à son goût. Elle s'inquiétait pour Claudia. Avant, elle était trop grosse. Maintenant, elle maigrissait à vue d'œil, mais semblait plus épuisée chaque jour. Elle était sans cesse de mauvaise humeur et se plaignait de ses muscles douloureux.

Mamma Claudia cessa de pétrir.

— Peut-être qu'elle est malade, dit-elle à voix haute.

Aujourd'hui, elle descendrait à la friterie et ordonnerait à Claudia d'aller chez le médecin.

La pâte était souple sous ses doigts, élastique, un peu luisante. Elle la roula dans l'huile, la recouvrit d'un linge humide et la posa sur une étagère, au-dessus du réservoir d'eau, pour la laisser lever.

A sept heures, elle servit à Jim et à Paolo leur café et leurs chaussons aux pommes quotidiens, avant de les chasser de sa cuisine.

Puis elle s'attaqua à la préparation du rôti de porc. Elle le piqua de deux ou trois gousses d'ail, le garnit de coriandre et de fenouil, puis le frotta de gros sel et de poivre avant de le faire revenir dans du beurre avec des oignons et du lard. L'odeur de la viande et de l'ail emplit la maison.

Sa grand-mère lui avait enseigné cette recette. Enfant, elle allait lui rendre visite en Toscane. Elle se revoyait, assise dans la cuisine, regardant un orage rouler dans la vallée. « Ne te marie jamais par amour, lui disait sa grand-mère. L'amour sera ta perte. Marie-toi par raison, par sécurité — par intérêt si tu veux. Mais pas par amour. C'est un sentiment que je n'ai jamais tenu en très haute estime. Considère-le comme une friandise, un petit *budino toscano.* Ne t'en écœure pas. »

Claudia versa du lait chaud sur la viande, le regarda bouillonner. Elle avait dégusté pas mal de *budini toscani,* de gâteaux toscans, dans sa vie. Surtout avant de venir s'installer en Ecosse. Les liaisons, les affaires de cœur, la passion, ce n'était guère facile, ici. Tout le monde savait tout. Elle avait été obligée d'être discrète et de se contenter de deux ou trois petits à-côtés depuis son mariage... Des aventures d'une nuit avec des hommes rencontrés à l'hôtel où elle séjournait lorsqu'elle allait à Londres faire du shopping. Elle appelait ça de petits cadeaux pour l'ego. Elle baissa la flamme, afin de laisser la viande mijoter. Personne ici ne cuisait le porc dans du lait. « Du lait, vraiment ? » diraient-ils.

— L'amour, murmura-t-elle. L'amour me manque.

A l'âge de dix-sept ans, elle s'était enfuie avec son amoureux, Alberto. Son père était parti à leur poursuite dans sa Lancia et les avait ramenés. Sa mère l'avait battue. « "L'amour te brisera le cœur", cita mentalement Claudia en allant récupérer la pâte qui avait levé sur l'étagère. Ma grand-mère disait n'importe quoi. L'amour, il n'y a que ça de vrai. »

Elle sépara la pâte en deux, l'aplatit au rouleau, posa les deux miches sur une plaque, les huila, fit au doigt quelques petits trous sur le dessus et les saupoudra de sauge avant de les mettre au four. Puis elle entreprit de préparer une autre fournée.

Elle s'appuya contre le plan de travail.

« Le ragoût de poisson, pensa-t-elle. Mais avant, je dois faire griller mes amandes au sucre pour la glace; puis le ragoût de poisson. Les carottes au marsala — j'adore les carottes au marsala, même si c'est meilleur avec de l'agneau. » Elle alla jeter un coup d'œil au rôti de porc. « Les salades, les pâtes, plus tard. Ah, la ricotta... »

Elle soupira. Son amoureux et elle avaient conduit toute la nuit. Elle était belle, alors. Elle s'était roulée en boule sur le siège du passager, avait posé sa tête sur les genoux d'Alberto. Elle secoua la tête. Qu'auraient-ils fait? Comment auraient-ils vécu? « On se serait débrouillés. »

Avant d'aimer Alberto, elle avait aimé Marcello Mastroianni. « Un homme charmant. » Elle s'était même enfuie à Rome pour se poster à la sortie d'un cinéma après la première d'un des films de l'acteur. Elle avait fendu la foule pour être au premier rang. Quand il était passé — avec Sophia Loren, elle s'en souvenait —, elle avait tendu la main et touché son bras. A ce souvenir, elle vacillait encore... Quand elle était rentrée chez elle, elle avait été de nouveau battue. « Ça en valait la peine. »

Sa jeunesse. « Mon Dieu, songeait-elle, c'était merveilleux. Les hommes — j'adorais les hommes. » Combien d'hommes avait-elle connus? Parfois, elle essayait de les compter, mais ne tombait jamais juste. Le soir, elle sortait en cachette de chez ses parents pour aller dans un petit café, où elle buvait du vin, flirtait et se faisait admirer. Et puis, Giorgio était arrivé avec sa famille. Ils possédaient une friterie en Ecosse. Cela semblait si exotique... Giorgio lui avait fait la cour dans les règles. Ils ne se voyaient jamais sans la présence d'un chaperon. Puis, sans même lui en avoir parlé d'abord, il était allé demander sa main à son père. Non seulement ce dernier avait donné son accord, mais la nouvelle l'avait empli de joie. Claudia, elle, n'avait pas envie de se marier. Se faire ouvertement courtiser par un étranger venu d'Ecosse était amusant, mais cela ne l'empêchait pas de faire le mur pour aller au café. Elle ne prenait pas cela au sérieux. Cependant, son père et sa mère avaient si mal réagi quand elle avait exprimé ses réticences qu'elle s'était sentie désemparée. Alors, elle s'était mariée et, maintenant, elle était là, gâtant ses fils, houspillant sa fille, aux côtés de son mari, jour après jour. Oh, ils s'entendaient bien. Mais ce n'était pas de l'amour. Elle se demanda ce qu'Alberto était devenu. Etait-il heureux?

— Nous pourrions passer l'après-midi au lit, dit Rowan en entourant Nelson de ses bras. Tu ne peux pas aller pêcher à cause du dîner de ce soir, Sadie dort, les courses sont faites... Allons au lit.

— Tu es insatiable, observa-t-il.

— Et tu adores ça.

Après l'amour, ils demeurèrent enlacés, bercés par les bruits de la grand-place. Steven sifflait, Jude appelait ses enfants, un bus pénétrait sur la place, s'arrêtait en pétaradant, repartait.

— Tu ne trouves pas ça merveilleux d'être allongé là et de savoir malgré tout ce qui se passe dehors? C'est tellement réconfortant. Je me sens chez moi... L'amour change tout, dit Rowan.

Il lui caressa les cheveux. Un jour, espérait-il, ils s'installeraient ensemble quelque part. Mais pour le moment, cet arrangement leur convenait à tous les deux. Il se demanda ce que lord Dorran, son beau-père, dirait de sa nouvelle compagne. Le vieux monsieur aurait sans doute voulu qu'il demeure célibataire et grognon, comme lui... Il y avait tant de choses que lord Dorran détestait! Les Ford Fiesta, les pots de fleurs suspendus au plafond, les sonnettes qui faisaient « ding! dong! », les gens qui portaient des chaussures neuves (les siennes se transmettaient de génération en génération), les femmes qui s'habillaient comme des hommes, les gens qui buvaient de la bière en canette... La liste était sans fin. Nelson s'inquiétait de ce qu'il dirait de Rowan.

Il essaya de se lever, mais Rowan ne l'entendait pas de cette oreille. Elle roula sur lui.

— Restons ici.

— Nous devons y aller. Il faut emmener Sadie chez tes parents, nous changer... Allez, viens.

— Non, dit Rowan. Je ne me lèverai pas. N'y allons pas. Restons au lit jusqu'à la fin de nos jours. Nous nous ferons livrer des pizzas et ne sortirons plus jamais d'ici.

Elle tira la couette au-dessus de leurs têtes.

— Cachons-nous.

Ils demeurèrent là un moment, à songer aux joies de la vie d'ermite. Puis Nelson, étouffant à moitié, rejeta la couverture.

— Non, finalement, non. Allons plutôt chez les Rossi nous régaler de plats succulents.

Ils arrivèrent en retard. Tout le monde était déjà là : Mlle Porteous, dans une robe de velours vert foncé, Mamie, en tailleur de lin, Jude en corsage de soie décolleté et jupe fendue sur le côté. Elle était assise sur une chaise, les jambes croisées, fumant en silence. Paolo regardait son père s'efforcer de ne pas lorgner ses jambes. Tout le monde semblait un peu guindé, mal à l'aise, et faisait effort pour alimenter la conversation.

— Belle journée.

— Oui, plus belle qu'hier.

Rowan mangea une boulette de riz en sirotant de l'asti spumante frais au jus de grenade.

— Mmmh, c'est délicieux !

Elle prit une tranche de pain recouverte d'olives écrasées à la menthe.

— Et dire que ce n'est que l'apéritif ! Nous n'aurons plus faim, après ça !

La friterie était fermée pour la soirée, on avait tiré les volets. Une longue table avait été placée au milieu du restaurant, recouverte d'une nappe blanche, de bougies et d'une rangée impressionnante de verres devant chaque place. Elle ployait sous la nourriture. Sur une desserte était posé un gâteau à trois étages, décoré de petits-fours aux amandes et de fruits confits. Une marmite fumante contenant le ragoût de poisson attendait au centre de la table.

— Mon Dieu, s'exclama Mlle Porteous, regardez ça ! Je n'ai jamais rien vu de tel.

— Ce n'est rien — seulement un petit dîner en l'honneur de mes clients préférés, affirma Claudia.

Elle plaça les convives autour de la table, alternant hommes et femmes et s'assurant que Jude et Paolo fussent côte à côte. Manipulatrice, une fois de plus ; elle ne pouvait s'en empêcher. Le silence se fit lorsque tous commencèrent à manger. On n'entendait que le bruit des couverts contre les assiettes de porcelaine et, de temps en temps, une exclamation d'émerveillement : « C'est extraordinaire ! » ou « Je n'ai jamais rien mangé d'aussi bon ! »

Claudia exultait de fierté et haussait les épaules de

modestie. « Ce n'est rien. » Il lui avait fallu plus de douze heures pour préparer ce repas. Après les cœurs d'artichaut et les aubergines à la sauce aigre-douce, ils dégustèrent le ragoût de poisson, puis des pâtes à la morue marinée.

— Rien, rien ! s'exclama Claudia en regardant sa fille. Tu ne manges rien.

— Si, je mange, rétorqua Claudia junior. Pas autant que vous, c'est tout.

— Tu es trop maigre.

— Avant, tu me trouvais trop grosse, et maintenant, je suis trop maigre... Je ne serai donc jamais à ton goût ? De toute façon, j'ai envie d'être trop maigre. Comme Rowan.

— Je suis trop maigre ? demanda Rowan.

— Oui, affirma Mamma Claudia. Tu es beaucoup trop maigre.

Ils s'attaquèrent au rôti de porc. Mlle Porteous en prit deux tranches, nappées de sauce — une sauce épaisse, pleine de lardons et de rondelles d'oignon caramélisées. Elle empila des carottes, luisantes de marsala, sur son assiette.

— Je sais qu'on est censé les manger à part, mais j'aime bien mélanger les saveurs. Alors, et les histoires de nos vies ? Les discussions à cœur ouvert ? Rowan, c'est bien ce que tu as dit que nous ferions ?

L'intéressée rougit.

— On a toujours accordé trop d'importance à la nourriture dans cette maison, dit Claudia junior. La nourriture comme unique source de plaisir.

Personne ne dit rien. Mlle Porteous remplit son verre. Ses joues étaient rosies par l'alcool. Rowan mâchait doucement. Ivre, mais pas encore assez pour ne pas pouvoir le cacher.

— Mon histoire ne vaut vraiment pas la peine d'être racontée.

— Oh je ne suis pas d'accord, dit Mlle Porteous. Recueillir l'enfant de quelqu'un d'autre. Puis passer ses journées à s'angoisser à l'idée que la mère puisse venir le récupérer... Moi, je trouve ça intéressant.

Les invités plongèrent tous le nez dans leur assiette, craignant que Mlle Porteous n'entreprenne de commenter leur propre vie.

Mamma Claudia posa sa fourchette.

— Qu'est-ce que ça veut dire, la nourriture comme unique source de plaisir?

— Ben oui, dit sa fille, de la nourriture, toujours de la nourriture, au lieu de...

Elle détourna le regard. Mamma Claudia se raidit.

— Au lieu de quoi?

— Au lieu d'autres choses! Des sorties au zoo, à la piscine. Des pique-niques, comme en faisait la famille de Rowan. Des choses comme ça.

— Nous avons tout fait pour vous. Nous avons monté ce restaurant au prix de dizaines d'années de travail — et toi, tu aurais voulu aller à la piscine?

— Ouais, répondit Claudia junior d'un air de défi.

— Nous avons fait tout ça pour vous, répéta Mamma Claudia en se levant et en écartant les bras.

— Peut-être que ça ne m'intéresse pas, moi, que je n'en veux pas? Vous ne m'avez jamais posé la question.

— Ne pas en vouloir? Ne pas en vouloir! s'écria Mamma Claudia, furieuse.

— Eh oui, c'est vrai. Je n'en veux pas.

— Moi non plus, intervint Stu. Je n'ai que faire d'une putain de friterie.

— Ne jure pas à ma table, coupa Giorgio. Je ne tolérerai pas qu'on jure à ma table.

— Moi non plus, je ne veux pas d'une putain de friterie, déclara Paolo.

— Ni moi, renchérit Jim. Je n'ai jamais eu envie de bosser dans une friterie.

— J'abandonne tout pour venir travailler ici, tempêta Mamma Claudia, et maintenant, mes enfants méprisent ma friterie?

Giorgio se leva.

— Ce n'est pas ta friterie. C'est la mienne.

— J'ai quitté l'Italie et Alberto pour venir ici..

— Alberto! cria Giorgio. Tu penses encore à lui!

— Qui est Alberto? s'enquit Claudia junior, visiblement perdue.

Tout le monde autour de la table avait cessé de manger, à l'exception de Mlle Porteous. Elle se servit un autre morceau de rôti de porc et remplit son verre. Elle n'avait rien contre une bonne querelle, surtout lorsqu'elle n'était pas impliquée.

— C'était l'homme que j'aimais, expliqua Mamma Claudia. Je me suis enfuie avec lui, mais mon père m'a ramenée de force à la maison.

— Exactement comme moi au concert de Bowie. C'était horriblement humiliant, dit Claudia junior.

— Dieu seul sait ce que tu aurais fait si ton père n'était pas allé te chercher!

— Tu sais très bien ce qu'elle aurait fait. Tout ce que toi tu faisais à son âge! s'exclama Giorgio.

Paolo, Jim et Claudia junior regardaient leur mère avec stupéfaction.

— Comme ça, toi, tu as fait des choses, alors que nous, tu ne nous as jamais rien laissé faire! s'insurgea Claudia. Il n'était question que de la friterie, la friterie, la friterie. Je ne VEUX PAS d'une putain de friterie!

Mamma Claudia se leva, se dirigea au pas de charge vers la cuisine et revint avec un immense récipient en verre, en forme de cygne, rempli de glace, qu'elle posa avec fracas sur la table, avant de remplir des coupes avec des gestes furieux.

— Le dessert. Tu voudras bien du dessert, au moins ?

— Non.

Claudia junior repoussa sa chaise.

— Non, je ne veux pas de putain de friterie et je ne veux pas de putain de dessert. Je suis au régime.

Elle se dirigea vers la porte et l'ouvrit.

— Stu, tu viens ?

Stu jeta un regard plein de nostalgie en direction du cygne. Cela faisait des semaines qu'il n'avait pas mangé correctement. Des semaines et des semaines.

— Stu, lança Claudia, d'une voix sans appel. Viens. Maintenant !

Stu se leva et la rejoignit à la porte. Ils sortirent.

Mamma Claudia les regarda partir, les bras croisés. En dépit de sa fureur, elle ne pouvait s'empêcher de songer : « C'est bien ma fille. »

— Moi non plus, je ne veux pas de votre friterie, dit Paolo en lançant sa serviette sur la table.

Il sortit à son tour.

Mamma Claudia se tourna vers Giorgio.

— Ils ne veulent pas de ta friterie — moi non plus, je n'en ai jamais voulu. Garde-la, ta putain de friterie !

Et elle monta l'escalier d'un pas décidé.

Giorgio se tourna vers ses invités.

— Désolé, dit-il. Nous nous sommes disputés.

Il haussa les épaules.

— Nous sommes comme ça. Nous nous disputons tout le temps. Mais mangez. Savourez le dessert.

Là-dessus, il courut rejoindre sa femme à l'étage.

Mlle Porteous déclara :

— Eh bien, moi, c'est ce que je vais faire !

Et elle se resservit. Personne d'autre n'avait le cœur à manger.

— Voilà, dit Rowan. Moi, j'ai toujours rêvé d'une grande famille, d'engueulades mémorables et de réconciliations... Chez nous, cela n'arrivait jamais. Je crois que c'est lié à la nourriture. Difficile de se quereller passionnément autour de côtelettes d'agneau et de petits pois.

— Chez nous, on s'engueulait, intervint Jude, et pourtant, on ne mangeait que des trucs en boîte. C'est bien simple : tout ce qui n'était pas en boîte, on n'en mangeait pas ! Eh bien, on se battait pour savoir quelle boîte on allait ouvrir.

— Ce n'est pas pareil, affirma Rowan.

Jude était d'accord.

— Je crois que nous devrions y aller, suggéra Mamie.

Ils se levèrent tous de table, souhaitèrent une bonne nuit à Jim et partirent. Ils ne s'attardèrent pas devant la porte ; ils ne voulaient pas être surpris en train de se livrer à des commérages sur la grand-place. Ils commenteraient la soirée le lendemain, hors de vue des Rossi.

Jim resta seul à table, devant les reliefs du dîner. Il se leva, rassembla une pile d'assiettes et la porta dans la cuisine, où il jeta les déchets avant de remplir le lave-vaisselle. Il retourna chercher une autre pile.

— Moi non plus, je n'ai pas envie d'une putain de friterie. La seule chose qui m'intéresse, c'est la pisciculture

24

— Quand je pense que je croyais qu'il ne se passait jamais rien, ici, dit Rowan à Nelson le lendemain matin.

Elle jeta un coup d'œil par la fenêtre. La friterie était ouverte et elle aperçut Jim derrière la caisse.

— Tu crois qu'ils finiront par vendre?

— Non, dit Nelson. Ils continueront, et ils continueront aussi à manger et à se chamailler. Ils adorent ça.

Rowan partit chercher Sadie. Lorsqu'elle arriva chez ses parents, Norma était assise à la table de la cuisine, une tasse de thé à la main.

— Tu as l'air inquiète, observa Rowan en prenant Sadie dans ses bras.

— Elle a été adorable. Pas de problèmes, lui dit Norma.

Rowan s'assit en face d'elle.

— Quelque chose ne va pas? Tu es toute pâle.

— J'ai reçu un choc, expliqua Norma. Je suis enceinte.

— Toi?

Rowan s'agrippa à la table.

— Ce n'est pas possible. Tu es...

Elle faillit ajouter « trop vieille » mais se retint.

— .. ma mère, conclut-elle.

— Ça, je le sais. Et maintenant, je vais aussi être la mère de quelqu'un d'autre.

— Quand est-ce que... que ça s'est produit?

— Durant la croisière.

Rowan ne dit rien Elle n'aimait pas imaginer son père et sa mère faisant l'amour. En fait, elle croyait que cela ne leur arrivait plus depuis longtemps.

— Qu'en dit Papa?

— Il est aux anges. Il ne parle que de ça; il a hâte que le bébé arrive. Il pense qu'il aura tout le temps de s'en occuper, maintenant qu'il est à la retraite. Il prévoit déjà ce qu'ils vont faire ensemble.

Rowan se sentit instantanément jalouse.

— Et toi? s'enquit-elle.

— Je croyais que j'avais passé l'âge... Ça arrive.

— Tu vas garder le bébé? Tu pourrais avorter, tu sais.

— Je pourrais, mais ton père ne m'adresserait plus jamais la parole. Et puis, je ne sais pas comment je vivrais ça.

— Je t'accompagnerais, proposa Rowan.

Elle s'estimait très expérimentée en la matière. Mais Norma secoua la tête.

— Je crois que je vais aller jusqu'au bout, même si ça me fait peur. Mon Dieu! La démarche de canard, les brûlures d'estomac... et après ça, les nuits sans sommeil, l'école. Les réunions de parents d'élèves. Quelle horreur! Et puis, il y a George. Il a soixante ans. Il en aura quatre-vingts quand son enfant fêtera ses vingt ans. Et moi, j'en aurai soixante-sept.

— Bah, quelle importance? Le bébé vous conservera jeunes.

— Mon Dieu, Rowan, et si George... S'il meurt? Je serai toute seule, avec un enfant.

— Comme moi, observa Rowan.

— Exactement.

— Je me débrouille.

— Oui, mais tout juste, dit Norma. Et puis, il y a l'adolescence... Quand je pense que pendant tant d'années j'ai souhaité avoir un second enfant. Et voilà, tout à coup, la surprise. Je t'assure que je n'irai plus jamais à l'étranger, si c'est là le résultat.

— Laisse Papa se débrouiller. Après tout, c'est lui qui a surtout envie de cet enfant. Toi et moi, nous pourrons nous enfuir.

Norma sourit.

— Je vous aiderai, proposa Rowan. Je sais changer les couches. Je pourrai faire du baby-sitting quand Papa et toi voudrez aller dîner en ville.

— Je crois que tu vas y être obligée, acquiesça Norma.

— Je vais avoir une petite sœur. Ou un petit frère, annonça Rowan à Nelson quand elle rentra à l'appartement.

— Ta mère est enceinte? Mais elle est...

Il s'interrompit.

— Trop vieille? acheva Rowan à sa place. Je sais. J'ai failli lui dire la même chose. Elle a quarante-sept ans. Ça arrive. Ils ont dû le concevoir pendant leur croisière... Je n'aime pas penser à ça.

— Pourquoi? dit Nelson. Je trouve ça très bien. Peut-être que tu feras pareil? Que tu tomberas enceinte quand tu seras « vieille »?

— Pas question, décréta-t-elle. Pas moi. Quand je serai vieille, j'irai explorer les coins les plus reculés du Pérou. Ou je traverserai l'Amérique en voiture.

— Je pourrai venir? demanda Nelson. Et Sadie aussi?

— Si vous êtes sages.

Claudia arriva à midi pour prendre son service à la friterie. Sa mère était derrière le comptoir. Elles ne se parlèrent pas, s'évitèrent avec raideur. Claudia junior jeta un coup d'œil à la pâte à beignets du jour.

— Elle a l'air bien.
— Elle est parfaite. C'est moi qui l'ai faite.
— C'est vrai. Tu fais toujours de la bonne pâte quand tu es en colère.
— De la pâte parfaite, quand je suis en colère.
— Dans ce cas, je te dirai tous les jours que je ne veux pas de ta putain de friterie. Ce sera bon pour la pâte.
— C'est ça, vas-y. De toute façon, tu n'auras pas ma putain de friterie. Je la léguerai à quelqu'un d'autre.
— Parfait. J'espère que ce quelqu'un d'autre sera content!
Elles étaient face à face et se toisaient avec hargne. Puis avec de moins en moins de hargne. Un petit sourire, un léger affaissement des épaules. Un plus grand sourire. Bientôt, elles tombèrent dans les bras l'une de l'autre et s'étreignirent en pleurant.
— Plus de querelles, dit Claudia junior.
— Oh, si! Encore plein de querelles. De vérités douloureuses. De cris. C'est bon pour la pâte à beignets.
Mamma Claudia poussa un soupir.
— Tu détestes toujours la putain de friterie?
— Oui.
— Moi aussi.
Elles se regardèrent.
— La pâte à beignets, soupira Claudia junior.
— Les patates, renchérit sa mère.
— « Un poulet-frites avec des cornichons et du vinaigre. »
— « Une double portion de saucisses. »
Elles éclatèrent de rire.
— C'est l'enfer, dit Mamma Claudia. De la panse de brebis farcie avec des frites...
Elles pleuraient de rire.
— Qu'allons-nous faire? demanda Claudia junior.
— Des courses.

— Des courses ?

— En ce qui me concerne, ça marche, affirma sa mère en lui donnant un petit coup de coude. La prochaine fois que j'irai à Londres, tu viendras avec moi. Je te montrerai plein de choses. Nous dépenserons l'argent des frites.

Août tirait à sa fin. Les hirondelles se réunissaient le long des fils de téléphone, prêtes à partir. Rowan les regardait. Le matin, elle sentait une fraîcheur nouvelle dans l'air : l'automne approchait. Cela l'emplissait d'excitation. Elle aimait le froid. Elle allumerait le feu. Arpenterait les collines. Observerait le monde.

25

Il plut durant tout le mois de septembre. Sadie avait dix mois. Elle rampait dans le salon et se mettait debout toute seule, en s'agrippant aux fauteuils rouges. Elle faisait l'expérience de sa voix, essayait de nouveaux bruits. Au supermarché, elle poussait de petits cris et tendait les bras vers des choses que Rowan n'avait pas envie d'acheter. Quand elle les lui ôtait des mains et les remettait sur les étals, Sadie hurlait. Les gens les regardaient d'un air réprobateur.

— Tu ne vas pas devenir une espèce d'exhibitionniste, hein? disait Rowan.

L'appartement était de plus en plus mal tenu. La vie de Rowan devenait incroyablement agitée. Elle allait chercher Sadie chez Norma et George, la ramenait chez elle. Allumait le feu. Faisait manger Sadie. Jouait avec Sadie. Lavait Sadie. Puis elle s'asseyait dans le fauteuil, les jambes passées de côté sur un des accoudoirs, trop fatiguée pour manger ou ranger. Tous les soirs, elle se disait qu'elle allait lire, ou repeindre le salon. Tous les soirs, elle s'endormait dans le fauteuil. Se réveillait en frissonnant parce que le feu s'était éteint, et allait au lit.

A chacune de ses visites, Nelson rangeait et cuisinait.

— Deux incorrigibles souillons, grommelait-il après

avoir mis tous les jouets de Sadie dans la grande caisse placée près de la porte, plié le pull de Rowan, pendu son manteau et préparé des pâtes. Qu'est-ce que je vais faire de vous?

— Je ne sais pas, disait Rowan. A ton avis?

Elle était trop préoccupée par ses problèmes actuels pour penser à l'avenir. Bientôt, sa mère serait incapable de s'occuper de Sadie; que se passerait-il alors? Rowan n'avait pas les moyens d'arrêter de travailler, et son salaire actuel ne suffirait pas à payer quelqu'un pour garder l'enfant. Elle s'inquiétait. Se rongeait les ongles. Elle préférait encore s'assoupir devant le feu; dormir lui évitait de trop s'angoisser.

Nelson haussa les épaules.

— Nous pourrions emménager ensemble.

— Tu ne crois pas que deux incorrigibles souillons finiraient par te taper sur les nerfs?

— C'est peut-être moi qui t'agacerais, à toujours tout ranger et nettoyer.

— Mieux vaut laisser les choses en l'état, alors.

— La situation actuelle te suffit? Nous pourrions faire des choses. Partir en vacances ensemble. Etre là l'un pour l'autre. Partager les repas. Le petit-déjeuner du matin. Dormir ensemble toutes les nuits. Tu pourrais te réchauffer les pieds contre mes fesses sans que je proteste.

— C'est la proposition la plus tentante qu'on m'ait jamais faite.

— Alors? Pourquoi ne pas accepter?

— Parce que je m'inquiète de savoir qui s'occupera de Sadie quand ma mère sera trop avancée dans sa grossesse, et quand le bébé sera né et qu'elle sera trop occupée pour garder la petite. C'est ce qui me tracasse.

— O.K., le moment était mal choisi. Mais en ce qui concerne mes fesses, l'offre tient toujours.

— Je m'en souviendrai. Peut-être qu'un soir où mes pieds seront particulièrement gelés, je débarquerai devant ta porte.

Au lit, Nelson chassait doucement les cheveux du front de Rowan et la regardait dormir. Lui aussi s'inquiétait. Et si Eileen débarquait et réclamait Sadie ? Cela briserait le cœur de Rowan. Il avait peur pour elle ; il avait peur pour lui-même. Il songeait que si on lui enlevait Sadie, Rowan n'aurait plus aucune raison de rester. Elle partirait. Et c'est lui qui aurait le cœur brisé.

Depuis que sa femme s'était enfuie, Nelson ne s'était autorisé aucune relation sérieuse. Il avait eu de brèves liaisons avec des inconnues rencontrées en vacances ou lors de conférences, mais avait toujours refusé de s'engager. « Rien de sérieux », se disait-il. Et soudain, il avait l'impression que, sans qu'il s'en soit rendu compte, quelque chose de sérieux, de très sérieux même, lui était arrivé. Il essaya de déterminer à quel moment cela s'était produit, s'il y avait bien eu un moment particulier. Il repensa au temps qu'il avait passé avec Rowan, assis dans son salon à bavarder, à écouter de la musique ; à leurs promenades, Sadie sur ses épaules, à leurs jeux dans le jardin le week-end. Petit à petit, Rowan lui était devenue infiniment précieuse. Il ne pourrait supporter de la perdre.

Elvis était roulé en boule au pied du lit, assoupi. La pluie l'avait poussé à se réfugier à l'intérieur. Il était gros. Il était heureux. Il passait toutes ses nuits avec Rowan. Nelson l'enviait.

De l'autre côté de la grand-place, Steven s'ennuyait. Le reste de la famille dormait ; il était allongé sur le canapé et regardait les programmes de nuit à la télévision. Un téléfilm sur la vie d'une femme (jouée par Stephanie Powers) atteinte de sclérose en plaques (ces femmes-là étaient toujours jouées par Stephanie Powers), qui partait à la recherche de sa fille. Cela l'ennuyait à mourir. Chaque fois que les pleurs ou les grandes scènes émouvantes commençaient — c'est-à-dire souvent —, il criait à l'écran : « Ta gueule ! » Il fumait les cigarettes de Jude et faisait tomber les cendres dans la soucoupe de sa tasse à café, posée sur le sol. La pluie battait les carreaux. Le mauvais temps n'avait pas cessé depuis une semaine ; il n'avait pas mis le nez dehors.

Enfin, il pointa la télécommande vers le téléviseur et l'éteignit. Il écrasa sa cigarette. Alla chercher sa veste en jean dans sa chambre, escalada la fenêtre. Jude avait le sommeil léger ; s'il passait par la porte, il la réveillerait.

Il traversa les rues en courant et gravit la colline jusqu'à Elizabeth Street, où vivait Rodger Snype. Sa Jaguar était garée devant chez lui, ouverte, les clés sur le contact. Steven se demanda pourquoi le notaire ne fermait jamais la voiture et laissait les clés à l'intérieur. Sans doute parce qu'il était toujours soûl. Il passait des heures assis derrière son bureau, à penser à son découvert bancaire et à boire du whisky. A huit heures, il fermait le bureau et rentrait lentement chez lui. Il n'estimait pas qu'il conduisait en état d'ivresse : après tout, ce n'était qu'une courte distance, qu'il avait parcourue des milliers de fois.

Steven démarra la voiture, enclencha la marche arrière et quitta l'allée pour prendre la direction de la route de la vallée. La vitre baissée, la stéréo à fond, les essuie-glaces balayant furieusement le pare-brise, il atteignit le Drover's Inn en moins de vingt minutes. Un sourire triomphant aux lèvres, il frappa le volant.

— Record battu !

Il remit la voiture en marche arrière et reprit la route en direction du village, le pied au plancher. En criant. Il éteignit les phares, poussa un hurlement sauvage : « Tenez, bande de salauds! » et plongea dans l'obscurité à cent trente kilomètres-heure.

Les policiers éveillèrent Jude à quatre heures du matin. Ils étaient deux : un homme et une femme. Pouvaient-ils entrer? Ils paraissaient occuper tout l'espace dans le petit salon de Jude. Leur couvre-chef à la main, ils demandèrent à Jude si elle savait où se trouvait son fils Steven.

— Au lit, répondit Jude, à l'autre bout de la maison.

Elle alla vérifier. Revint les bras serrés autour d'elle, comme pour se protéger, déjà tremblante à la perspective de ce qu'on allait lui annoncer.

— Que s'est-il passé?

Il y avait eu un accident. Une Jaguar appartenant à Rodger Snype avait quitté la route dans la vallée et s'était écrasée contre un arbre. Le conducteur avait été tué sur le coup; ils pensaient qu'il s'agissait de Steven.

Jude s'effondra. Elle se plia en deux, les bras toujours serrés autour d'elle.

— Non!

Puis elle poussa un cri si perçant qu'il éveilla Delia et Charmaine; Sonia, elle, continua à dormir sans se rendre compte de rien. Les deux aînées apparurent à la porte du salon en chemise de nuit, pâles de sommeil. Delia serrait Harvey contre son cœur.

— Retournez vous coucher, leur dit Jude. Je vous expliquerai demain matin.

Les filles disparurent. Elles savaient reconnaître les signes avant-coureurs d'une grosse crise.

— Qui l'a trouvé? voulut savoir Jude.

— Lord Dorran.

Alors qu'il rentrait chez lui, à l'issue de la réunion annuelle de son régiment à Edimbourg, il avait aperçu l'épave de la voiture à la lumière de ses phares. Il s'était arrêté et était allé examiner la masse de métal; c'est là qu'il avait trouvé Steven. Il avait appelé la police de son téléphone portable. « Je déteste ces trucs-là, mais dernièrement je me suis mis à la technique. J'ai même un ordinateur et un fax. Satanées machines. »

— Y a-t-il quelqu'un que nous pourrions appeler pour vous tenir compagnie? demanda la femme policier.

Ella et Bruce, les parents de Jude, vivaient à deux pas de là, sur la grand-rue, mais Jude ne voulait pas les voir.

— Il y a mon copain, Frank. Mais il ne me parle plus depuis que je lui ai dit que je voulais retourner à l'université, dit-elle. Il me donne de l'argent pour Charmaine et Sonia tous les vendredis, ajouta-t-elle inutilement. Paolo. Je veux voir Paolo.

— Rossi? demanda le policier.

Tout le monde connaissait tout le monde.

Jude hocha la tête.

Vingt minutes plus tard, Paolo la rejoignit. Ils passèrent la soirée assis sur le canapé devant la fausse cheminée, à boire du thé. Ils parlèrent à peine. Et chaque fois qu'ils ouvraient la bouche, Jude répétait : « C'était un bon garçon. Vraiment. » Et Paolo répondait : « Je sais. »

Claudia senior décida d'aller annoncer elle-même la nouvelle à Ella et Bruce.

— Vous y tenez? lui demanda la femme policier. Nous pourrions...

— Non, coupa Mamma Claudia. C'est à moi de le faire.

Six jours plus tard, ils enterrèrent Steven. Le village plongea dans le silence. Les rideaux étaient tirés. Pourquoi les jeunes mouraient-ils? Ce n'était pas dans l'ordre des choses. Ce n'était pas juste.

— Ne me parlez pas de justice, disait Jude. Ça n'existe pas, la justice.

Les Hanson, les Rossi, Rowan, Nelson, Mamie Garland, Mlle Porteous et le directeur de l'école de Steven se réunirent dans l'église pour l'office. Ils passèrent le disque préféré de Steven, la musique de la *Ligue des champions*.

— C'est ce qu'il aurait voulu, dit Jude, en reniflant.

Il fallut la soutenir pour la conduire jusqu'à l'autel.

Ensuite, ils se réunirent au New Raffles autour d'un verre. Les gens parlaient à voix basse, ne savaient pas quoi dire. Les propos banals paraissaient choquants, dans de telles circonstances. Lorsque tout le monde fut parti, Jude se tourna vers sa mère.

— Voilà, c'est terminé. Maintenant, le plus dur reste à faire. Continuer à vivre. Je n'y arriverai pas.

— Si, dit Ella. Tu le dois.

Trois jours après l'enterrement, Jude rencontra Paolo sur la grand-place.

— Comment vas-tu? lui demanda-t-il.

— A ton avis?

Ils se mirent à marcher côte à côte.

— Je ne peux pas le supporter, dit Jude. Je crois que je vais devenir folle. Quand la radio est allumée, le bruit me tape sur les nerfs. Il me dérange dans ma douleur. Alors je l'éteins; mais le silence m'est intolérable. Comment vais-je faire pour vivre?

Paolo l'ignorait. Il avait envie de lui parler de son sentiment de culpabilité, mais à quoi cela les avancerait-il? Ils descendirent la colline, pénétrèrent dans le parc. Dépassèrent la mare aux canards et le trampoline des enfants, fermé durant l'hiver. Ils s'assirent côte à côte sur les marches du kiosque à musique.

— Nous étions des imbéciles, dit Jude.

Elle alluma une cigarette, en offrit une à Paolo; il la prit, bien qu'il ait arrêté de fumer depuis des années.

— Des imbéciles, acquiesça-t-il.

— On en quitte un des yeux un instant pour s'occuper d'un autre, et voilà ce qui arrive.

— Ce n'est pas ta faute.

— Qui est fautif, dans ce cas?

— Personne. Il ne faut pas t'en vouloir.

— Ça va me prendre un certain temps. Le plus clair de ma vie, sans doute.

Ils retournèrent lentement vers la grand-place.

— Tu vas quand même aller à l'université? demanda Paolo.

— Je voulais laisser tomber, mais ma mère insiste. Et je n'ai rien d'autre. Alors j'irai. Tous mes doutes et mes peurs à ce sujet semblent dérisoires, à présent.

— Est-ce que je pourrai te revoir?

Elle secoua la tête.

— Pas comme tu l'entends. Pas comme autrefois. Il est trop tard, pas vrai? Qu'est-ce qu'on se dirait?

Ils se séparèrent.

Lord Dorran était assis dans sa vieille camionnette, qui sentait le chien mouillé et l'engrais. Il vit Jude rentrer chez elle, voûtée, les bras serrés contre sa poitrine, la tête baissée. Il connaissait bien cette démarche accablée. Il devait aller voir la jeune femme, il le savait. Il devait lui dire comment il avait trouvé Steven. Lui parler de ce sourire sauvage sur son visage... Mais pas maintenant. Plus tard. Au printemps, quand ses raids recommenceraient. Lorsqu'il sillonnerait la campagne en lançant ses grenades par le toit, afin de rendre les choses tolérables, il demanderait à Jude de l'accompagner. Elle viendrait. Il le savait; elle viendrait.

26

Deux semaines plus tard, Paolo quitta le village pour aller travailler avec son cousin, qui possédait un restaurant à Glasgow. Après cela, il ne revint que rarement. Puis Jim partit s'installer dans la vallée. Il acheta une maison avec cinq hectares de terrain, bien décidé à y installer son établissement piscicole. Les gens se bousculeraient, il le savait, pour venir pêcher dans un bassin où une prise serait garantie. Il fournirait aussi des truites aux hôtels et aux restaurants. Le soir, il flânerait autour de son nouveau lac et regarderait les poissons batifoler. Il penserait, il rêverait et il ne servirait plus jamais de *fish and chips.*

Les deux Claudia prirent la friterie en main. Elles se chamaillaient, se disputaient, se réconciliaient. Tous les deux mois, elles allaient faire des courses. Giorgio prit sa retraite afin de pouvoir bichonner sa Rolls Royce en écoutant Verdi sur son autoradio.

Lorsque Norma se sentit trop fatiguée pour s'occuper de Sadie, Mamie Garland vint garder la petite fille. « Comme ça, je resterai jeune. » Rowan rentrait chez elle à midi, faisait manger Sadie. L'après-midi, Mamie promenait l'enfant dans le parc. Elle lui racontait le scénario et lui citait les dialogues de ses films préférés. Elle imitait les stars.

— « T'as de beaux yeux, tu sais... » « *Play it again, Sam* » « Je prendrai la même chose qu'elle »... Ça, c'est dans *Quand Harry rencontre Sally*. Ça ne te dit rien, pas vrai? disait Mamie, tandis que Sadie la regardait en ouvrant de grands yeux.

Durant la seconde semaine de janvier, les travaux commencèrent sur le site du Rialto calciné. Rowan et Mamie regardèrent les ouvriers creuser les fondations, les bulldozers fouiller la terre.

— Ils disent que je serai installée dans mon nouvel appartement dès l'automne. Incroyable, la vitesse à laquelle on fait les choses, de nos jours.

Il y avait déjà un panneau annonçant la vente d'appartements de luxe.

— Est-ce que la compagnie d'assurance a payé? demanda Rowan.

— Ça n'a pas été sans mal. La police et des enquêteurs privés m'ont questionnée, mais ils n'ont rien pu trouver. Tout a brûlé — mes disques, mes photos, mes affiches —, et il y en avait pour un paquet. Tout.

Depuis l'incendie, elle s'était installée au New Raffles.

— C'est bien. Un petit déjeuner complet tous les matins. Le chauffage central. Mais j'aime mieux avoir mon chez-moi.

— N'est-ce pas le cas de tout le monde?

— Je serai là-haut, au-dessus de tout le monde. Quelle vue! dit-elle en souriant. Je surplomberai tout le village et la vallée. Je serai au courant de tout. Remarque, je suis déjà au courant de tout, sans avoir besoin de regarder par la fenêtre. Le soir, je sais que Jude est assise dans son salon, qu'elle essaye d'étudier mais ne cesse de penser à Steven. Que Snype boit pour oublier son découvert. Que ton papa et ta maman se préparent à l'arrivée du bébé. Que toi, tu es installée devant ton feu, Elvis sur tes genoux, Sadie endormie dans ta chambre. Que Nelson est dans son cottage, en train d'écouter du Mozart. Ce qui, permets-moi de te le dire, est idiot. Vous devriez être ensemble. Quelqu'un avec qui parler et rire le soir, c'est précieux. Quand j'aurai mon appartement, tout ça... tout ça se passera en bas, loin en dessous de moi. Les deux Claudia, occupées à servir leurs « menus poisson » dans leur putain de friterie, rêvant du jour où elles pourront ouvrir un vrai restaurant italien à l'arrière. Mlle Porteous, prenant son sherry du soir avec sa deuxième Benson & Hedges de la journée, et écoutant de la musique pour orgue de Bach...

Elle se tourna vers Rowan.

— Je vais adorer cet endroit.

Ce soir-là, Eileen revint. Elle grimpa l'escalier en criant :

— Rowan ! Coucou, Rowan !

Rowan ouvrit la porte, la vit et eut l'impression que son cœur cessait de battre.

— Seigneur, non !

Eileen entra dans l'appartement et regarda autour d'elle d'un air approbateur.

— Waouh, c'est génial ! Tu t'es bien débrouillée, dis-moi.

Elle fit le tour de la pièce, soulevant de temps en temps un objet.

— C'est extra, ici.

— Pas vraiment, dit Rowan, mais j'aime cet endroit. Qu'est-ce qui t'amène ? voulut-elle savoir. Tu ne peux pas disparaître comme ça de la vie des gens, voler leurs affaires, et puis revenir quand ça te chante. Je n'ai pas envie de te voir.

— Eh bien, me voilà quand même. Ferme les yeux, si tu ne veux pas me voir.

— C'est ce que je ferais si je n'avais pas peur de me cogner partout.

— Je voulais revoir ma fille. Et je pensais qu'il était temps de te rendre ton sac à dos.

Elle se tortilla pour l'ôter et le posa par terre.

— C'est lui?

Rowan le reconnaissait à peine. Il était abîmé, tout usé et taché; l'une des deux courroies était cassée.

— Désolée, dit Eileen, il a un peu souffert. Toutes mes aventures, tu comprends...

— Voilà ta fille.

Rowan montra du doigt Sadie, assise sur le sol au milieu de dizaines de cubes en plastique. L'enfant releva la tête et porta paresseusement un cube bleu à sa bouche.

Eileen s'approcha et s'agenouilla devant elle.

— Salut! Je suis ta mère.

Sadie posa sur elle un regard vide.

— Pas de sourire pour moi? demanda Eileen, déçue.

— A quoi t'attendais-tu?

— Je ne sais pas.

Rowan mit la bouilloire à chauffer.

— Tu veux un café?

— Si tu n'as rien de plus fort, ça fera l'affaire.

— Du café, alors.

Rowan n'avait nullement l'intention de lui offrir quelque chose de plus fort.

— Alors, dit-elle, parle-moi de tes aventures. Tu as voyagé de par le monde?

— Tu parles! Tu aurais dû voir ça, s'exclama Eileen avec son tact habituel. Tu as vraiment raté quelque chose.

— Où es-tu allée?

— A Paris, puis à Rome, après quoi je suis descendue à Palerme. De là, j'ai pris un bateau pour l'Algérie. Ensuite, tu sais, j'ai traversé l'Afrique.

— Je ne te crois pas. Tu as donné la moitié de mon argent à Kelly.

— Comment le sais-tu ?

— Ronnie et elle m'ont retrouvée grâce à Danny. Comme toi.

— Tu es facile à trouver. Je suis allée à la friterie de l'autre côté de la rue et la femme qui servait m'a dit où te trouver.

— Claudia, soupira Rowan. Alors, qu'as-tu fait avec mon argent, en réalité ? reprit-elle en tendant une tasse fumante à Eileen.

— Je suis allée à New York.

— Et ensuite ?

— J'ai visité la ville.

— C'est tout ?

— A peu près. New York est immense — terrifiant. Au début, je n'aimais pas trop sortir, alors je restais dans mon hôtel. Je commandais des pizzas.

Eileen paraissait embarrassée.

— Je buvais du Jack Daniel's. J'ai dû trop en boire, parce que j'ai glissé sur une tranche de pizza. Je me suis déchiré les ligaments du genou.

Elle souleva sa jupe pour montrer à Rowan l'endroit concerné.

— C'est tout ? s'écria Rowan, horrifiée.

— Eh bien, je suis allée aux urgences, mais c'était plein de fous et de drogués, alors j'ai préféré m'adresser à une clinique privée. Ça coûte les yeux de la tête, là-bas.

— Mon Dieu, articula Rowan. Mon argent... C'est donc vrai que les imbéciles finissent toujours mal.

— Quoi ? s'insurgea Eileen.

— Quelqu'un m'a dit ça, un jour.

— C'était une tragédie. Ça faisait mal, vraiment mal.. Pas la peine de te moquer. J'ai juste eu une minute d'inattention, ça peut arriver à tout le monde. Ça pourrait t'arriver, à toi.

— Oui. J'ai juste eu une minute d'inattention, et regarde ce qui m'est arrivé : tu m'as volé toutes mes affaires et tu as disparu.

Eileen, qui n'aimait guère la tournure que prenait la conversation, préféra changer de sujet :

— Donc je suis revenue à Londres. Je me suis reprise en main. J'ai trouvé du boulot. Au rayon des cosmétiques, chez Selfridges. C'est très rigolo.

— Ah, tu as rejoint le clan des hôtesses au visage orange qui vous parfument de force dans les allées en vous disant que vous avez la peau grasse et qu'elles ont exactement ce qu'il vous faut !

— J'ai trouvé un nouvel appartement, continua Eileen, ignorant l'interruption. C'est un peu loin du centre, mais c'est tout ce que je peux me payer. Et me voilà. Enfin, je me disais que je pourrais récupérer Sadie.

Il fallut un moment à Rowan pour réaliser ce qu'elle venait de dire. Elle se mit à trembler de tous ses membres.

— Jamais ! Plutôt mourir que de te la rendre. Tu as déjà mis ma vie sens dessus dessous une fois, je ne vais pas te permettre de recommencer. Je me battrai. Je te traînerai devant les tribunaux.

Elle avait conscience de postillonner, d'envoyer des gouttes de salive voler dans toutes les directions. Elle avait horreur de ça mais n'y pouvait rien.

— Je demanderai à Ronnie de témoigner du fait que tu as abandonné Kelly. Je...

— O.K., O.K. !

Eileen leva les mains pour endiguer ce flot de paroles.

— Je cherchais simplement à te tester. Je ne sais pas si j'ai vraiment envie d'un bébé — ça entraverait tous mes mouvements. Je voulais juste passer te faire un petit coucou, voir comment ça se passe, pour toi.

— Tu ne restes pas ici, je te préviens.

— Je n'en ai pas l'intention — j'ai horreur de la campagne. Les bêlements des moutons le matin, tous ces grands espaces... Ce n'est pas naturel.

— Ronnie Barr m'a tout dit sur toi et sur tes mensonges perpétuels.

Eileen haussa les épaules.

— Bon, j'embellis un peu les choses. Où est le mal?

Rowan lui jeta un regard glacial.

— Avant, je pensais que tu étais comme un loriot doré, une visiteuse fabuleuse dans ma vie... Maintenant, je pense que tu es une oie.

Eileen but une gorgée de café.

— Tu me trouves idiote?

— Oui, dit Rowan. Mais nous sommes deux.

— Oh, non, pas toi. Toi, tu as tout. Sadie, par exemple.

Rowan se leva et passa dans la cuisine, où elle entreprit de réchauffer le dîner de l'enfant.

— Tu veux manger quelque chose? Il n'y a que des nouilles au fromage, mais tu peux en prendre, si tu veux, dit-elle sans aménité. Je veux ton adresse. Je veux que tu fasses de moi la tutrice légale de Sadie. A l'avenir, j'aurai besoin de signer des papiers pour elle, quand elle ira à l'école et tout ça. Et puis, que se passerait-il si elle devait un jour aller à l'hôpital?

— Je veux bien manger quelque chose, oui, dit Eileen, ignorant la froideur de son interlocutrice.

Elle écrivit son adresse au dos d'une enveloppe.

— Si c'est encore un de tes mensonges, je m'en apercevrai, la prévint Rowan. Et je te retrouverai.

— C'est vraiment mon adresse.

Elles dînèrent assises à la table de la cuisine, en buvant

une bouteille de chianti. Rowan donnait à manger à Sadie, installée sur sa chaise haute entre elles. Le vent de janvier secouait les vitres. Il ne tarderait pas à neiger.

— Est-ce que je peux rester ici, ce soir? demanda Eileen. Je suis crevée. Ça fait un long trajet, depuis Londres.

— D'accord, dit Rowan. Mais seulement ce soir et, après ça, tu t'en iras. Je ne t'ai pas encore pardonné.

— Oh si, affirma Eileen. Tu as tant de choses, tu es si heureuse, à présent! Si je n'étais pas partie, tu n'aurais rien de tout cela.

— C'est l'heure de mettre Sadie au lit, dit Rowan.

Quand elle revint, elle trouva Eileen assise dans un des fauteuils rouges.

— C'est extra, ici.

— Tu n'auras pas Sadie, dit Rowan. Tu as fait ton choix. Je ne te laisserai pas la reprendre.

— Je crois que j'ai compris le message, ironisa Eileen. Que vas-tu lui raconter, quand elle grandira?

— J'y ai réfléchi, répondit Rowan en versant ce qu'il restait de vin dans leurs verres. Je n'ai pas le choix, je lui dirai la vérité. J'espère seulement qu'elle me pardonnera de l'avoir aimée au point de ne pas vouloir la rendre à sa mère.

— Et moi?

— J'espère qu'elle te pardonnera de ne pas avoir voulu d'elle.

— Je la voulais. Simplement, il y avait d'autres choses que je voulais plus encore.

— Bon sang, Eileen, grandis un peu!

— Je n'en ai pas l'intention.

Eileen bâilla. S'étira.

— Alors, parle-moi de toi. Qu'as-tu fait de beau?

— Pas grand-chose, dit Rowan.

Elle décida de ne pas parler de Nelson.

— Et ton ancienne meilleure amie? Tu la vois parfois?

— Claudia? Oh, oui. Je crois qu'à terme nous nous rapprocherons de nouveau.

Elle ne parla pas du jour où elles s'étaient laissées rouler sur la colline; Eileen lui aurait dérobé son souvenir. Cette femme était une voleuse. Elle lui avait pris son argent, son sac à dos et, pire encore, ses rêves et ses ambitions. Elle s'appropriait des moments précieux et les partageait sans vergogne avec des inconnus, avec n'importe qui.

— Il n'y a personne dans ta vie? demanda Eileen, soupçonneuse.

Rowan avait l'air trop heureuse; il y avait forcément un homme dans sa vie.

— Si, peut-être, éluda Rowan.

— Tu as tellement de chance! Tu as Sadie. Un boulot. Un petit ami.

Elle paraissait jalouse.

— Tu n'as pas le droit de m'envier! s'insurgea Rowan. Tu aurais pu avoir tout ça. Tu n'as pas essayé. Ça aurait pu t'arriver, à toi.

A une heure du matin, Eileen alla se coucher dans la chambre d'amis — la chambre qui aurait dû être celle de Sadie, mais où Rowan ne se décidait pas à l'installer parce qu'elle aimait l'avoir près d'elle, pour pouvoir l'entendre respirer et la regarder dormir.

Rowan s'assit devant le feu. Pour la première fois depuis des semaines, elle prit le journal de Walter Dean. Elle l'ouvrit à la dernière page.

21 septembre. Les oies ne vont pas tarder à arriver. Des légions entières dans le ciel, volant le long des nuages. On entend le vent sur leurs ailes et leurs bavardages incessants bien avant de les voir. Elles vont à une vitesse! Ce doit être frustrant d'être une oie. Vous ouvrez le bec, prête à dire quelque chose d'éloquent, et il ne sort qu'un bruit de klaxon...

29 septembre. Etrange, les choses que l'on apprend. Durant les trente années où j'ai été facteur, j'ai découvert le langage des voitures. A force d'arpenter les rues, on finit par reconnaître celles qui vont tourner à gauche alors qu'elles ont mis le clignotant droit. Celles qui vous faucheraient sans hésitation si vous traversiez devant elles. Et celles qui ralentiront à votre approche et vous feront un petit signe de la main.

J'ai aussi appris le langage des maisons. Certaines sont froides, stériles. On dirait que personne n'y vit; pourtant, elles reçoivent chaque jour du courrier. D'autres sont angoissées — ça se voit à la propreté presque inquiétante de leurs allées, à leurs fenêtres nues. Et d'autres vous accueillent à bras ouverts. On sent l'amour vibrer à l'intérieur. C'est ce dont j'ai toujours rêvé — me retrouver à un endroit où l'on veut de moi.

Maintenant, je m'intéresse au langage des cygnes, à la façon dont ils bougent. A ce qu'ils se disent. Ils glissent. Ils nagent vers moi en manifestant bruyamment leur curiosité. Cela ne leur viendrait pas à l'idée de vivre quelque part où ils ne seraient pas heureux. Le langage des cygnes — j'adore le langage des cygnes.

Rowan ferma le cahier; c'étaient les dernières lignes de Walter.

Elle se leva, regarda autour d'elle. Au fond, cet appartement n'avait rien d'extraordinaire, n'est-ce pas? Elle alla dans sa chambre, fit sa valise, la descendit au rez-de-chaussée et la mit dans la Coccinelle. Puis elle remonta, fourra tous les vêtements de Sadie dans un sac et ses jouets dans un grand carton. Elle empila le tout sur le siège arrière de Bessie, prit Elvis sur le lit et le jeta à son tour dans la voiture.

— Tu grossis, Elvis. Exactement comme Elvis.

Le chat la regarda d'un air menaçant et se mit à miauler.

— Non. Pas de miaulements, pas de pipi, ordonna-t-elle, sans quoi je t'emmène direct chez le taxidermiste.

Elle remonta et souleva Sadie. La fillette, éveillée en sursaut, se mit à geindre doucement; Rowan posa un doigt sur ses lèvres.

— Chut! Nous faisons une escapade au clair de lune. Ça va être rigolo, tu vas voir.

Avant de partir, elle jeta un coup d'œil dans la chambre d'amis. Eileen dormait, le visage paisible. Elle ne semblait avoir aucun souci. Peut-être était-ce ainsi que dormaient les gens méchants, comme des innocents — sans se rendre compte ou se préoccuper du mal qu'ils faisaient. Rowan lui dit adieu.

— Je ne te reverrai pas.

Elle ferma la porte.

Une fois Sadie installée dans la voiture, Rowan s'assit au volant et prit la route de la vallée en direction du cottage de Nelson.

— Qu'est-ce que tu fais là? s'exclama-t-il en venant lui ouvrir. On est au milieu de la nuit!

Rowan posa sa valise, lui tendit Sadie.

— Tiens-la-moi une seconde, il faut que j'aille chercher Elvis avant qu'il fasse pipi sur le siège.

Elle revint et posa Elvis devant le poêle.

— Je sortirai le reste de la voiture demain matin.

Nelson la regardait sans comprendre.

— Ton époque minimaliste est derrière toi, lui annonça Rowan. Je suis venue te taper sur les nerfs et semer le désordre dans ta vie. Mes pieds sont gelés, et j'ai besoin de fesses chaudes.

— Des orteils glacés sur mon postérieur. Mon rêve, ironisa-t-il. Qu'est-ce qui me vaut ce privilège?

— Eileen est revenue. Elle voulait Sadie.

— Et tu t'es enfuie ?

— Non. Je lui ai dit qu'elle ne pouvait pas la prendre. Puis, quand elle est allée se coucher, je suis partie. Lorsqu'elle se réveillera demain matin, je ne serai plus là. Pas de petit mot. Pas d'excuses. Pas d'au revoir. Rien. C'est comme ça. Après tout, c'est elle qui a commencé.

— Tu aurais pu lui rendre Sadie. Ça t'aurait permis de voyager.

— Je sais. Mais tu es là.

Il sourit.

— Et puis, ajouta-t-elle, regarde tout ce qui s'est passé depuis mon arrivée ici ! Le Rialto a brûlé. Les Rossi ont tous pris des directions différentes. Enfin, au moins deux d'entre eux. Snype est fauché. Delia a essayé de se tuer. Jude est partie à l'université. Steven... tu sais ce qui est arrivé à Steven. Ma mère est enceinte. Un nouveau Campbell va arriver d'un jour à l'autre. Comment pourrais-je m'en aller ? Je veux voir ce qui va se passer ensuite, moi !

Cet ouvrage a été réalisé par la
SOCIÉTÉ NOUVELLE FIRMIN-DIDOT
Mesnil-sur-l'Estrée
pour le compte des Presses de la Cité
12, avenue d'Italie, 75013 Paris
en août 2001